Barrios y periferia

espacios socioculturales, siglos XVI-XXI

Barrios y periferia

espacios socioculturales,
siglos XVI-XXI

Marcela Dávalos López
María del Pilar Iracheta Cenecorta
coordinadoras

917.252 B2766

Barrios y periferia: espacios socioculturales, siglos xvi-xxi / coords. Marcela Dávalos López, María del Pilar Iracheta Cenecorta. —Zinacantepec, Estado de México: El Colegio Mexiquense, A.C., 2015.

283 p.: gráf., cuadros
Incluye referencias bibliográficas
ISBN: 978-607-7761-69-3

1. Barrios - México - Historia - Siglos xvi-xxi 2. Tenencia de la tierra - México - Historia - Siglos xvi-xxi 3. Espacios públicos - México - Historia - Siglos xvi-xxi 4. Vecindarios - México - Historia - Siglos xvi-xxi.
I. Dávalos López, Marcela, coord. II. Iracheta Cenecorta, María del Pilar, coord.

Edición y corrección: Rebecca Ocaranza Bastida
Diseño y cuidado de la edición: Luis Alberto Martínez López
Formación y tipografía: Fernando Cantinca Cornejo
Diseño de portada: Fernando Cantinca Cornejo

Primera edición 2015

Ex hacienda Santa Cruz de los Patos s/n,
Col. Cerro del Murciélago,
Zinacantepec 51350, México
MÉXICO
Página-e: www.cmq.edu.mx

Impreso y hecho en México/*Printed and made in Mexico*

ISBN 978-607-7761-69-3

Contenido

Introducción*

En este libro existe una inquietud común entre los autores, que es la de investigar los barrios desde su propia especificidad. La historiografía urbana de Toluca a Oaxaca, o de Guadalajara a Aguascalientes, Michoacán o la capital mexicana es abundante y su pasado ha sido abordado desde su fundación hasta su demografía, pasando por sus redes comerciales, sociales, fisonómicas, etcétera; sin embargo, la mayoría de esas investigaciones ha contemplado los barrios como parte de un todo y no como zonas con asuntos y trayectorias autónomas. Considerados históricamente los barrios han sido componentes clave para comprender el pasado de las urbes hispanoamericanas, pues con ellos se han explicado las fundaciones del siglo xvi, se ha justificado la evangelización o las modernizaciones urbanas durante el siglo xviii, la distribución de los municipios en los siglos xix y xx, así como la disposición general de las capitales mexicanas.

Los barrios han sido poco tratados como un asunto histórico en sí mismo,[1] no obstante que de ellos se derivan aspectos relevantes para comprender la matriz de las ciudades mexicanas. De ellos surgió, a partir del segundo tercio del siglo xix, la construcción de la "periferia", dando lugar a nuevos órdenes territoriales y a distinciones de la población ya no raciales o estamentales, sino entre ciudadanos, propietarios, trabajadores y "clases peligrosas". En este sentido presentamos un conjunto de investigaciones que

* Este libro es producto del Coloquio "Barrios y periferias en las ciudades americanas. Siglos xviii al xxi", organizado por la Dirección de Estudios Históricos del inah y El Colegio Mexiquense a.c., los días 22 y 23 de noviembre de 2011.

[1] Un trabajo clave que estudia los barrios desde su propio proceso histórico es el de Felipe Castro (coord.), *Los indios y las ciudades de Nueva España*, México, unam, 2010. Otro trabajo importante es: Ernesto Aréchiga Córdoba, *Tepito: del antiguo barrio de indios al arrabal,* México, Ediciones ¡UníoS!, 2003 (Sábado Distrito Federal).

abarcan desde el periodo de la conquista hasta el presente, con el fin de mostrar cómo el proceso de esos barrios ha sido determinante para establecer el orden urbano moderno.

Desde las últimas décadas del siglo XX el método historiográfico[2] ha permitido distinguir cómo se construye la historia y, particularmente, la historia urbana. Partiendo de esta perspectiva, desde la segunda mitad del siglo XVIII y hasta fines del XIX la historiografía urbana se distinguió por mostrar el reverso de su fisonomía ideal, al describir la parte negativa en los barrios; insalubres, peligrosos, infestados de pordioseros, etcétera. Esta historiografía negó que los barrios pudieran ser estudiados en sí mismos desde sus propios referentes, pero a pesar de todo fueron vistos desde descripciones folclóricas o crónicas costumbristas[3] y aparecieron como tema en la historiografía del siglo XX.[4]

Con base en lo anterior, partiendo del uso de los significados de barrio, límites, identidades y jurisdicciones a través del tiempo, presentamos un abanico de investigaciones de distintas ciudades mexicanas, en los que los barrios son el actor principal. Esta perspectiva inauguró otra reflexión hacia los barrios, tal como en su momento lo enunciaron los integrantes del Seminario "Geografía urbana: nuevos paradigmas",[5] al preguntarse sobre la evolución de una familia temática de palabras: arrabal, barrio, colonia o fraccionamiento.

[2] La bibliografía sobre este punto es muy amplia. Para una excelente síntesis al respecto *cfr.* Alfonso Mendiola, "La función social de la historia", *Historia y Grafía,* núm. 21, México, UIA, 2003, pp. 103-132; Jean Francois Rioux y Jean- Sirinelli Francois (coords.), *Para una historia cultural,* México, Taurus, 1999; y Norma Durán, "La transformación en las formas de lectura: del formalismo al contextualismo", *Formas de hacer la historia. Historiografía grecolatina y medieval,* México, Ediciones Navarra, 2001.

[3] Un par de ejemplos son Ignacio Manuel Altamirano, "Una visita a la Candelaria de los Patos", en Emmanuel Carballo y José Luis Martínez, *Páginas sobre la Ciudad de México, 1469-1987*, México, Consejo de la Crónica de la Ciudad de México, 1988; y Manuel Payno, *Los bandidos de Río Frío*, México, Promexa Editores, 1979.

[4] Autores contemporáneos que han seguido esa manera de describir los barrios respaldándose en un aparato histórico: *cfr*. Emma García Palacios, *Los barrios antiguos de Puebla*, Puebla, Centro de Estudios Históricos de Puebla, 1972; María Elena López Godínez, Juana del Carmen Santos Medel, *Carretas, cargadores y barrios en el siglo XVIII*, Veracruz, Instituto Veracruzano de Cultura (Carpatacios), 1992; Alfonso Gorbea Soto, *Vida y milagros en San José*, Jalapa, Veracruz, Biblioteca Universidad Veracruzana, 1984; y Manuel Magaña Contreras, *Remembranzas del Canal de la Viga, Iztacalco y Santa Anita*, México, DDF-Delegación Iztacalco, 1993.

[5] López Moreno Eduardo, "Barrios, colonias y fraccionamientos. Historia de la evolución de una familia temática de palabras que designa una fracción del espacio urbano. México", en Marie France Prévôt Schapira *Seminario "Geografía urbana: nuevos paradigmas"*, México, CEMCA/CIESAS/Instituto Mora, 1998 (Cátedra de geografia humana "Elisee Reclus"; impartida del 2 al 10 de julio de 1998).

Para reconstruir las diferencias o continuidades entre los barrios prehispánicos, los barrios indígenas coloniales, los de la modernización porfirista o los integrados a las colonias populares y a las periferias urbanas en el siglo XX, tomamos como eje el proceso iniciado con el poblamiento colonial y la separación entre ciudades para españoles y pueblos de indios. Partiendo de explicaciones iniciales tales como la fundación, la diferenciación entre centro y parcialidades, el contraste entre ciudad tradicional y moderna, la pugna territorial entre cabeceras, pueblos y municipios, etcétera, encontramos pistas para abordar los barrios como territorios con referentes históricos autónomos, aun cuando sus estructuras estén vinculadas al orden y la administración del conjunto urbano.

La presencia específica de los barrios indígenas en la historiografía urbana es incuestionable, no obstante, queda mucho por investigar.[6] No hay respuestas definitivas a las preguntas sobre cómo han sido interpretados, cuál es su alcance o qué abarcan. De las parcialidades de Santiago Tlatelolco y San Juan Tenochtitlan, administradas por la Ciudad de México y compuestas por una buena cantidad de pequeños barrios ubicados alrededor de la capital novohispana, se deriva el papel que tuvieron en diferentes periodos el pueblo de Tacubaya, los barrios de La Merced o la colonia Lomas de Chapultepec respecto a la Ciudad de México. Los *calpullis* prehispánicos probablemente poco o nada tienen que ver con los barrios decimonónicos; no obstante, fue a partir de que la historia requirió explicar su pasado a partir de parámetros modernos que se hicieron coincidir los postulados de autores como el padre Alzate, en el siglo XVIII, o Alfonso Caso en el XX; desde entonces comenzó a investigarse si donde antes hubo centros ceremoniales prehispánicos, se asentaron pueblos y barrios de indios coloniales. Esto posibilitó la sedimentación de ambas temporalidades y llevó a investigar sobre la coincidencia entre los barrios novohispanos y los *calpullis*.

[6] José R. Benítez, "Toponimia indígena de la Ciudad de México", *27 Congreso Internacional de Americanistas*, tomo II, actas de la primera sesión celebrada en la Ciudad de México, México, 1939; Alfonso Caso, "Los barrios antiguos de Tenochtitlan y Tlatelolco", *Memorias de la Academia Mexicana de la Historia*, México, enero-marzo de 1956; Agustín Ávila Méndez, "Antiguos barrios de indios de la Ciudad de México en el siglo XIX", *Investigaciones sobre historia de la Ciudad de México*, Cuadernos de Trabajo del Departamento de Investigaciones Históricas, vol. II, México, INAH, 1974; Andrés Lira, *Comunidades indígenas frente a la Ciudad de México. Tenochtitlan y Tlatelolco, sus pueblos y barrios, 1812-1919*, México, El Colegio de México/El Colegio de Michoacán, 1983; Lucio Ernesto Maldonado Ojeda, "Barrios y colonias de la Ciudad de México (hacia 1850), *Anuario de Estudios Urbanos*, núm. 1, México, Instituto Nacional de Estudios Históricos de la Revolución Mexicana, 1994; Marcela Dávalos, *Los letrados interpretan la ciudad*, México, INAH, 2012; y Sergio Miranda Pacheco, *Tacubaya: de suburbio veraniego a ciudad*, México, Universidad Nacional Autónoma de México, Instituto de Investigaciones Históricas, 2008.

Parte de esa polémica se expone en el artículo de María del Pilar Iracheta "Del calpolli prehispánico al barrio colonial. Permanencias y transformaciones en la villa española de Toluca, siglo XVI", que se refiere a los seis primeros barrios indígenas (matlatzincas) sujetos de la Villa de Toluca, los cuales devinieron barrios coloniales a lo largo de varios procesos históricos: la Encomienda, la formación de cabecera-sujetos indios, la Congregación realizada hacia 1567, la erección de Toluca como villa de españoles en el territorio de un antiguo "*calpulli* Matlazinca" todo lo cual constituyó la delimitación de un continuum urbano. Los seis barrios matlazincas, explica la autora desde una perspectiva jurídica territorial, tenían la categoría de *calpolli* y estaban adscritos al *altepetl* (en náhuatl) o *inpuehtzi* (en matlatzinca) de Calixtlahuaca-Toluca. En este trabajo destacan las permanencias y los cambios de aquellos barrios, así como la lucha de los indios de Toluca por mantener su antiguo estatus de pueblos indios con el objeto de reclamar su derecho a las tierras que les habían pertenecido en el periodo prehispánico, a través del llamado "fundo legal" en el periodo colonial.

En esta misma línea de investigación el artículo de Guillermo Vargas Uribe, "Población, poblamiento y despoblamiento en cinco pueblos cabecera y sus sujetos: un altepeme en el antiguo Michoacán", sobre un altepeme en el antiguo Michoacán, parte del poblamiento de los pueblos cabecera y de sus pueblos sujetos a fin de reconstruir su probable distribución geográfica en el siglo XVI temprano, antes y después de que fueran afectados por las congregaciones. Partiendo de los datos vertidos en la *Visita* de Antonio de Carbajal, que da cuenta justamente de la visitación de éste, realizada entre 1523 y 1524,[7] el autor concentra su atención en los pueblos cabecera de Espopuyutla (Comanjá), Uruapan, Turicato, Huaniqueo y Erongarícuaro. Vargas utiliza el concepto de *altepetl* como la unidad básica territorial político-económico-social sobre la cual explica el patrón de poblamiento en el momento del contacto indoeuropeo, enfatizando las transformaciones que sufrió dicho patrón luego de las afectaciones espaciales derivadas de las congregaciones o reducciones de los pueblos de indios.

Las jerarquías territoriales que a lo largo de la colonia distinguieron a las ciudades de los pueblos, a las cabeceras de los pueblos sujetos y a éstos de los barrios quedaron alteradas con las sucesivas leyes sobre tierras, corpo-

[7] Este documento, considerado el primer censo de población en Michoacán fue publicado en: Fintan Benedict Warren (1963), "The Carvajal visitation: first spanish survey of Michoacán", *The Americas*, vol. XIX, núm. 4, abril, pp. 404-412.

raciones y comunidades enunciadas en las constituciones y reformas decimonónicas. La continuidad entre los siglos xvi y xviii, marcada por el criterio de segregación étnica, quedaría afectada con el fin de la República de Indios y la consecuente reconstrucción territorial municipal republicana, tal como lo señala María Soledad Cruz en su artículo "El barrio entre la colonia urbana y el pueblo ¿indefinición territorial?"

¿Qué elementos definen a un barrio? ¿Qué lo distingue de una cabecera, un municipio o un pueblo? ¿Qué lo relaciona con una colonia, un poblado o un fraccionamiento? ¿Cómo se delimita territorialmente? Éstas son algunas de las preguntas que plantea María Soledad Cruz desde la antropología cultural. Así, los límites espaciales o administrativos de los barrios se vinculan a la manera de crear y vivir un territorio determinado, enfatizando con ello su autonomía respecto a un conjunto global. Esta historiográfica permite ir delimitando los espacios, tanto territoriales como simbólicos, redefiniendo los conceptos de barrio, pueblo, municipio o colonia.

Más allá de la "larga trayectoria histórica" de los barrios o de sus delimitaciones geográficas y administrativas, la autora los presenta como un "modo de vida" y el lugar donde se comparte un "universo simbólico común". A partir de la historia de los culhuacanes, barrios ubicados en las delegaciones Itztapalapa y Coyoacán, deduce que la relación entre la constitución territorial del Distrito Federal y los antiguos pueblos rurales circundantes marcaron el rol de barrio para poblados que antes no lo eran. Fue con la conformación de los municipios decimonónicos cuando dejaron de diferenciarse y en 1970 "los pueblos y barrios desaparecieron como categorías del territorio". No obstante, algunos programas alertaron sobre su existencia como comunidades con formas de identificación y arraigo territorial, hasta ser reconocidos por la Secretaría de Desarrollo Urbano. Esto explica parte de los motivos por los que su historia repuntó y renovó su presencia.

En la línea que presenta a los "barrios originarios" modificados por los procesos de urbanización se halla el trabajo "Identidad y mayordomía en dos barrios de la ciudad de Oaxaca" de Olga J. Montes García, Néstor Montes García y Carlos Sorroza Polo. Desde la antropología social y cultural los autores abordan "el modo de vida", es decir, la forma de vivir y hacer en el espacio barrial, gracias a la cual se construye la identidad de los dos barrios estudiados. Desde este punto de partida los autores explican que la expansión urbana tuvo impactos diferenciales en Xochimilco y Jalatlaco. El primero conservó su identidad indígena, que le ha permitido mantener su organización político-religiosa. Jalatlaco es también un pueblo originario, pero el crecimiento de la mancha urbana lo absorbió, con lo que perdió parte de su tradición religiosa, centrada en la mayordomía; sin embargo, en fechas recientes la ha recuperado con el objetivo de proteger su territorio y cultura. En suma la permanencia cultural en los dos barrios indica la persistencia de la tradición india mesoamericana, a la vez que refleja la modernidad que se vive en Oaxaca de la cual son parte importante las fiestas religiosas de ambos barrios.

Ahora bien, en nuestra actual idea de urbe distinguimos a los barrios. El lenguaje coloquial los describe como sitios en los que pulula todo tipo de pequeños negocios y servicios, en donde las familias que los atienden, además de reconocerse o tener algún parentesco, elaboran los productos que venden, porque en ellos residen muchos de los trabajadores manuales que ofrecen sus servicios a la ciudad. En sus calles, constantemente pobladas, además de no ser siempre regulares, existen habitaciones edificadas a través de la autoconstrucción, y entre la gente parecen enlazarse la vecindad, el oficio y el parentesco. Los barrios, vistos desde ese "conjunto semántico" que se vincula según el contexto con las colonias, los conjuntos habitacionales o los fraccionamientos residenciales "modernos", han retomado el modelo de comunidad cerrada barrial. Luego de la Independencia el llamado a la creación de los ayuntamientos constitucionales no sólo afectó a las repúblicas de indios, y con ello a los barrios contenidos en las parcialidades, sino también a los barrios de españoles —que finalmente también se reconocían como tales.

En el polo opuesto, en contraste con aquellos barrios "originarios", se muestra la primera urbanización que abandonó la traza en retícula utilizada desde el Virreinato. En su artículo "Las Lomas de Chapultepec, análisis de su trazo urbano a partir de fuentes cartográficas" Manuel Sánchez de Carmona explica cómo la colonia Lomas de Chapultepec, creada a finales de 1921, se anunció como "la primera ciudad jardín de México". En principio, como sucedió también en otras colonias previamente proyectadas —como la Hipódromo Condesa, la Ferrocarrilera, en Orizaba, ciudad del estado de Veracruz, o las colonias industriales planeadas hacia el norte de la capital—, la intención no era convertirlas en un suburbio residencial dependiente de la gran ciudad, sino seguir un modelo de residencia autónomo para trabajadores y campesinos, rodeado de cooperativas, tierras y espacios de trabajo que acercaran la jornada laboral a la vivienda. La historia de su crecimiento expone la distancia entre los planos arquitectónicos y el resultado concreto: el tiempo no le permitió ser un suburbio separado del territorio de la ciudad. No obstante, las Lomas fue una de las colonias que difundía un nuevo estilo de vida, en el que la arquitectura y la urbanización, juntas, apuntaban a poner en práctica las teorías en boga. No sólo se trataba de que las casas se rodearan de aire libre, de que estuviesen edificadas con todas las normas de prevención y servicios que permitieran practicar medidas de higiene de las que carecía la mayoría de los edificios del centro de la ciudad, sino también fortalecer el funcionalismo y la intimidad que requerían las familias modernas.

El proyecto de dar aire y poner distancia en las colonias y las habitaciones se conjuga con la perspectiva de la "centralidad histórica" expuesta por María del Carmen Bernárdez en su ensayo "La Merced. Centro y periferia". A partir de la historia de la traza en la Ciudad de México, muestra los desplazamientos en las funciones de los barrios, concentrando la atención en la Merced y su ubicación medular en la capital. La Merced participó de esa centralidad histórica en tanto que surgió a la par que el corazón de la ciudad misma, por ello el barrio ha presentado desde su origen la característica peculiar de haber nacido como un área periférica. Su cercanía y conexión con los límites del lago de Texcoco lo alejaron de la urbanización, pero al mismo tiempo compensaron su relevancia por tratarse de un área muy importante para la entrada de mercancías a la ciudad. Esta lejana centralidad aún se puede visualizar en la actualidad, ya que su calidad periférica, que discrepa entre su importancia central estratégica y la falta de desarrollo urbano, se mantuvo casi intacta hasta que la Central de Abastos, a partir de la década de los noventa del siglo xx, dislocó el rol del histórico mercado.

El edificio Ermita, construido en lo que alguna vez fue la entrada del barrio de Tacubaya, fue muestra de la arquitectura funcionalista. En su misma mole, decorada con elementos prehispánicos que polemizaban con la tendencia afrancesada que rigió en México hasta la Revolución, se agruparon habitaciones, comercios y espectáculos. En su artículo "El edificio Ermita como andamiaje de un barrio. Tacubaya", Marcela Dávalos expone que pocas veces las construcciones se apartan de la historia de su entorno; el edificio Ermita, levantado en los años treinta del siglo xx, ocupó el mismo sitio del reconocido portal que anunciaba el inicio del pueblo —convertido a lo largo del siglo xix en enorme barrio— de Tacubaya. Su radio centralizaba una extensa región que incluso llegaba hasta Toluca. La construcción del edificio Ermita alude a una coexistencia pacífica entre la urbanización moderna y los barrios; su presencia fue una alternativa para un grupo social que se reconoció en sus funciones, al tiempo que permitió al barrio continuar operando con los parámetros culturales heredados desde el periodo virreinal. La presencia del Ermita, con su carácter de modernidad revolucionaria, dignificó incluso el entorno del barrio, hasta que una violenta urbanización desarticuló por completo la geografía simbólica que mantuvo a lo largo de más de dos siglos.

Al indagar en las vecindades se vincula el crecimiento urbano e industrial de la ciudad con la demanda del tipo de "viviendas baratas en arrendamiento". El artículo de Gerardo Martínez, "Habitación, barrios e itinerarios urbanos en los márgenes de Aguascalientes a principios del siglo XX: ciudad invisible y espacios complejos", reconstruye los itinerarios de los vecinos de los barrios hidrocálidos haciendo que su texto corra paralelo entre la ciudad burguesa modelo y las formas de vida del hombre sin atributos, que se muestra en descripciones que abarcan desde las habitaciones y tipos de letrinas hasta el lenguaje de los habitantes de los barrios durante riñas, o en cantinas, mercados o fiestas. A partir de una lectura entrecruzada de las fuentes el autor documenta las estrategias con que los vecinos de los barrios alternaron su vida y el proceso de urbanización; a través de casos aparentemente sencillos muestra los cambios que alteraron las rutinas de la población con los flujos migratorios y la modernización de la urbe. Desde los grandes almacenes hasta las rutas abiertas por los tranvías, pasando por los burros de carga, los aguadores que iban de domicilio en domicilio, o las cuartillas de maíz, la cotidianidad nos muestra que, no obstante la modernización de la ciudad, el común de las personas continuó con los mismos referentes; es decir, más allá de la posibilidad de los nuevos desplazamientos por la presencia de los tranvías, las sociabilidades quedaron marcadas por el lugar de residencia, trabajo, abastecimiento o descanso tal como se practicaba en los barrios antes de las primeras décadas del siglo XX.

El territorio, la iglesia, la parroquia y el cementerio se asocian al proceso de conformación del barrio. En su artículo "Mezquitán, las oscilaciones de un barrio de Guadalajara", Isabel Méndez analiza la trayectoria de las categorías de Mezquitán como pueblo y barrio de Guadalajara, situado en la periferia, cuya peculiaridad fue su manifiesta debilidad frente a las fuerzas externas que determinaron sus cambios de categoría jurídico-territorial. La tradición religiosa de Mezquitán fue menor hasta 1960, año en que se convierte en parroquia. Su ubicación contribuyó para caracterizarlo como una población rural en desventaja con el entorno de Guadalajara, encuadrando así el problema jurídico-territorial desde la perspectiva histórico-cultural, afirmando que, pese a su fragilidad y debilidad como entidad, Mesquitán construyó su identidad barrial gracias a cuatro dimensiones: la población, la iglesia, la tierra y el cementerio, dimensiones que se entrelazan con los contextos históricos básicos de los pueblos y barrios, tales como la desaparición de la categoría de pueblos indios y su subordinación directa al ayuntamiento durante el siglo xix. El paso de la ciudad dividida en parroquias, a la ciudad civil organizada por cuarteles no sólo alejó los cementerios, antes ubicados en los atrios de las iglesias de los pueblos de indios, sino que, en varias ocasiones, reordenó las jurisdicciones religiosas, afectando directamente a Mezquitán. Para mostrar su evolución, Isabel Méndez despliega los momentos clave que entre los siglos xviii y xx lo llevaron de ser barrio sujeto o ayuda de parroquia a vicaría, hasta que a finales del siglo xix, al construirse el primer panteón municipal, Mezquitán se permitió renovar su historia. Más allá de su integración a Guadalajara el barrio, con vida propia, se muestra como parte del juego entre urbanización y renacimiento barrial.

Siguiendo la misma línea socio-territorial, Ernesto Flores Martínez alude a la distribución y ocupación de los habitantes no indios en el barrio de Tequisquiapan de la Ciudad de México en su trabajo "Juntos pero no revueltos. distribución socioespacial en el barrio de Tequisquiapan de la ciudad de México". Mediante la consulta de protocolos notariales y actas de matrimonio de los siglos xvi al xviii, el autor señala que en la zona no tuvo efecto la separación racial entre otras razones porque les fueron donados terrenos a los españoles, porque los mismos indígenas vendieron sus tierras o bien porque la construcción de importantes edificios, como La Ermita y El Convento de Monserrat, sepultaron los antiguos solares de indios sobre los cuales se construyó. Todo ello facilitó el arribo de "gentes de otras calidades" a esa zona de la parcialidad de San Juan. A partir de los archivos notariales Flores ubicó además los datos generales de la población, entre los que destacan los oficios, abarcando también los talleres artesanales que, como en el barrio de La Merced, estudiado por Carmen Bernárdez, dio pie a un intenso desarrollo comercial.

Todas estas reflexiones provienen, de una u otra manera, de la experiencia urbanizadora de las últimas décadas en las capitales del país. El contraste entre la construcción de extensas unidades habitacionales, motivada por la especulación urbana y la inercia histórica que hasta ahora han permitido a los barrios permanecer vivos, no sólo apunta al pasado de un tipo de sociabilidad, sino a la amenaza de la extinción de formas de vida que, entre otras muchas cosas, pudieran servir de modelo para fortalecer comunidades autosuficientes.

Del *calpulli* prehispánico al barrio colonial. Permanencias y transformaciones en la villa española de Toluca, siglo XVI

*María del Pilar Iracheta Cenecorta**

I

* Profesora-investigadora de El Colegio Mexiquense, A. C. Contacto: pirachet@cmq.edu.mx

Introducción

Este trabajo aborda el proceso de conformación de los barrios sujetos a la villa española de Toluca en el siglo XVI. La perspectiva del trabajo se basa en la tesis de René García Castro referente a la conservación de la integridad política por parte de los *altepeme* otomianos de la cuenca del Alto Lerma (entre ellos el de Calixtlahuaca-Toluca), desde el momento de la conquista y hasta prácticamente la primera mitad del siglo XVII (García Castro, 1999).[1] La sobrevivencia del *altepetl* y las células territoriales básicas que lo conformaban, *los calpultin* (plural de *calpulli*), nos permite entender cómo seis de los *calpultin* del *altepetl* matlatzinca Calixtlahuaca-Toluca devinieron los barrios coloniales matlatzincos circunscriptos a la jurisdicción de la Villa de Toluca a lo largo de varios procesos históricos. En efecto, los barrios fueron constituidos en la segunda mitad del siglo XVI sobre antiguos territorios prehispánicos que tenían la categoría de *calpulli* y estaban adscritos al *altepetl* (en náhuatl), o *inpuehtzi* (en matlatzinca), de Calixtlahuaca-Toluca. En este trabajo destaco las permanencias y los cambios de dichos *calpultin* prehispánicos durante su proceso de transformación en barrios desde la perspectiva político-territorial. Para desarrollar el tema: *1)* abordo la función del *altepetl,* o señorío indígena, como la institución político-territorial básica de la sociedad prehispánica; así como el concepto de *calpulli* y sus relaciones con el *altepetl*; luego explico la caracterización del *altepetl* de Calixtlahuaca-Toluca y el de los *calpultin* matlalzincas, territorios prehispánicos que fueron

[1] Agradezco al doctor René García Castro y a los dos dictaminadores anónimos sus atinados comentarios para mejorar mi artículo.

la base de los futuros barrios coloniales de la villa de Toluca; *2)* describo la permanencia de los *calpultin* y su adscripción como sujetos al señorío de Toluca, gobernado por un señor matlatzinca, pero dependiente del imperio azteca; y *3)* explico la trasformación de los antiguos *calpultin* en barrios de la villa de Toluca —cuya fundación fue promovida por el segundo marqués del valle, Martín Cortés— proceso histórico desarrollado dentro de cuatro momentos clave en la historia de dicho núcleo urbano: *i)* la encomienda; *ii)* la formación de la cabecera-sujetos indios; *iii)* la congregación; *iv)* la erección de Toluca como villa de españoles en el territorio de un antiguo *calpulli* matlatzinca y la delimitación de un *continuum* urbano con los barrios indios; *4)* finalmente, en este apartado denominado "El concepto indio de pueblo versus el concepto español de barrio, aldea y estancia" analizo la lucha de los indios de Toluca (nobles, autoridades del cabildo indio, etcétera) por mantener el estatus de los *calpultin* del antiguo *altepetl* Calixtlahuaca-Toluca como pueblo "de por sí" para poder reclamar derechos a tierras incluyendo el recurso del fundo legal. Esta lucha suponía oponerse a los estatus de "aldeas", "estancias" y "barrios" otorgados a los antiguos *calpultin* por parte de las autoridades españolas.

El *altepetl* en el periodo premexica

Altepetl (de *atl* = agua, *tepetl* = cerro) es el nombre usado en la antigüedad prehispánica del altiplano para las entidades, tanto étnicas como territoriales, en las que se organizaron social y políticamente los pueblos indígenas mesoamericanos en el posclásico (1200-1521).[2] El *altepetl* era una colectividad organizada en grupos llamados *calpultin*, compuestos por familias emparentadas entre sí y que compartían un mismo oficio, un mismo origen (mítico o corográfico) y un mismo dios protector. En sentido estricto el *atlepetl* no estaba dividido en *calpultin*, sino que eran dos formas de organización. Sin embargo, al ser el primero mayor que el segundo, parecería que uno englobaba al otro (Fernández y Urquijo, 2006: 147).

Los *calpullis* o *calpultin*

Como ya se explicó, cada *altepetl* estaba compuesto por un número variable de subgrupos o entidades semiindependientes llamadas, en náhuatl, *calpu-*

[2] García (s/f), http://pendientedemigracion.ucm.es/info/arqueoweb/pdf/8-2/garcia.pdf

lli o *tlaxilacalli* y otras, *tecpan* o *tecali*, gobernados por un líder de menor rango que el *tlatoani;* sin embargo, este gobernante también tenía poder sobre los *calpultin* de su *altepetl*. Los términos nahuas *tecpan, tlaxilacalli* y *calpulli* aluden al concepto de "casa grande" o "casa señorial". De menor jerarquía que el líder principal del señorío eran los señores inferiores, que tenían señalados sus "pueblos y barrios llamados *calpule*, gobernados por un principal o gobernador perpetuo" (García Castro, 1999: 19, 36, 38 y 54).[3]

Enrique Florescano explica que los *calpultin*

> eran unidades corporativas las cuales servían para un doble objetivo: satisfacer la subsistencia y reproducción de las familias y proporcionar el tributo que fijaban las autoridades centrales. Cada provincia, aldea y barrio tenía asignados sus cargas y deberes económicos militares y religiosos que una red de funcionarios y autoridades provinciales y locales se encargaba de coordinar y asignar. De manera que cada barrio [*sic*] familia e individuo recibía un calendario completo de actividades con tiempo y lugar rigurosamente determinados (Florescano, 1980: 19).[4]

En este sentido Rossend Rovira Mogardo (s/f) expresa que "el principal componente que proporcionaba cohesión sociológica dentro del *altepetl* era

[3] Según Pablo Escalante el terreno donde se asentaba cada *calpulli* fue traducido como "barrio" y constaba de varias casas, una de las cuales era ocupada por el *teachcauh* o "hermano mayor", es decir, el jefe del *calpulli*. Había áreas comunales en las que estaban dispuestos un templo para el dios protector, una casa de reunión, una plaza abierta y un *temazcal*. Las viviendas se organizaban en predios familiares cada uno de los cuales estaba ocupado por dos o tres familias nucleares (Escalante, 2004: 221). Este autor proporciona más detalles sobre la infraestructura física y la vida cotidiana del *calpulli*.

[4] Varios autores han discutido e interpretado los conceptos de *calpulli* y *tlaxilacalli*. Alonso de Zorita consideraba que "*calpulli* o *chinancalli*, que es todo uno, quiere decir barrio de gente conocida o linaje antiguo, que tiene de muy antiguo sus tierras y términos conocidos, que son de aquella cepa, barrio o linaje y las tales tierras llaman *calpulli*, que quieren decir tierras de aquel barrio o linaje" (Zorita, 1999, vol. 1: 335); fray Juan de Torquemada se refiere a los *tlaxilacalli* diferenciándolos de los *calpules* que eran parcialidades o "barrios": "y sucedía, que una parcialidad de estas dichas tenía tres y cuatro y más *calpules*, conforme a la gente que tenía el pueblo y en lugar de calles llamaban *tlaxilacales*" (Torquemada, 1986, vol. 2: 545). Sin embargo, James Lockhart equipara el término *tlaxilacalli* con el de *calpulli*, siendo los dos equivalentes con el término de *barrio*. Lockhart se basa en la traducción que Molina hace de *tlaxilacalli* y *calpulli* (Lockhart, 1992: 30). Luis Reyes discrepa de esta interpretación al afirmar que el uso dado al término *calpulli* era para designar a un grupo étnico, a un templo o a los fieles de un templo local. En cambio, el de *tlaxilacalli* designaba un territorio, áreas de residencia, pero también un *tecpan* o casa señorial (Reyes, 1996: 44, 56 y 57). Finalmente Hedilberto Martínez llama la atención sobre la polisemia del término *calpulli*, usado para denominar "tanto al señor de un *calpulli*, como a sus trabajadores y tributarios"; interpretando a Zorita y a Fernando de Alva Ixtlilxóchitl, Martínez afirma que el modelo básico del calpulli era el de "los señores y sus parientes asentados en tierras de algún otro señor", el término *calpulli* en el siglo XVI significaba 'una casa señorial (que coincide con la "*teccalli*" o "casa de mayorazgo") de un señor con sus parientes, una cantidad determinada de tierras poseídas en común y un grupo de macheuales que le tributaban y ofrecían servicios personales' (Martínez, 2000: 200-202).

la existencia de complejas redes de dependencia interpersonal de tipo feudo vasallático entre sus miembros, así como el reconocimiento colectivo de la afiliación tributaria que se les debía a los señores locales (Smith, 2003: 151)". Cabe aclarar que la dinámica del *altepetl* no fue estática: se transformó con el tiempo (García Castro, 1999).

Nos interesa ahondar aquí en el concepto de *calpulli*, ya que éste fue parte sustancial de la herencia urbanística e institucional legada por el *altepetl* prehispánico de Calixtlahuaca-Toluca. En este contexto, la relación de dependencia política entre el *altepetl* y el *calpulli* se mantuvo vigente en el periodo colonial temprano, pero fue adecuada claramente a las nuevas relaciones de poder y tendencias sociales que emergieron con la fundación de la villa de Toluca, en la cual los *calpultin* dieron origen a los barrios indios de este nuevo núcleo urbano. Dichas relaciones de poder y tendencias sociales tienen que ver con el detrimento del modelo del *Personenverband* (asociación personal) en favor del modelo del *Territorialverband* (relación territorial) Rovira (s/f) que caracterizó la relación *altepetl-calpulli* en el periodo prehispánico, y que determinó la pérdida de poder de dicho binomio a lo largo de todo el proceso de conformación de los barrios indios de la Villa de Toluca.

EL *ALTEPETL* MATLATZINCA DE CALIXTLAHUACA-TOLUCA

En cuanto a la organización social y política de los matlatzincas —teniendo como base el *altepetl* o *inpuehtzi*— García Castro afirma que "no difería mucho de la de los mexicanos y tarascos"; en el señorío indígena existía una estructura piramidal del poder, manifestada en una jerarquía señorial en cuya cúspide estaba el rey o *tlatoani* y después se hallaba un estrato noble, sobre el cual descansaban el dominio eminente de la tierra, el gobierno, las funciones rituales y la administración de la justicia. Como subordinados están los trabajadores plebeyos, campesinos tributarios o renteros de los nobles (García Castro, 1999: 36 y 52).[5]

Según René García Castro, basado en Alonso de Zorita y en tradiciones históricas locales, antes de la conquista mexica del valle de Toluca existió un solo *altepetl* o *inpuehtzi* —así llamado por los matlatzincas— cuyo centro

[5] Esta definición es diferente de la enunciada por James Lockhart quien concibe la estructura interna del *altepetl* como no piramidal, sino celular o modular cuya principal característica es la simetría y rotación cíclica de sus componentes, en contraposición a un sistema jerárquico (Lockhart, 1992: 15).

era Calixtlahuaca. Este *altepetl* era tripartito, gobernado por "tres señores superiores" pero de distinta jerarquía: el señor principal era el tlatoani, le seguía el *tlacatecatl* y al final estaba el señor llamado *tlacochcalcatl*. Cada uno tenía "sus pueblos y sus barrios [los *calpulli*] conocidos con jurisdicción sobre ellos". Además, existieron señores inferiores, elegidos en cada uno de los pueblos, pero eran confirmados por los señores superiores. Cada uno de los señores superiores administraba con cierta independencia a un subgrupo interno del señorío, como si fueran tres casas señoriales separadas, pero en el gobierno supremo del señorío intervenían los tres. En el periodo inmediatamente anterior a la conquista mexica existieron en el valle tres señores: Cipac Chimal, ca Chimaltecutli y ca Chimaltzin, todos ellos descendientes de los linajes reales y líderes supremos de Calixtlahuaca. Lo anterior no implica que los señoríos de Calixtlahuaca-Toluca y los otros dos existentes —Tenango y Malinalco— no hayan podido fungir como el centro de una alianza señorial en la región. En suma, por los datos que arroja la asociación entre topónimos, nombres de señores y sitio arqueológico, el principal *altepetl* o *inpuehtzi* matlatzinca en el alto Lerma —antes de la conquista del valle de Toluca por la Triple Alianza mexica— tuvo como centro la serranía y el valle adyacente a la zona Calixtlahuaca-Toluca, mientras que Tenango y Malinalco parecen haber tenido un rango similar (García Castro, 1999: 54-55).[6]

El *altepetl* matlatzinca de Calixtlahuaca-Toluca durante la conquista mexica. Permanencias y transformaciones

Hacia 1470 los tenochcas o mexicas comenzaron la conquista militar del área otomiana —en la cual se ubicaba el *altepetl* o señorío de Calixtlahuaca-Toluca—. Hubo varias etapas en esta conquista. Entre 1471 y 1472 el sexto emperador mexica Axayácatl, junto con los pueblos incluidos en la Triple Alianza, lanzaron una guerra de conquista del valle de Toluca y así sometieron un territorio designado, de manera general, con el nombre de Matlatzinco (García Castro, 1999: 19).

[6] Margarita Menegus tiene otra perspectiva; ella afirma que la organización de los matlatzincas en el valle de Toluca giraba en torno al gobierno de tres señores principales: un jefe supremo llamado *tlatuan*, otro *tlacatecatle* y el tercero *tlacuxcalcatl*. Parece ser que cada uno de estos tres indios principales gobernaban respectivamente una de las tres cabeceras matlatzincas del valle de Toluca: Tenancingo, Teotenango y Matlatzinco (Toluca-Calixtlahuaca) (Menegus, 1994: 34 y 37).

Cabe señalar que, como consecuencia del dominio mexica en el valle de Toluca, se suscitaron dos procesos que incidieron directamente en el tipo de poblamiento multiétnico manifestado en la época: en primer lugar, el repoblamiento de muchas áreas del valle de Toluca con personas procedentes de la cuenca de México y que reemplazaron a los migrantes otomianos, los pobladores originarios del valle (Hernández, 1988: 22-38) los cuales se desplazaron a otros lugares a raíz de la conquista. Estos colonos se regían por las normas y jerarquías preestablecidas por el señorío del que dependían directamente; en segundo lugar se dio el reparto de tierras e indios del mismo señorío sometido por parte de los conquistadores mexicanos (Hernández, 1988: 95). De este modo los límites del señorío de Toluca en 1519, inmediatamente antes de la conquista española, eran: al norte la provincia de Xocotitlán, en la que se hablaban las lengua mazahua y otomí; al este Quahuacan cuyos idiomas eran otomí y matlatzinca; al oeste Michoacán cuya lengua era la tarasca; al sur los señoríos de Ocuila, de idioma ocuilteca, y Malinalco en donde en el siglo XVI se hablaba mexicano (Hernández, 1988: 18).

En los *calpultin* del señorío de Toluca, como en todos los demás, conquistados por los mexicas, convivieron personas de diferentes grupos étnicos, situación que fue determinante en la conquista española del valle de Toluca, pues los conquistadores tomarían la estructura político-territorial preexistente para conformar las nuevas divisiones como "pueblos-sujeto" "aldeas" y "barrios" cuya característica principal es que fueron multiétnicos.

Fray Bernardino de Sahagún consignó los 14 "reinos y provincias" o *altepeme* (plural de *altepetl*) otomianos en Matlatzinco, que fueron conquistados por Axayácatl quien repartió las tierras conquistadas (véase el apéndice 1 en la pág. 53): Tlacotepec, Cozcaquauhtenco, Callimaya y Metepec, Ecatepec, Teutenanco, Malinaltenanco, Tzinacantepec, Coatepec y Cuitlapilco, Hueyxahualco, Tecualoyan, Ocuillan y Calixtlahuaca el cual corresponde al área de Toluca. Durante la dominación mexica en el territorio de lo que fue el área nuclear del señorío de Calixtlahuaca —espacio de nuestro interés— había cuando menos 35 *calpulli* administrados por siete señoríos de la Triple Alianza (García Castro, 1999: 115) cuya distribución quedó así: en cuanto al señorío de Toluca, Axayácatl mandó matar a dos de los tres señores matlatzincas y confirmó al sobreviviente, Cachimaltzin, "en su señorío y tierras", quedando los indios traídos por Axayácatl como sujetos y terrazgueros de Cachimaltzin. De tal modo, bajo el control de éste quedaron 11 *calpultin* contiguos (García Castro afirma que eran *calpultin* "por ser casas señoriales autóctonas y mantener sus linajes gobernantes con cierta autonomía"), que pertenecían al señorío Calixtlahuaca-Toluca ubicados en las laderas y el valle adyacente del centro-sur de la serranía matlatzinca. Estos *calpultin* eran Atipac, Coyotitlán, Cuauhcingo, Cuitlalmictlán, Cuxcatlán, Mixcoac, Oxtotitlán, Pinahuizco, Tullitic-Zocomaloya, Tlazintla y Tlalcingo (Hernández, 1997: 36); los *calpultin* ya mencionados: Atipac-Pinahuizco, Coyotitlán-Cuitlalmictlán, Cuauhcingo, Cuxcatlán, Mixcoac y Tlalcingo fungirían más tarde como los seis barrios matlatzincas circunscritos a la villa española de Toluca. Se hicieron además repartos a cada una de las tres capitales del imperio tenochca[7] (véase el mapa 1 en la pág. siguiente).

Los antiguos *calpultin* y el proceso de conformación de los barrios de la villa de Toluca (primera mitad del siglo xvi)

Permanencia del altepetl *y los* calpultin *de Calixtlahuaca-Toluca bajo la encomienda y los pueblos indios*

Según la tesis de René García Castro, los 39 *altepeme* conquistados por la Triple Alianza constituyeron la base del nuevo ordenamiento territorial colonial; aun reconociendo que hubo reajustes y reacomodos, conservaron su integridad política desde el momento de la conquista hasta prácticamente la primera mitad del siglo xvii. Es así que en este apartado nos abocamos a rastrear el grado de continuidad del *altepetl* de Calixtlahuaca-Toluca y sus *calpultin* a lo largo de la implantación de las primeras instituciones coloniales: la encomienda primero y el pueblo de indios después.

[7] Tenochtitlan y Texcoco tuvieron asignados ocho *calpulli* cada una y Tlacopan recibió cuatro. Los *calpulli* asignados a Tenochtitlan fueron: Tecaxic, Tepeitic, Tlalhuilpan, Cuelaxtipac, Ayacac, Tlaxomulco, Atenco y Calixtlahuaca, este topónimo correspondió con seguridad a la subdivisión (*tecpan* o *calpulli*) que hasta el momento de la conquista había ocupado la jerarquía más alta dentro del señorío y le daba nombre a toda el área territorial, pues fue el lugar de residencia de los linajes reales y señores. Todos los lugares mencionados ocupaban parte del valle adyacente y las laderas surorientales de la serranía. Por su parte, Tlacopan (o Tacuba) obtuvo el valle ubicado al oriente de dicha serranía, mientras que Tlaltelolco y Azcapotzalco recibieron dos *altepeme* de la cuenca de México. Otros ocho repartos se distribuyeron así: Ahuizotl, hermano de Axayácatl, recibió Ollic, Cuexcontitán y Oxozacatipac, ubicados todos en el valle, al norte de la serranía matlatzinca. El propio Axayácatl recibió los cinco repartos restantes: Miltepec, Cacalomacán, Capultitlán, Zacango y Tlapac. Axayácatl intentó terminar con las disputas entre los pueblos definiendo los términos, montes, tierras y aguas para cada pueblo aunque todavía hubo algunos conflictos (García Castro, 1999: 72-84 y 100).

MAPA 1
REPARTO DE LOCALIDADES DEL SEÑORÍO DE CALIXTLAHUACA-TOLUCA HECHO POR AXAYÁCATL A LOS SEÑORÍOS ALIADOS DE LA CUENCA DE MÉXICO, SIGLO XV

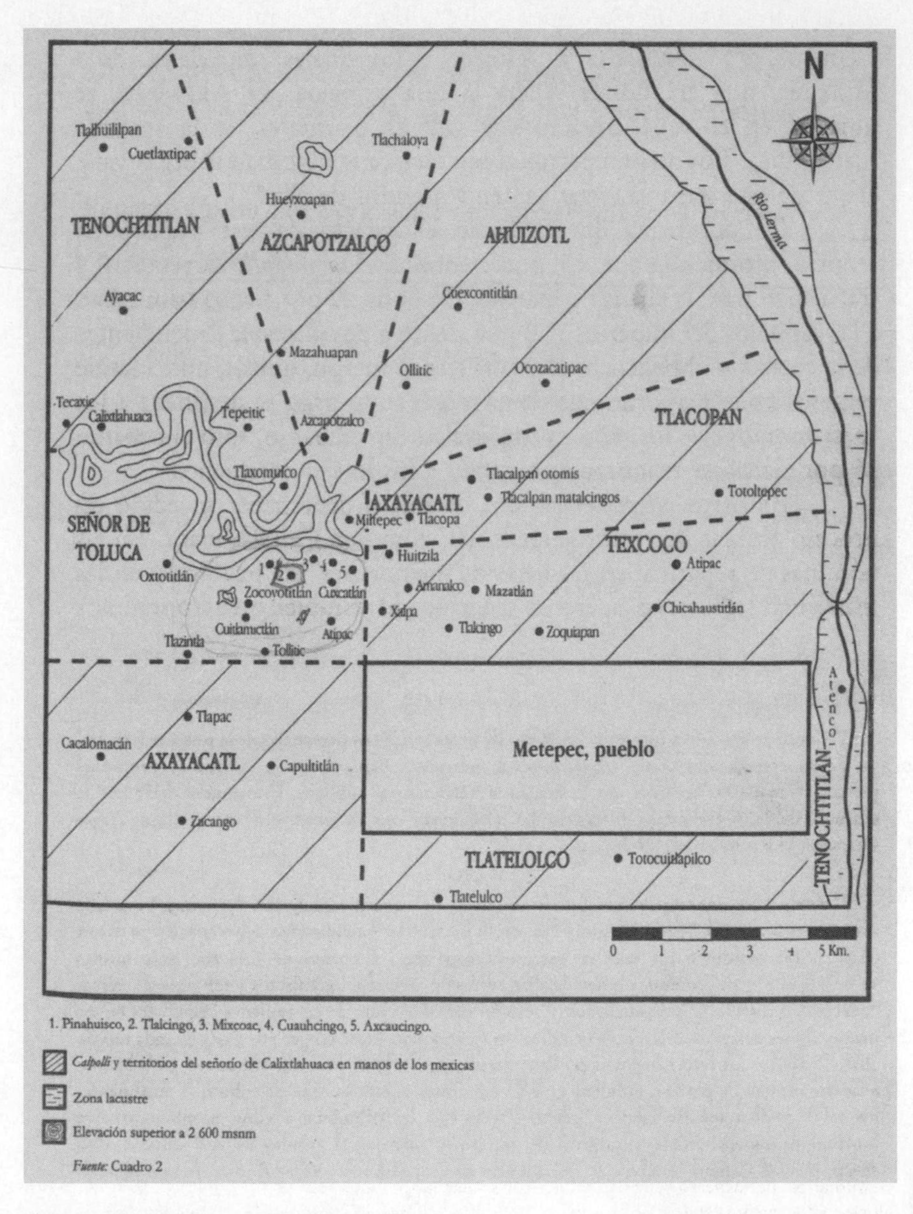

Fuente: García Castro, 1999: 198.

En 1521 se llevó a cabo la conquista española del valle de Matlatzinco. Primero se dio la avanzada de Andrés de Tapia en contra de los malinalcas cuya resistencia ante el invasor fue aplastada. Pero fue Gonzalo de Sandoval quien, posteriormente, sometió a los señoríos matlatzinca y malinalca. Una vez concluida la etapa armada de la conquista en el valle del Matlatzinco este fértil territorio pasó a formar parte del señorío otorgado a Hernán Cortés, junto con otros pueblos ubicados en distintas regiones de la Nueva España, para formar el marquesado del valle de Oaxaca, un señorío hereditario con título nobiliario.[8]

La estructura funcional del naciente régimen colonial se basó en la institución de la encomienda cuyo fin principal era la imposición de obligaciones tributarias para los señoríos indígenas conquistados, básicamente las mismas que exigió el imperio mexica a los pueblos sometidos, siendo los *tlatoque* (plural de *tlatoani*, llamados después caciques) los encargados de recoger los tributos (García Martínez, 2000: 243).

Hernán Cortes nombró a un español como encomendero de cada antiguo *altepetl* del marquesado, llamado en adelante pueblo, cuyo encargo era "mantener en su señorío, es decir en la encomienda, la funcionalidad de la relación establecida [entre caciques y conquistadores] así como atajar cualquier insubordinación; en pago de sus servicios a la Corona, el encomendero podía quedarse con el tributo del pueblo que tenía encomendado. El encomendero recibía así diversos productos, además de disponer de gran número de trabajadores casi para lo que quisiera" (García Martínez, 2000: 242-243). Prácticamente sin alterar las transformaciones territoriales hechas por los mexicas al antiguo *altepetl* Calixtlahuaca-Toluca (que implicaron la cercenadura del antiguo señorío matlatzinco) (Menegus, 1994: 144), éste fue conocido como pueblo de indios, encomendado a García del Pilar un intérprete allegado a Nuño de Guzmán y enemigo acérrimo de Cortés. Cuando éste regresó de las Hibueras recuperó Toluca y entabló un juicio en contra de García del Pilar por abuso de confianza.

Sin embargo, luego de su regreso de España con el título de marqués del valle de Oaxaca, Cortés reclamó los pueblos de la concesión. Entre ellos dos de nuestra área de estudio, Calixtlahuaca-Toluca y Calimaya. Hernán Cortés

[8] El marquesado gozó del dominio eminente y del derecho a la jurisdicción civil y criminal. En cuanto al primer aspecto se le hizo al marqués merced de montes, bosques, pastos y aguas, haciendo alusión a los que no estaban en propiedad de persona alguna, lo mismo en lo relativo a rentas, pechos y derechos: tributos personales; en cuanto a la jurisdicción civil y criminal (García Martínez, 1969: 67-68).

perdió Metepec y Calimaya-Tepemajalco y sólo recuperó Toluca, por ello los límites del marquesado en el valle fueron los que ya tenía el pueblo de Toluca (García Castro, 1999: 120).[9] La restitución de la autoridad al cacique indio de Toluca permitió también reconstituir el antiguo *altepetl*. En efecto, Cortés le reconoció a Tuchcoyotzin la jurisdicción sobre los pueblos sujetos a Toluca —de los que se habían apropiado Axayácatl y luego Moctezuma, su sucesor—, mismos que pasaron a formar parte del marquesado del valle (Menegus, 1994: 142 y 150).[10] En el proceso incoado en 1590 —seguido por la Corona española en contra del marqués del valle de Oaxaca, a través del fiscal Luis de Villanueva Zapata— el testimonio del indio Andrés de Santa María confirma la reapropiación de la jurisdicción pero también la sujeción a Cortés por parte de la nobleza de Calixtlahuaca-Toluca:

> [...] y ansimismo se poblaron [los futuros barrios de la Villa de Toluca]: el pueblo de Cuzcatlán, que agora se llama Santa Clara Cuzcatlan; y el de Quautzingo, que se llama Sant Juan Ebangelista; y el de Mixcoac, que se llama Santa Bárbara; y Tlalcingo, que se llama Santa Cruz; y Oticpac, que se llama Sant Miguel y Pinahuizco; y Coyoltitlan, que se llama San Bernardino y Cuyotlachmictlan; [y los pueblos de]: y Tulitic, Sant Buenaventura; y Cocomoloya, Oztotilan, que se llama San Matheo; y Tlatzintlan, que se llama Sant Antonio, cuya mitad de la iglesia de este pueblo está edificada en los términos de Cacalomacan, porque linda con ellos. Y toda la dicha poblazon y los nombres de los santos que tienen las yglesias de ellos, ésta fue población en las tierras y términos que tubo y tiene el día de oy el dicho pueblo de Toluca. Y esto tubo y poseyó el dicho Axayaca y Montecuma, su hijo, según lo oyó decir este testigo a lo que dico tiene como cosa suya y aunque este testigo no conoció al cacique de Toluca que se llamava Chimaltecuctli.[11]

Santa Clara (Cuzcatlan), Sant Juan Ebangelista (Quautzingo), Santa Bárbara (Mixcoac), Sant Miguel (Actipac), Santa Cruz Tlalcingo y San Bernardino (Coyoltitlan), antiguos calpultin del señorío Calixtlahuaca-Toluca son

[9] La funcionalidad del pueblo encomienda de Toluca para los intereses españoles se garantizó mediante la relación entre el cacique indio Tochcoyotzin, descendiente de los antiguos linajes matlatzincas de Calixtlahuaca (de Chimaltecutli) quien pactó con Hernán Cortés inmediatamente después de la caída de Tenochtitlan, logrando ser confirmado como gobernador del *altepetl* de Calixtlahuaca-Toluca, a pesar de que Cortés había centralizado el mando político del gobierno indígena de Toluca al reconocer a los descendientes de Chimaltecuhtli como señores del lugar.

[10] Las propiedades pertenecientes al *altepetl* Calixtlahuaca-Toluca no fueron administradas en un principio por Tuchcoyotzin, debido a que la Santa Inquisición lo retuvo en el Convento de San Francisco, en la ciudad de México, acusado de idolatría. Mientras tanto, Cortés administró el señorío.

[11] agn, hj, leg. 277.

considerados pueblos por quien dio este testimonio. Todos serían los seis barrios de la villa española de Toluca.

Hacia 1550 se consolidó la figura jurídica y territorial del llamado *pueblo de indios* o simplemente *pueblo,* definida como

> una corporación civil [...] con su cacique y sus términos jurisdiccionales [lo que se llamó el 'pueblo de por sí'], una expresión institucional inspirada en los ayuntamientos españoles [de este modo se estableció] el cabildo en cuyos cargos —gobernador, alcaldes, regidores, alguaciles y otros menores— habrían de acomodarse las funciones típicas de un gobierno de dimensiones reducidas o locales, como eran las de la mayoría de los pueblos. Al cabildo se le llamó con más frecuencia "cuerpo de república", "república de naturales", "república de indios" o simplemente *república* (García Martínez, 2000: 253-254).

En el ámbito territorial los pueblos de indios se organizaron en *cabeceras* o lugar central, sede del gobierno indio, y localidades secundarias o dependientes de la *cabecera* llamados *sujetos* (García Martínez, 2000: 255). Un componente importante de los pueblos de indios fue la parroquia con su iglesia. Cabeceras y sujetos participaban todos de los compromisos y obligaciones a los que estaba sometido el pueblo en su conjunto. Una vez terminado el régimen de encomienda, Toluca continuó con el estatus de pueblo indio, agregándosele las categorías de organización espacial de inspiración española, de clara filiación jerárquica. De esta manera el pueblo indio de Toluca quedó compuesto de una cabecera (Toluca), lugar de residencia del cacique y el centro rector de un antiguo *altepetl* o pueblo de indios. En la cabecera —con la categoría de "localidades" (según las nombra García Castro)— estuvieron los antiguos *calpultin* del señorío matlatzinca Calixtlahuaca-Toluca: San Luis Acauxingo, Santa Clara (Cuzcatlan), Sant Juan Ebangelista (Quautzingo), Santa Bárbara (Mixcoac), Sant Miguel Octipac o Actipac y su "barrio" Pinahuizco, San Bernardino Zocoyoltitlan y su "barrio" Cuitlamictlan;[12] como ya se mencionó, los cinco últimos constituyeron los futuros barrios coloniales de la villa de Toluca, fundada en una parte del terreno de otro *calpulli*, sujeto llamado Tlalcingo. Empero, el propio *calpu-*

[12] En el contexto del sistema de asociación personal que regía el *altepetl*, el *calpulli* de San Miguel Octipac o Actipac contaba con otro *calpulli* "asociado" (o barrio, como lo llamaron los españoles): Pinahuizco. Ambos pasaron a ser un barrio de la villa española de Toluca. En el caso de San Bernardino Zocoyotitlan o Coyotitlan, este *calpulli* tenía como *calpulli* "asociado" (o barrio) a Cuitlamictlan, que en un principio no aparece como barrio independiente de Toluca.

lli, llamado después Santa María Tlalcingo, fungió también como barrio matlatzinca de la villa tolucense (véase el mapa 2).

Ahora bien, los españoles utilizaron el nombre genérico de "sujetos" para referirse a los *calpultin* como "barrios" de la ciudad, pero el problema fue que "mientras unos *calpultin* conservaron esa categoría, otros fueron convertidos en pueblos y los de densidad menor y distancia mayor de la cabecera —con la que siguieron teniendo lazos políticos— fueron llamados 'estancias' 'colaciones', 'caseríos' ['aldeas'] y 'rancherías'. No es difícil vislumbrar que el sistema sociopolítico indígena quedó entonces seriamente alterado y propició las disputas graves de linderos" (Bernal y García, 2006: 31). El pueblo indio de Toluca tuvo seis barrios: *i)* Calixtlahuaca, nótese la categoría inferior que tuvo ahora esta antigua cabecera matlatzinca, siendo entonces Toluca la cabecera colonial, además de fungir como un centro regional de importancia; *ii)* Tlacopa *iii),* Santa Ana (Tlalcingo), *iv)* San Bartolomé [Tlaltelulco], *v)* San Mateo [Atenco] y *vi)* Capultitlán, que correspondían a los antiguos *calpultin* que alguna vez dependieron de Tenochtitlan, Tlacopan, Texcoco y Tlaltelolco. Los dos últimos barrios: Atenco y Capultitlán pertenecieron a los *hueytlatoque* mexicas (Del Paso, 1939-1942: 1, 23 y 248). En este sentido, García Castro comenta que los barrios del pueblo indio de Toluca recordaban bien su antigua situación de enclaves imperiales (1999: 199), pero, más importante, en el proceso de constitución de los barrios indios la relación *altepetl-calpulli* empezó a sufrir la merma de la asociación personal en beneficio de la asociación territorial. Para ver este proceso en el *altepet* Calixtlahuaca-Toluca realizamos una breve disquisición respecto al concepto de barrio de un pueblo de indios. De acuerdo con Charles Gibson era una subdivisión o una parte de dicho pueblo, que sí tenía relación con sus cabeceras y estancias, situadas a cierta distancia (Gibson, 1976: 36).[13] Pero Hildeberto Martínez critica la simplificación del término "barrio" en el periodo colonial, mismo que apela solamente a las unidades territoriales en las que se dividían los pueblos y ciudades, pues en dicho término "el parentesco no parece tener importancia ni para la congregación de las personas ni para la posesión de la tierra". Martínez señala que en el siglo xvi, entre otras definiciones, la palabra "barrio" "se usaba para designar a los señores y caciques y a sus parentelas y para referirse a las tierras del señorío

[13] En la actualidad la definición de "barrio" sigue siendo parecida a la genérica, es decir, "cada una de las partes en que se dividen los pueblos grandes o sus distritos, o grupo de casas dependiente de otra población, aunque esté apartado de ella" (*Diccionario Enciclopédico Quillet,* 1978: 36).

MAPA 2
CABECERAS Y BARRIOS DEL PUEBLO DE TOLUCA, 1550

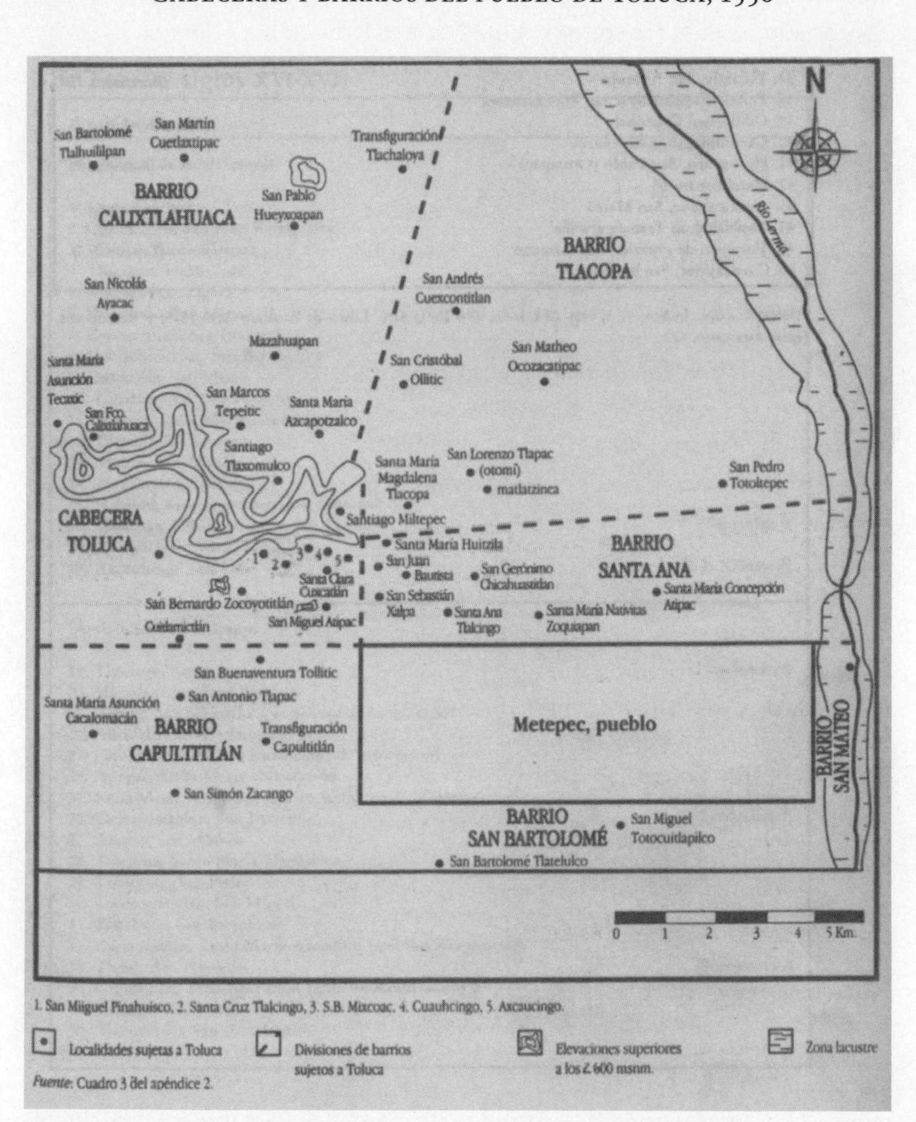

Fuente: García Castro, 1999: 201.

pobladas por macehuales y miembros del linaje del señor". Es más "en Mesoamérica barrio y linaje aparecen como sinónimos" (Martínez, 2000: 200-202) que, de alguna manera, se emparentan con la definición de *calpulli*. Es el caso de los barrios del pueblo indio de Toluca, conformados con base en los antiguos *calpultin* o "casas señoriales" otomianos los cuales, al menos durante el siglo XVI, conservaron sus tierras y el sistema de gobierno y administración muy parecido al del periodo prehispánico (véase mapa 2 en la página anterior).

Sin embargo, el proceso de transformación de los *calpultin* a barrios coloniales se dio dentro de uno de los principales rasgos sociopolíticos que definieron el tránsito de la época prehispánica tardía al Virreinato temprano al que ya nos referimos con anterioridad: la progresiva evolución del modelo del Personenverband (asociación personal) al del Territorialverband (relación territorial) (Rovira, s/f). En este sentido, René García Castro explica que los españoles respaldaron a la autoridad india, el *tlatoani*, llamándolo ahora cacique, y nombraron al *altepetl* "pueblo"; se perdieron entonces los vínculos políticos con las capitales de la Triple Alianza y sus dominios foráneos. Asimismo, la reconstitución del territorio del *altepetl* de manera contigua, autónoma y exclusiva hizo que se perdiera el principio de asociación personal, pero se afianzó el de asociación territorial; con ésta se conservó, por un tiempo más o menos prolongado, una serie de prácticas y valores indígenas en torno a las funciones políticas, atributos, derechos y prerrogativas del *tlatoani* local (García Castro, 1999: 101-102), si bien subordinadas al nuevo régimen político colonial.

En cuanto a la asociación territorial mencionada por García Castro nos parece que, al menos en el siglo XVI, el concepto de barrio como "*calpulli*", definido por Hildeberto Martínez como "el señor, su linaje y las tierras del señorío pobladas por macehuales y miembros del linaje del señor", tuvo todavía presencia en el pueblo indio de Toluca, aun cuando el Estado español había asumido el derecho para hacer uso del dominio eminente sobre la tierra, pudiéndola confirmar, repartir, distribuir entre indios y españoles. Como ejemplo de esto tenemos la solución a las diferencias por cobros de tributos y tierras, suscitadas entre los dirigentes de la cabecera y los habitantes de los barrios o "casas señoriales" de Toluca, en que el juez de comisión, el indio Pablo González, logró la firma de un Acuerdo en 1547, según el cual se reconocían los repartos hechos por Moctezuma, hijo de Axayácatl, y no los realizados por este gobernante, ya que no les convenía a los tenochcas que habitaban todavía los barrios del pueblo de Toluca ni a los indios nobles.

Empero este acuerdo tuvo gran repercusión porque el gobierno colonial reconoció a cada uno de los "barrios" el derecho a poseer individualmente sus tierras corporativas, dotando también a los vecinos de tierras fijas (Martínez, 2000: 249-251).

La congregación

Basado en un ordenamiento físico y simbólico (ya fuera en una rinconada, un valle, definido y confinado por sierras y cañadas que cerraban la visual sobre el horizonte) el espacio del *altepetl* se subdividía de manera decreciente y extendida del denso centro ceremonial a las células de los *calpulli*, *tlaxicalli* y barrios, todos interactuando concertadamente. Este esquema produjo en los españoles la impresión de un asentamiento, carente de "policía urbana",[14] ya que la tradición europea consideraba que lo urbano no sólo incluía la alta densidad de población, sino el desplante de casas que estructuralmente compartían paramentos y se alineaban de manera contigua en calles y ejes. Tal diseño urbanístico, al organizarse de manera ortogonal, llegaba a conformar una malla compacta en forma de retícula o traza (García y Bernal, 2006: 62-64). Ése fue el modelo urbano para los nuevos pueblos de indios, mismo que incluía una plaza central, una iglesia, edificios para el gobierno local, un sitio para el comercio y casas habitación ordenadas bajo el plano de retícula o damero (García y Bernal, 2006: 154).

De hecho, la formación del cuerpo de república india se asoció a la designación específica de cada *altepetl* o pueblo de indios como una cabecera con sus sujetos, acompañada, por lo regular, de un convento de alguna de las órdenes regulares, constituyendo así, una doctrina. En este contexto las congregaciones darían fisonomía definitiva a los pueblos de indios cuya estructura espacial sigue vigente en nuestra época. Las cédulas de 1546, 1551 y 1568, principalmente, contenían el mandamiento real de reunir o juntar a la población indígena en asentamientos urbanos al estilo europeo, en los cuales debían señalarse los términos precisos del pueblo y demarcarse las mercedes, las tierras para la labranza y las destinadas para la cría de ganado. La tierra y sus usos eran comunales. Cada pueblo, por tanto, debía contar

[14] Desde el siglo XVI y hasta la primera mitad del siglo XVIII, el concepto de "policía urbana" se refirió a las acciones (mercados, agua potable, sanidad, impuestos, infraestructura urbana, etcétera) y formas de la administración que el ayuntamiento tenía que cumplir y hacer cumplir para ejercer un buen gobierno (Hernández Franyuti, 2005).

con sementeras de labranza, montes, dehesas y ejidos. En suma, se implantó la perspectiva administrativa territorial española, misma que garantizaba el ejercicio del gobierno y la implantación de un modelo de civilización occidental aplicado a la población originaria, en materias como organización del trabajo, extracción del tributo y adoctrinamiento en la religión católica.

Los primeros pasos de la congregación de pueblos indios en el valle de Toluca se llevaron a cabo durante la gestión del virrey Luis de Velasco (entre 1550 y 1564). Sin embargo, en 1598 se prosiguió la tarea, comisionándose a don Andrés de Estrada "para congregar y demarcar a los indios de Toluca". A principios del siglo XVII hubo un segundo periodo de reducciones llevadas a cabo durante el gobierno del virrey conde de Monterrey. De este modo, en 1603 finalizó el proceso de la congregación de los pueblos indios del valle de Toluca (Menegus, 1994: 173).[15]

El pueblo indio de Toluca estaba enclavado en la zona otomiana más densamente poblada, la de los matlatzincas del valle, compuesta por poblaciones asentadas en los valles semifríos, teniendo cerca el volcán Xinantécatl (García Castro, 1999: 47); la población se asentaba en el *altepetl* de Calixtlahuaca-Toluca, con sus *calpultin* respectivos. Toluca sufrió dos procesos simultáneos: el desplazamiento, al nivel del suelo llano, de los asentamientos que se encontraban en las faldas o cimas de los cerros; y la reorganización de los pobladores en un centro urbano con una traza rectilínea (García Castro, 1999: 160). En efecto, como lo explica Stephanie Wood, una de las primeras formas de reorganización de los pueblos de indios llevadas a cabo por los españoles en el valle de Toluca incluyó la remoción al suelo llano de los asentamientos situados en lo alto, que tenían fines defensivos. Este proceso se conoció como "despeñolación". Un método distinto de la despeñolación fue el llamado "pacificación"; es decir, la práctica de concentrar en pueblos a la población dispersa con el fin de mejorar la comunicación entre las comunidades y la adopción de las costumbres españolas (Wood, 1984: 28).

No pocas veces el proceso de "despeñolación" suscitó reacciones negativas por parte de las comunidades indias debido, sobre todo, a la pérdida de territorio; una de ellas, muy relevante para nuestro estudio, fue la de las autoridades indias de Toluca quienes en 1635 reclamaron la posesión de tierras pertenecientes al antiguo *calpulli* (pueblo) de Tlalcingo, "el centro principal original del valle del Matalcingo". Volveremos más tarde a este

[15] AGN, Indios, vol. 6, 2ª parte, exps., 951 y 1019, ff. 245 vta. y 277; AGN, Congregaciones, vol. 1, exp. 39, f. 30.

litigio, por ahora mencionamos su motivo principal porque concierne a la congregación. En las inmediaciones de una colina llamada Tolotzin se hallaba asentada una comunidad, perteneciente a Tlalcingo, misma que fue movida a tierra llana y poblada de españoles bajo la dirección del segundo marqués del valle, Martín Cortés, dando origen a la villa española de Toluca (Wood, 1984: 26-27), proceso que veremos con más detalle en el apartado 3.3. En este proceso los frailes franciscanos desempeñaron un papel importante.[16] Según una declaración testimonial, fechada en 1598, un indio del valle de Toluca declaró que poco después de que Hernán Cortés tomara posesión del marquesado los franciscanos del convento de Toluca "hicieron que los indios que estaban en Calixtlahuaca se pasasen a residir a Toluca, quedando aquél [el pueblo de Calixtlahuaca] desde entonces como un sujeto de la villa [española de Toluca]" (García Castro, 1999: 161).[17] Es éste un dato muy relevante porque el lugar central del asentamiento fue ocupado por los españoles en la nueva villa española de Toluca, que fue reconocida como ciudad hacia finales de la época colonial.[18] La concentración de los poderes civil y religioso otorgó a la cabecera la categoría de centro. A esta concentración de poder de la cabecera contribuyeron el hecho de que se asignara un santo patrón —que individualizó a cada pueblo— y la jerarquización de diversas localidades o secciones del mismo pueblo, mismas que se denominaron estancias, como dependencias o sujetos. De acuerdo con nuestro postulado respecto a que se dieron permanencias pero también transformaciones en la relación *altepetl-calpulli* nos interesa enfatizar aquí que la congregación no hizo más que consolidar la transformación diferenciada de la categoría jurídico-territorial de los antiguos *calpultin:* unos derivaron en "barrios", mientras que otros en "estancias" o "sujetos". Desde la congregación del antiguo pueblo indio de Toluca los *calpultin* más cercanos

[16] La Orden de San Francisco tuvo un papel protagónico en Toluca prácticamente durante toda la época colonial. No sufrió el enfrentamiento con el clero secular, como en otros lugares del valle de Toluca, lo cual derivó en una estabilidad del núcleo urbano de la Villa de Toluca.

[17] Otro vínculo entre los franciscanos y la congregación de indios en la Villa de Toluca fue el derivado del abasto de agua a la villa. En efecto, los frailes franciscanos subvencionaron el acueducto que llevaba el agua a Toluca, financiando también cinco fuentes ubicadas en el centro urbano para el abasto de los habitantes. En este sentido la importancia vital que tuvo el agua para los pueblos congregados y su relación con la labor evangélica de los frailes franciscanos del convento de Toluca fueron expresadas en 1785 por Jorge Mercado, síndico del convento de San Francisco: "Pues así lo observaron los religiosos de todos los lugares en que fundaron conventos, para las doctrinas de que son testigos las mismas obras, como que el abastecer de agua los cuerpos era el mejor medio de congregar a los individuos y pescar almas para el cielo" (Iracheta,2001:91).

[18] Toluca recibió el título real como ciudad en 1799.

a la cabecera fueron considerados barrios, mientras que los más alejados fueron conformados como estancias. Sin embargo, hubo un intercambio de categorías: en ocasiones algunas estancias permanecieron como barrios y viceversa.

Ahora bien, la congregación tuvo dos estrategias: reunir a los indios en las cabeceras, en sus secciones residenciales o barrios, distinguidos por lo regular por la lengua o la ocupación de los indios; y reunir a los indios en un número limitado de sujetos (García Martínez, 2000: 293). En cuanto a la primera estrategia la congregación determinó un nuevo reordenamiento territorial del antiguo pueblo de indios de Toluca, marcada por las características multiétnicas de la población de los antiguos *calpultin* (García Martínez, 2000: 293). En efecto, debido a la convivencia de diversas etnias indígenas en el valle de Toluca, producto del antiguo repoblamiento llevado a cabo por los conquistadores mexicas, las autoridades determinaron congregarlas respetando en términos generales, las diferentes naciones. Se procedió a juntar a todas las etnias en barrios, separadas por grupo étnico; se repartieron tierras a cada barrio, estancia y aldea por "naciones": otomí, matlatzinca y mexicana, y se le dio nombre cristiano a cada uno, cosa que antes no se había hecho. Según algunos informantes indígenas, el segundo marqués del valle, Martín Cortés, dispuso que los naturales del pueblo de Toluca se congregaran, realizándose la junta de población hacia 1567 (García Martínez, 2000: 176). Martín Cortés encargó esa comisión al cacique de Capulhuac, un pueblo cercano a Toluca, don Miguel de San Bartolomé:

> Para que todos los yndios naturales de la dicha Villa de Toluca que estavan poblados en la serranía se baxasen a la tierra llana y para ello dio comisión a don Miguel de Sant Bartolome cacique de Capuluaque, el qual lo puso en execución y rrepartió las dichas tierras entre ellos por *barrios de las naciones matlazincos, otomíes y mexicanos* y puso nombre a los dichos barrios, aldeas y estancias, que hasta entonces no los tenían, como fueron Santa Clara Cuzcatlan, Sant Juan Ebangelista Cuahucingo, Santa Barbara Mixcoac y Santa Cruz Tlalcingo, y Oticpac Sant Miguel y Pinahuizco y Cocoyoltitlan, San Bernardino y Cuyotlachmictlan y Tulitic Sant Buenaventura, Cocomaloya, Oztotilan, Sant Mateho y Tlatzintlan, San Antonio, Santa Ana, San Miguel Totocuytlapilco [etcétera].[19]

[19] AGN, HJ, leg. 277 (las cursivas son mías). Según argumentamos líneas arriba, podría haberse dado ese aumento de territorio a través de la multiplicación de sujetos, ya fueran estancias o barrios. Cabe señalar que el aumento de población pudo empujar la lucha de los indios por el estatus de pueblo.

MAPA 3
BARRIOS INDIOS DE LA VILLA ESPAÑOLA DE TOLUCA, SIGLO XVI

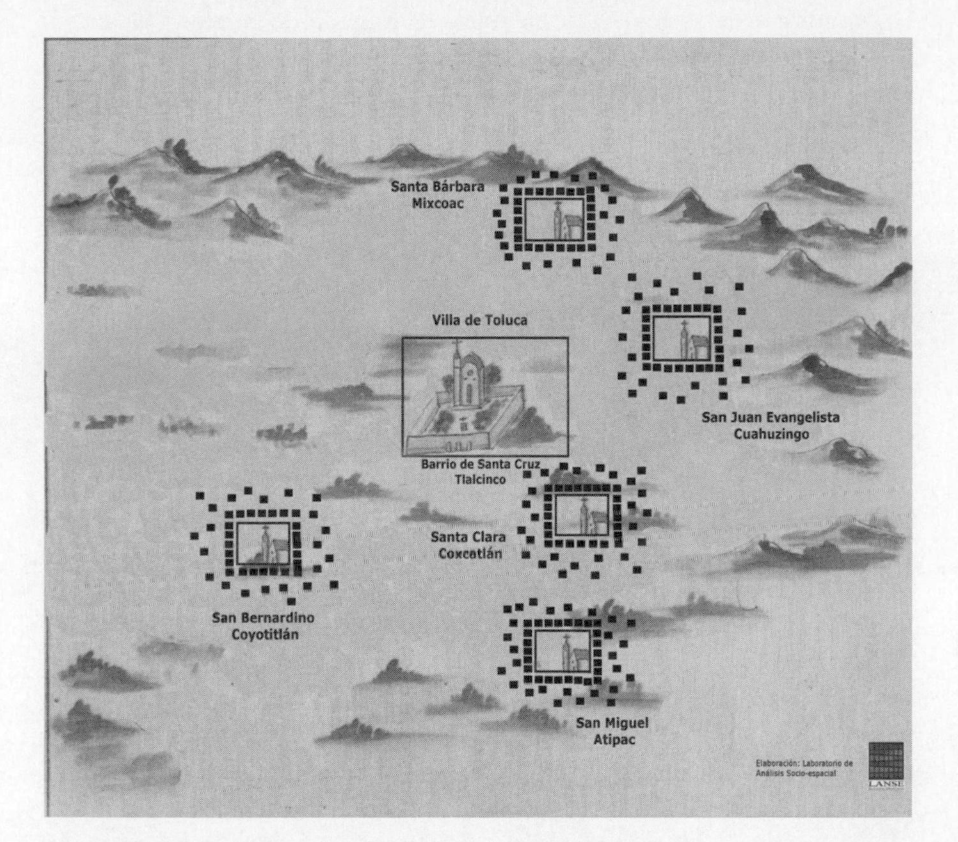

Fuente: elaboración propia con base en García Solano (1980: 519).

En el caso de la erección de los primeros barrios indios de la Villa de Toluca —producto de la congregación— se eligieron seis antiguos *calpultin* de "nación" matlatzinca: Tlalzingo, Mixcoac, Cuzcatlán, Cuauhcingo, Atipac (y su "barrio" Pinahuzico) y Zocoyotitlan (y su barrio Cuyotlachmictlan) (mapa 3). Los barrios de "nación" otomí y mexicano, aparte de los matlatzincas, estaban establecidos en los "términos" (afueras) de la Villa de Toluca o en lugares más alejados (véase el apéndice 2) (véase mapa 3).

En cuanto a la reunión de los indios en un número limitado de sujetos, varias fuentes de información del siglo XVI (Del Paso, 1939-1942)[20] muestran

[20] 1567: AGN, HJ leg. 277; (Congregación de Toluca) 1580: AGN, Indios, vol. 1, exp. 225, ff. 90 vta.-91 vta.: "Ingresos comunitarios y maíz a los miembros del cabildo de Toluca"; 1581: AGN, Indios, exp. 292,

que el binomio cabecera-sujetos de Toluca —primero como pueblo de indios y luego como villa española y sus barrios— sufrió variación en el número y la categoría de los sujetos; por ejemplo, el aumento de barrios y estancias fue notable de 1580 a 1581, aunque las variaciones jurídico-territoriales continuaron en los años siguientes. Si bien los seis primeros barrios indios de la Villa de Toluca surgieron a partir de la congregación iniciada hacia 1567, entre 1580 y 1585 algunas estancias engrosaron el número original de barrios o viceversa: algunos (pocos) barrios aparecieron como estancias (véase el apéndice 2). Estas variaciones podrían tener una relación con la permanencia o los traslados ejecutados durante las congregaciones (poblamiento de nuevos lugares y despoblamiento de antiguos lugares, o la permanencia de algunos habitantes en un lugar y el desplazamiento de otros) y con las variaciones de población debidas a epidemias, migración y huida de los indios de sus localidades para evitar el pago del tributo. Una última razón podría ser que la expansión de la Villa de Toluca llevó a que los pueblos o estancias se integraran como barrios de la misma.

El número de barrios coloniales toluqueños sufrió variaciones en su número a lo largo de todo el periodo colonial y hasta el siglo XIX.[21] En este contexto se dio el incremento en el número de estancias y barrios de la cabecera-sujeto de Toluca, situación contraria a la política española de reunir a los indios en un número limitado de sujetos. Proponemos que ese aumento podría enmarcarse en el contexto de la defensa de la tierra por los indios, para quienes las estancias y barrios eran pueblos o antiguos *calpultin*, como veremos más adelante.

Fundación de la villa española de Toluca y conformación de los barrios indígenas por rasgos corográficos, filiación étnica y función

El origen de la fundación de la Villa de Toluca se remite a la iniciativa de Martín Cortés, hijo del conquistador Hernán Cortés, de apoyar el poblamiento español ante la amenaza de algunos colonos de independizarse del

ff. 130 vta.-131 vta.: "Ingresos comunitarios, salarios y maíz a los miembros del cabildo de Toluca".

[21] Por ejemplo, en 1785 Toluca ya contaba con 15 barrios: San Bernardino, Pinahuizco, Aticpac, San Luis Tepepan, Xolalpan, San Juan Evangelista, Huchila, Nativitas, San Juan Bautista, San Diego, Santa Clara, San Sebastián, El Calvario y Campo Santo (AGN, Tierras, vol. 2477, cuadro 2, ff. 88.

marquesado, acogerse a la Corona e invadir por completo los poblados y las sementeras de los indios (García Castro, 1999: 291-293).

En este contexto se produce la fundación de la Villa de Toluca —paralelo al proceso de congregación—. Se decidió la creación de este asentamiento compacto para españoles en el corazón de la jurisdicción marquesana precisamente dentro del distrito de la "cabecera" indígena de Toluca. Como ya hemos explicado, la villa española fue fundada cerca de Calixtlahuaca, cabecera del antiguo señorío matlatzinca, en el otrora *calpulli* indio de Tlalcingo, y llegó a ser el poblado español más importante del área otomiana enclavada en el valle de Toluca. El centro de población debió primero su auge a las necesidades de la encomienda.

En este contexto, la Villa de Toluca fue proyectada tomando en cuenta la fisonomía de una ciudad europea: una plaza central, alrededor de la cual se encontrarían la iglesia —en este caso se trató del convento, y también iglesia, de Nuestro Padre San Francisco— las casas consistoriales y el portal de mercaderes; la traza reticular se proyectó con manzanas divididas por calles donde se localizarían las casas y los solares de los pobladores europeos (García Castro, 1999: 291-296). Ahora bien, en las ciudades coloniales españolas se produjeron diferencias entre el centro y la periferia tanto en la calidad de las construcciones como en la distribución sociourbana; la dinámica de la estructuración urbana de la Toluca colonial presentó un fuerte patrón centralizador —que partía de la plaza pública— y un patrón socioespacial en círculos, determinado por una pendiente social y funcional que iba del centro hasta la periferia: alrededor de las instituciones centrales cerca de la plaza (primer círculo) se crearon las residencias de las familias líderes notables: palacios suntuosos de la nobleza o distinguidas casas burguesas de grandes patios interiores. Otro círculo, multiétnico, estaba habitado por profesionistas, artesanos, agricultores, tratantes de ganado. En el último círculo, alrededor del casco urbano de la villa española de Toluca se ubicaron los primeros seis "barrios" indígenas, formando junto con el casco o centro, un solo conjunto urbano (García Castro, 1999: 233). Estos barrios, junto con los pueblos comarcanos, formaban la república de indios de Toluca (García Castro, 1999: 297) (véase el mapa 4 en la página siguiente).

Los círculos desde la plaza y el último círculo de los barrios

Las transformaciones diferenciadas de los *calpultin* en sujetos, barrios y estancias dependieron de dos aspectos: la posición de los *calpultin* dentro

MAPA 4
ESTRUCTURA URBANA DE LA VILLA DE TOLUCA, SIGLO XVI

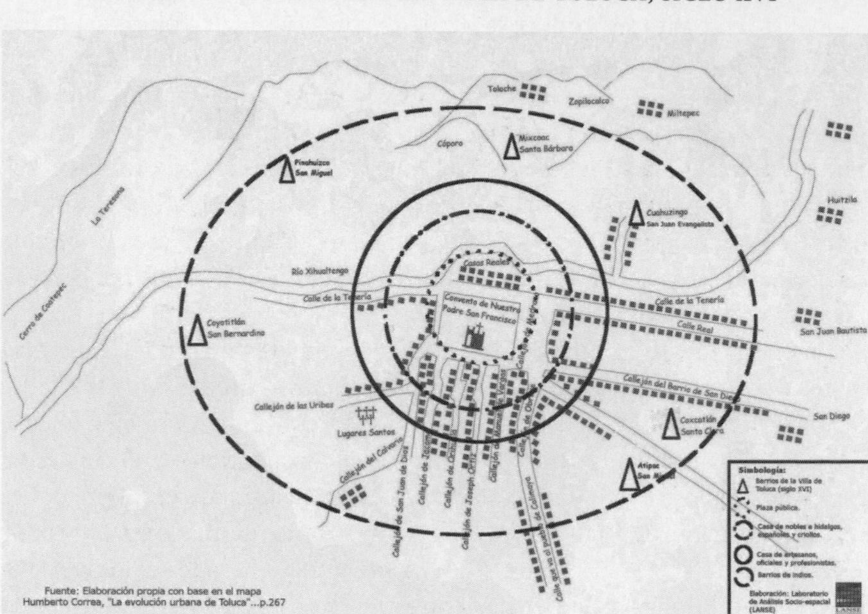

Fuente: Elaboración propia con base en Correa (1981: 267).

del *altepetl,* referida a los rasgos corográficos (incluyendo la ubicación espacial) o a la filiación étnica; y la función de los *calpultin* en la época prehispánica.

Según Fernández y Urquijo los *calpultin* (en número de dos a ocho, rara vez más) ocupaban un espacio preciso al interior del núcleo urbano del *altepetl.* Cada *calpulli* tenía un nombre distintivo que conservaba, incluso en los casos de migración, y que en la mayoría de los casos se refería a rasgos corográficos o a su filiación étnica (Fernández y Urquijo, 2006: 147). Entre los rasgos corográficos de los seis *calpultin* convertidos en barrios de la Villa de Toluca se contaban la fertilidad de la tierra para la agricultura y la ganadería y la abundancia de agua; asimismo, estaban ubicados en las laderas y el valle adyacente del centro-sur de la serranía matlatzinca, pero gozaban de la cercanía geográfica a la parte del pueblo de Santa Cruz Tlalcingo (al pie del cerro Tolotzin, área elegida para la fundación de la Villa de Toluca). Por último, todos eran de filiación étnica matlatzinca

En cuanto a la función de los antiguos *calpultin* prehispánicos, ahora como barrios indios, se produjo una reconfiguración espacial de las antiguas entidades jurisdiccionales indígenas, es decir, los seis *calpultin* pertenecientes al *altepetl* Calixtlahuaca-Toluca, los cuales tuvieron una nueva identidad jurídica como barrios de indios, vinculada a una demarcación y a una funcionalidad en parte nueva y en parte muy parecida a la original.

Para fines políticos y administrativos donde había un pueblo de indios o un cacique se organizó un cabildo indio que era responsable del gobierno y la administración locales. El gobierno del barrio era rotativo; asimismo, se dispuso de un número proporcional de regidores para cada grupo étnico. La república de indios de Toluca contó con un cacique que podía dejar su cargo a sus hijos. En cuanto a la distribución interna de los cargos de alcalde y regidor en el pueblo de Toluca, el tipo de representación en los cabildos indios era étnica, distribuida en tres parcialidades: matlatzinca, otomí y mexicana; esta división tenía como base, al parecer, la antigua división tripartita existente antes de la conquista mexica. Las autoridades del pueblo de Toluca: tres alcaldes, seis regidores y los tres alguaciles mayores del pueblo de Toluca representaban proporcionalmente a cada una de las tres "naciones" o "parcialidades" (una de mexicanos, otra de matlatzincas y otra de otomíes) en que estaba organizado el conjunto compuesto por 46 localidades, que eran parte de los barrios y cabecera del pueblo de Toluca. De este modo, las tres etnias tenían una representación política en el cabildo de Toluca, pero también la organización tripartita incluyó actividades como la recolección del tributo y el reparto forzoso de mano de obra. Dicha organización permitió una administración centralizada que controlaba a las tres naciones; pero, más importante aún, se logró conservar la cohesión política de todas las etnias (García Castro, 1999: 192-200), no obstante, a costa de la pérdida de competencias políticas frente a las instituciones de poder españolas surgidas en el siglo XVI.

El cuadro 1 nos muestra la composición de la parcialidades matlatzincas, mexicanas y otomíes de Toluca, en los siglos XVI-XVII.

En cuanto al aspecto religioso el testigo indio Francisco Hernández informó que, una vez que los indios fueron congregados, se edificaron las iglesias de cada barrio (dándoles los nombres de los santos que ya tenían a finales del siglo XVI) (García Castro, 1999: 160-161), que eran los puntos centrales, de los cuales partían las divisiones barriales; seguramente esta organización se basó en las ordenanzas de Lebrón de Quiñones de 1555. En su testimonio el indio Francisco Hernández relata el establecimiento de las

Cuadro 1
Composición de la parcialidad indígena Matlatzinca de Toluca
(Siglos xvi-xvii)

Parcialidad/Localidad	*Parcialidad/Localidad*	*Parcialidad/Localidad*
Parcialidad de Matlatzincas	Parcialidad de Mexicanos	Parcialidad de Otomíes
Cuxcatlan, Santa Clara	Tlalcingo Santa Ana	Tlazintla, San Antonio
Cuauhcingo, San Juan Evangelista	Mazatlan. San Juan Bautista	Tullitic Zocomaloya, San Buenaventura
Mixcoac, Santa Bárbara	Xalpan, San Sebastián (Parcialidad de Mexicanos)	Ollitic, San Cristobal
Tlalcingo, Santa Cruz	Amanalco Mexicatlaca,. San Juan	Cuexcontitlán, San Andrés
Aticpac, San Miguel	Huitzila Mexicatlaca (Parcialidad de Mexicanos)	Hueyxuapa, San Pablo (Otompan)
Zocoiyotitlan, San Bernardino	Aticpac, Santa María Concepción	Mazahuapan (?)
Cuitlahmictlan, San Bernardino	Santa María Natividad (1/2 En Términos de Metepec)	Ocozacatipan, San Mateo
Oxtotilan, San Mateo	Chicahuastitlán, San Jerónimo	Tlalchialoyan, Transfiguracion
Calixtlahuaca, San Francisco	Atenco, San Mateo	Tlacalpan de Otomíes, San Lorenzo,
Tecaxic, Santa María Asunción	Tlacopan, Santa María Magdalena	Cuetlapixtla, San Martín.
Tepeitic, San Marcos	Totopec, San Pedro	
Ayacac, San Nicolas	Totocuitlapilco, San Miguel	
Tlaxomulco, Santiago	Tlaltelolco, San Bartolomé	
Miltepec, Santiago	Cacalomacan, Santa María Asunción (Ypilchan Axaca-yatzin)	
Tlacalpan de Matlazincos, San Lorenzo	Tlapac, San Antonio	

Parcialidad/Localidad	*Parcialidad/Localidad*	*Parcialidad/Localidad*
Azcapotzalco, Santa Cruz	Capultitlán, Transfiguración (Ypilchan Axacayatzin)	
Axcauzingo, San Luis	Zacango, San Simón	
	Tlahuillpan, San Bartolome	

Fuente: García Castro, 1999: 196-197.

iglesias de los barrios, explica el proceso de delimitación con mojoneras de los barrios y el establecimiento de sus iglesias:

> Y se edificaron dentro de las dichas tierras y términos y moxoneras conoscidas como estaban en el tiempo de la infidelidad y están el dia de oy las cuales sabe y ha visto este testigo y las mostrara si fuere necesario y se hizo por *varrios: la iglesia de Santa Clara Cuzcatlan; y la de Sant Juan Evangelista Quauhcyngo; y la de Santa Barbara Myxcoac; y la de Santa Cruz Tlalcingo; y la de Sant Myguel Oticpac y la de Pinahuyzco; y la de Sant Bernardino Cocoyotitlan* y la de Cuatlachmytlan; y la de Sant Buenaventura Tultyc, Zocomalyoan; y la de Sant Mateo Oztotitlan; y la de Sant Antonyo Tlatzintlan, que como dicho tiene este testigo en la honze pregunta la iglesia della esta edificada en la mytad de la raya y moxonera de los termynos de Cacalomacan y desta dicha población nueva que se hizo en estas tierras que se llaman de Toluca que agora se llama Villa de Toluca por manera que en todo el dicho tiempo que se sabe acordar este testigo y aberlo oydo decir al dicho su padre e indios [...][22]

En cuanto a la mención del testigo Hernández respecto a la delimitación de los barrios e iglesias con mojoneras, ya en el periodo colonial el amojonamiento en los barrios pudo tener relación con la defensa de los límites territoriales (y acaso étnicos) originales desde la dominación mexica. Defensa a la que daban mucha importancia los indios, dada la densidad demográfica creciente en la Villa de Toluca, si bien ésta fue cambiante debido a las epidemias que asolaron a la población indígena y que permitieron el avance español sobre las tierras vacantes de los indios. De todas maneras, los barrios experimentaron una creciente presión poblacional por parte de otros grupos diferentes de los indios. En un principio los barrios estuvieron marginados

[22] AGN, HJ, leg. 277 (las cursivas son más).

territorialmente respecto al núcleo central. En efecto, la división entre el casco y los barrios se hizo para evitar, principalmente, el desbordamiento de los europeos en tierras de indios. Sin embargo, este desbordamiento ocurrió a pesar de las medidas de las autoridades y una vez establecido el núcleo urbano de Toluca la demanda de tierras y solares por parte de los nuevos colonos españoles fue muy alta, tanto que el límite original señalado para "el sitio de españoles" fue rebasado por los colonos. Hacia la tercera década del situados al norte de la villa, estaban prácticamente invadidos de vecinos europeos (García Castro, 1999: 295). Es más, ya en 1635 estos barrios tenían una categoría adicional de tierra no compartida por los otros pueblos: la vacante por los indios debido a las epidemias, utilizada posteriormente para edificar casas e instalaciones productivas españolas.[23]

El cuadro 2 muestra el número existente de calles y casas, así como lotes vacantes en cada barrio.

Según explica Stephanie Wood, en realidad las casas y el número indicado de calles no estaban ocupadas solamente por españoles: había algunos mulatos y mucha gente de ascendencia mixta o mestizos, y algún europeo no español como los portugueses. Pero todos fueron clasificados como españoles porque no eran indígenas. Asimismo, estaban los solares que habían quedado vacantes por la muerte de los indios y que no habían sido ocupados por los españoles (García Castro, 1999: 83). En efecto, los españoles se establecieron en torno al territorio de Tlalcingo, llamado después Toluca, ocupando tierras vacantes que habían pertenecido anteriormente a los indígenas habitantes de Tlalcingo, muertos por las epidemias del *cocolistle* de 1545 y por la gran mortandad de alrededor de 1576 (Menegus, 1994: 233). Empero, aún quedó tierra de indios sin ocupar, así pues, los indios sobrevivientes todavía tuvieron un periodo en el cual las tierras fueron suficientes para su subsistencia (Wood, 1984: 142-143).

[23] Los otros tipos de tierra eran: *1)* tierra suficiente para mantener a la población india sobreviviente; *2)* tierra vacante todavía (en 1635) y que podría destinarse a usos futuros; *3)* tierra que, una vez vacante, fue tomada de inmediato por los labradores españoles. Las instalaciones productivas de las tierras vacantes por epidemias fueron, por ejemplo, un mesón en Santa Bárbara Mixcoac, un obraje en Santa Cruz Tlalcingo y un batán y molino en San Miguel Aticpac. Además, en el barrio de Santa Bárbara Mixcoac, españoles particulares poseían dos o tres pares de casas. El número total de casas en posesión de los "españoles" más bien no indios en la antigua tierra india fue de 194. Mientras que en 1635 estaban vacías 291 casas que alguna vez ocuparon los indios en 34 comunidades alrededor de Toluca (García Castro, 1999:78-79 y 82-83).

Cuadro 2
Casas españolas en las tierras antes pertenecientes a los indios en seis barrios de Toluca, 1635

Barrio	*Calles*	*Casas*	*Solares Vacantes*
Santa Clara Coscatlan	3	4	18
San Juan Evangelista [Cuauhcingo]	3	7	5(¿)
Santa Bárbara Mixquac	5	87	27
Santa Cruz Tlalcingo	3 ½	64	33
San Miguel Aticpac	3	31(¿)	57
San Bernardino	1(¿)	1	70
Totales	18 ½(¿)	194(¿)	210 (¿)

Fuente: Wood, 1984: 83.

El concepto indio de pueblo versus el concepto español de barrio, aldea y estancia

Explica Stephanie Wood que los indios persiguieron el estatus de pueblo, probando que era *bona fide* pueblo y no solamente un barrio u otra localidad menor, así el incremento de la población del pueblo, su estatus y *territorio* se convirtieron en metas inseparables. Se dieron muchos litigios para la posesión legal o confirmación de sus sitios de pueblo (Wood, 1984: 370).[24] La lucha por alcanzar este estatus de pueblo daba mayor fuerza a las reclamaciones en los tribunales, pues podía exigirse el fundo legal —que garantizaba la propiedad fundacional de dichos pueblos— así como la posible separación de un sujeto de su cabecera para constituirse en una nueva cabecera o pueblo independiente, contando con tierras y autoridades propias.

Como hemos visto, distintos testimonios indígenas sobre la fundación de la Villa de Toluca resaltan el estatus de *pueblo* de los lugares que fueron erigidos como *barrios* por los españoles. Según explicamos, la nueva villa se ubicó precisamente en el pueblo indígena llamado Tlalcingo, llamado después

[24] Como ya se explicó, los litigios se iniciaron desde el siglo xvi (las cursivas son mías).

Santa Cruz Tlalcingo. Un informante indio aseguraba que Tlalcingo —el centro principal original del valle, según los indios— comprendía los *pueblos sujetos* de Santa Clara Cozcatlan, San Juan Evangelista Cuauhcinco y Santa Bárbara Mixcoac.

Pero antes de la conquista española fueron los mexicas quienes establecieron y amojonaron los nuevos términos de Toluca, señalando sus nuevos sitios sujetos: San Buenaventura, San Antonio, San Mateo Oztittlan y Tlalictic Cocomaloyan, así como Cuzcatlan, Quiaucingo, Mixohuatl, Tlalcingo, Octipac o Actipac (y su barrio Pinahuizco) y Zocoyotitlán (y su barrio Cuitlximititlan) (Menegus, 1994: 67); como ya explicamos, los seis últimos fueron obligados a congregarse para formar los barrios de la villa española de Toluca.

En nuestro caso de estudio, en los años siguientes a la congregación, los indios iniciaron una lucha para oponerse a que los antiguos *calpulli* —considerados por ellos pueblos— fueron rebajados a la categoría de barrios, aldeas o estancias. Es más, había una indefinición en la legislación española en torno a la categoría jurídico-territorial de las localidades que no eran cabecera. Por ejemplo, en el proceso incoado de 1590 (ya citado) había una pregunta, que los informantes debían contestar, relativa a la repartición de las tierras del señorío de Toluca hecha por Axayácatl a las diferentes localidades de esas tierra incluyendo los recién formados barrios de la Villa de Toluca que aparecen nombrados como "aldeas":

> Yten si saben [etcétera]. Que el dicho Axayaca ansimysmo repartio tierras en sus términos distintos y moxoneras conocidas como lo an estado y estan el día de hoy, donde se poblaron al pueblo de Toluca y *las aldeas de San Clara, Cuzcatlan y la de San Juan Evangelista Quahucycingo y la de Santa Barbara Myxcoac y la de Santa Cruz Tlalcyngo y la de San Myguel de Hocticpac y la de Pinahyuzco y la de Sant Bernardino Cocoyotitlan y la de Cuytlachmyetlan y la de Sant Buena Ventura Tulitic Zocomaloya y la de Sant Matheo Oztotilan y la de San Antonyo Tlatlzintla*, cuya mytad de iglesia esta en terminos de Cacalomacan, en la cual dicha población de Toluca y sus aldeas de terminos limiytados vino a ser cacique Chimaltzin, llamado don Hernando de Cortes, que por aver vuelto a idolatrar fue traido al monasterio de Sant Francisco de México, donde estuvo en tyempo del obispo don Fray Juan de Cumarraga[;] y los frutos de las tierras donde se asentaron el dicho pueblo y aldeas se rrecogian, los llevavan a las trojes de Axayaca que tenya en Mytepeque donde tenya sus calpixques y donde se pobló el pueblo

> de Santiago. Digan lo que saben, vieron y oyeron decir a sus mayores y más ancianos y lo que es y a sido público y notorio y publica boz y fama.[25]

Hay que recordar aquí que el establecimiento de los barrios indios de la Villa de Toluca no hizo más que consolidar el progresivo rebajamiento del estatus de los antiguos *calpultin*, que ya eran localidades o "aldeas" cuando Toluca fue elegida como encomienda y erigida después como cabecera del pueblo indio con el mismo nombre. Este proceso tiene que ver con varios aspectos, destacamos uno de índole espacial y otro de índole político-administrativa, respectivamente. En cuanto al aspecto espacial, la delimitación y el amojonamiento del señorío de Calixtlahuaca-Toluca por los mexicas determinaría posteriormente los linderos definitivos de la villa española de Toluca; los barrios quedaron en la periferia de la nueva villa española de Toluca, conformando un círculo de aquellos que la proveían de mano de obra, alimentos y tributos. En cuanto al segundo aspecto, la unidad político-administrativa —que fue conformada por los mexicas y permaneció durante la encomienda y la existencia del pueblo indio de Toluca— pudo sostenerse al congregar forzosamente a los seis pueblos sujetos del antiguo pueblo indio de Tlalcingo a la nueva villa española de Toluca. Este proceso aseguró a los españoles, civiles y religiosos, la intermediación con las autoridades indias y con ello la continuidad en el acceso a mano de obra, tributos, alimentos y servicios de los indios congregados en los barrios.

Pero los indígenas de Toluca no aceptaron la categoría poblacional que las autoridades del marquesado del valle dieron a las mencionadas localidades convertidas en barrios ni al resto de los *calpultin* del *altepetl* de Calixtlahuaca-Toluca. Como ya hemos señalado, García Castro afirma que las tierras repartidas por Axayácatl no eran "aldeas" ni "barrios", sino que se trataba de *calpulli* "por ser casas señoriales autóctonas y mantener sus linajes gobernantes con cierta autonomía" (García Castro, 1999: 263). Sin embargo, en la "Vista de Ojos" realizada en 1603 a cargo del doctor don Juan de Fonseca, funcionario de la Real Audiencia, con el objeto de "averiguar los linderos, guardarrayas y términos de los lugares y pueblos contenidos en la Comisión" (pertenecientes a Toluca) los antiguos *calpultin*, luego barrios de Toluca, fueron llamados "aldeas":

[25] AGN, HJ, legajo 277 (las cursivas son mías).

> [...] que para la dicha vista de ojos, pintura y averiguaciones de los términos de los repartimientos y pueblos referidos y para más claridad es de mucha importancia que vuestra merced vea por vista de ojos la población de la Villa de Toluca, donde está el monasterio de San Francisco y las demás *sus aldeas, que son la aldea de San Clara Cuzcatlan y la aldea de San Juan Evangelista Quiaucingo y la de Santa Barbara Mixcoatl y la aldea de Santa Cruz Tlalcingo y la de San Miguel Aticpac y la aldea de Pinahuizco y la de San Bernardino Zocoyotitlan y la aldea de Cuitlaxmictlan que concurre a la iglesia y aldea de San Buenaventura Tutyc Cocomaloyan y la aldea de San Mateo Ostotitlan* la cual vista de ojos es en orden de la diferencia y averiguación de los términos de los repartimientos que Axayácatl hizo y que no están inclusas ni comprendidas en los términos y límites de Toluca (Hernández, 1997: 37).[26]

De todas maneras, durante el siglo XVII (y todo el XVIII) los indios lucharon por recuperar el estatus de pueblo para sus territorios. En el litigio de 1635, realizado con motivo de la *despeñolación* de los indios del pueblo de Tlalcingo, también se manifiesta la defensa de los derechos territoriales de dicho pueblo por parte de los miembros del cabildo indio de Toluca quienes, a través de su gobernador, Francisco Rodríguez Magallanes, presentaron, junto con otros funcionarios indios (los alcaldes y regidores representantes de los grupos étnicos matlatzincas, mexicanos y otomíes) dos pinturas en lienzo hechas, según se dijo, en 1563. Todos hicieron relación de la historia de sus tierras corporativas como aparecieron en las pinturas, describiendo la situación actual. En su exposición utilizaron el término de "pueblo" para referirse a los territorios que defendían. En primer lugar, los funcionarios indios mencionaron que la Villa de Toluca, de acuerdo con la tradición de "los antiguos" se fundó y pobló en tierra que alguna vez había pertenecido al *pueblo* de Tlalcingo —despoblado en el tiempo de la declaración de los funcionarios indios— y sus *pueblos* subordinados: Santa Clara Cozcatlan, San Juan Evangelista, Santa Bárbara Mixcoac, San Miguel Aticpac y su barrio Pinahuizco, y San Bernardino Zocoyotitlán y su barrio Cuitlaximititlan. Según los indígenas, la localidad de Tlalcingo —donde se fundó la villa española de Toluca— era el pueblo principal del valle llamado Matalcingo, localizado debajo de un pequeño cerro torcido llamado Toltzin. El valle, que estaba dividido por ese pequeño cerro, más tarde tomó el nombre de Tolotzin,

[26] [El subrayado es mío.] García Castro deduce que la Visita... no logró sino confirmar a las localidades sujetas en la cabecera de Toluca y dentro del marquesado del valle, sin darles el status de pueblo (García Castro, 1999: 270).

conociéndose después como Toluca. Las tierras de Tlalcingo fueron circunscritas por los pueblos de La Transfiguración Capultitlán, Nativitas (despoblada hacia 1635), Santa Ana, San Jerónimo, San Antonio, San Buenaventura, Cacalomacan y Oztotitlan. Cabe comentar que desde finales del siglo XVI varios testimonios de los indios del valle de Toluca reafirmaron el estatus de pueblo de los antiguos *calpultin*, acorde con la versión de las dos pinturas. Por ejemplo, en su testimonio de 1598, el indio Andrés de Santa María, natural de Calimaya, afirmaba que:

> Quando [Axayácatl] se apoderó deste dho valle de Matalcingo tubo debaxo de su poder y dominio el cerro de Toluca con las tierras alrededor, con sus términos y moxoneras conocidas y está poblado el pueblo que se dize Toluca por el nombre del dho cerro que está cerca della y ansimismo se poblaron el pueblo de Cuzcatlan que agora se llama Santa Clara Cuzcatlan y el de Quancingo que se le llama Santa Barbara y Tlacingo que se llama Santa Cruz y Ozticpan que se llama Sant Miguel[además] .los pueblos de San Buenaventura, San Mateo, San Antonio y San Bernaridno Cuyotlac.[27]

En 1635, después de presentada la relación de los líderes indios, éstos reclamaron la posesión de Tlalcingo, que pertenecía todavía por derecho a sus antepasados; pero las epidemias, las adquisiciones ilegales y las ventas a españoles habían erosionado la propiedad corporativa (Wood, 1984, 28-29 y 75-76).[28]

CONCLUSIÓN

Los antiguos *calpultin* del *altepetl* de Calixtlahuaca-Toluca representan una historia de larga duración que manifiesta continuidades y transformaciones. Las continuidades arrojan una versión diferente de la historia tradicional prehispánica según la cual la conquista española significó la destrucción total de las instituciones indígenas. Durante el largo proceso de implantación

[27] AGN, HJ, leg., 277.

[28] Cabe señalar que el aumento de la población pudo impulsar la lucha de los indios por el estatus de pueblo; sin embargo, como explica Wood, las epidemias golpearon a los pobladores indios del área de Toluca. Por ejemplo, en 1635, cinco de los seis barrios matlatzincas de Toluca tenían la siguiente población: Santa Clara Cuzcatlán, 11 habitantes; San Juan Evangelista Cuahcingo, ocho; Santa Bárbara Mixcoac, 22; San Miguel Actipac y su barrio Pinahuizco, 40; San Bernardino Coyotitlan y su barrio Cuitlaxmititlan, 20. Empero la lucha por conseguir el estatus de pueblo prosiguió, aun cuando la población era escasa (Wood, 1984: p.78).

del pueblo-encomienda y de los pueblos-cabecera-sujetos indios es notable la capacidad de negociación de las autoridades y la nobleza india quienes trataron de garantizar la permanencia, así fuera temporal, de formas políticas, económicas y sociales practicadas en el antiguo *altepetl* de Calixtlahuaca-Toluca, uno de cuyos ejemplos son los *calpultin* prehispánicos que devinieron barrios coloniales de la Villa de Toluca.

Sin embargo, como señala Rossend Rovira (s/f), la progresiva transformación ecológica del espacio y, sobre todo, el incremento de la urbanización a partir de la política de congregación y reducción de pueblos instrumentada por la Corona, constituyeron fenómenos históricos que incidieron en los cambios progresivos del modelo *altepetl-calpulli*, que transitaron del modelo de asociación personal al modelo de asociación territorial, una de cuyas consecuencias más evidentes fue "la pérdida de competencias políticas frente a las instituciones de poder surgidas en el siglo xvi".

Apéndice 1

Reparto de Calixtlahuaca hecho por Axayácatl, siglo xv

Beneficiario/topónimo calpulli	*Nombre cristiano*	*Observaciones*
SEÑOR DE TOLUCA		
1.- Cuxcatlán	Santa Clara	
2.- Cuahcingo	San Juan Evangelista	San Juan Chiquito
3.-Mixcoac	Santa Bárbara	
4.- Tlalcingo	Santa Cruz	
5.-Atipac	San Miguel	
6.- Pinaguisco	San Miguel	
7.- Coyotitlán	San Bernardino	
8.- Cuitlahmictlán	San Bernardino	
9.-Tullic Zocomaloya	San Buenaventura	
10.- Oxtotitlán	San Mateo	
11.-Tlazintla	San Antonio	Buenavista
TENOCHTITLAN		
12.- Calixtlahuaca	San Francisco	
13.- Tecaxic	Santa María Asunción	
14.-Tepeitic	San Marcos	
15.- Tlalhuililpan	San Bartolomé	
16.-Cuetlaxtipac	San Martín	
17.-Ayacac	San Nicolás	
18.-Tlaxomulco	Santiago	
19.-Atenco	San Mateo	
TEXCOCO		
20.- Tlalcingo	Santa Ana	(¿Tlapaltitlán?)
21.-Mazatlán	San Juan Bautista	
22.-Xalpan *mexicalaca*	San Sebastián	
23.-Amanalco *mexicalaca*	San Juan	
24.-Huitzila *mexicalaca*	Los Ángeles	
25.-Aticpac	Santa María Concepción	
26.-¿ (1/2 Toluca)	Santa María Natividad	
27.-Chicahuastitlán	San Gerónimo	(¿Chicahualco?)

Beneficiario/topónimo calpulli	*Nombre cristiano*	*Observaciones*
TLACOPAN		
28.-Tlacopan	Santa María Magdalena	
29.-Tlacalpan, otomíes	San Lorenzo	(Tepaltitlán)
30.-Tlalcalpan, matlacingos	San Lorenzo	(Tepaltitlán)
31.-Tototepec	San Pedro	
TLALTELOLCO		
32.- Totocuitlapilco	San Miguel	
33.-Tlatelulco	San Bartolomé	
AZCAPOTZALCO		
34.- Azcapozalco	Santa Cruz	
35.-Hueyxuapa	San Pablo	(¿Autopan?)
36.- Mazahuapan	San Pablo	(¿Autopan?)
37.-Axcahuacingo	San Luis	(¿Obispo?)
38.- Tlachialoyan	Transfiguración	
AHUIZOTL		
39.-Ollitic *(¿ypilchan?)*	San Cristóbal	(¿Huichochitlán?)
40.-Cuexcomitlán *(¿ypilchan)*	San Andrés	
41.-Ozacatipac *(¿ypilchan?)*	San Mateo	(¿Oztacatipan?)
AXAYÁCATL		
42.-Miltepec *(ynchancatca tlapixque)*	Santiago	
43.- Cacalomacán *ypilchan Axayacatzin*	Santa María Asunción	
44.- Capultitlán *ypilchan Axayacatzin*	Transfiguración	
45.- Tlapac *(¿ypilchan?)*	San Antonio	(¿Buenavista?)
46.- Zacango *(¿ypilchan?)*	San Simón	

Fuente: García Castro, 1999: 79-81.

Apéndice 2

El pueblo y la Villa de Toluca y sus sujetos 1550, 1567, 1580, 1581

1550	*1567*	*1580*	*1581*	*1585-1709**
Sujetos	*Estancias*	*Estancias*	*Estancias*	*Barrios existentes en la Villa de Toluca después de la congregación de 1567*
Los seis barrios del Pueblo de Toluca				
Calixtlahuaca			San Francisco [¿Calixtlahuaca?]	San Francisco Calixtlahuaca (1611, 1612, 1662)
	Sant Buenaventura	San Buenaventura		
Santa Ana [Tlapaltitlán]	Santa Ana	Santa Ana		Santa Ana (¿Tlapaltitlán?) (1609, 1626)
		Santa María	Santa María de la Asunción [¿Tecaxic?]	
San Bartolomé [Tlatelulco]		San Bartolomé	San Bartolomé [¿Tlatelulco?]	
Capultitlán		Capultitlán	Capultitlán	Capultitlán (en téminos de la Villa de Toluca (1628)
San Mateo Atenco	Sant Matheo			
			San Mateo (¿Otzacatipan?)	
		San Marcos	San Marcos [¿Tepeitic?]	San Marcos (1585)

1550	*1567*	*1580*	*1581*	*1585-1709**
Sujetos	*Estancias*	*Estancias*	*Estancias*	*Barrios existentes en la Villa de Toluca después de la congregación de 1567*
		Santiago	Santiago [¿Tlaxomulco?]	
	San Miguel Totocuyt-lapilco	Totocuitlapilco	San Miguel [¿Tototcuitlapilco?]	
		Santiago	Santiago [¿Miltepec?]	
	Tlatzintlan			
	San Antonio	San Antonio		
		San Simón		San Simón (1632)
		San Pablo		San Pablo (1618, 1624)
		Santa María		
	Oztotitlán			
			Santa Cruz [Atzapotzaltongo?]	
			San Pablo [¿Hueyohuapan?]	
		San Cristóbal	San Cristóbal [¿Ollitic?]	San Cristobal (barrio de indios, 1630)
		San Nicolás	San Micolás [¿Ayacac?]	
		Metlahuaca		

1550	*1567*	*1580*	*1581*	*1585-1709**
Sujetos	*Estancias*	*Estancias*	*Estancias*	*Barrios existentes en la Villa de Toluca después de la congregación de 1567*
		La Transfiguración	La Transfiguración [¿Tlachaloya?]	
Tlacopa			Santa María Magdalena [¿Tlacopa?]	La Magdalena (¿Tlacopa?) (barrio de indios) (1630)
	Cocomaloya			
		San Andrés	San Andrés [¿Cuexcontitlán?]	San Andrés "en términos de la Villa de Toluca" (1608, 1615)
			San Lorenzo [¿Tepatitlán?]	San Lorenzo (¿Tepatitlán?) (barrio de indios) (1630)
		Aticpac		
			San Pedro [¿Totoltepec?]	
			San Juan Bautista	San Juan Bautista (1585, 1617)
			Santa María de la Concepción [¿Actipac?]	
			Mazatlán [¿San Juan?]	
			San Martín [¿Cuetlaxtlipac?]	
		San Jerónimo		
		San Marcos		

1550	*1567*	*1580*	*1581*	*1585-1709**
Sujetos	*Estancias*	*Estancias*	*Estancias*	*Barrios existentes en la Villa de Toluca después de la congregación de 1567*
			Huitztla [¿Nuestra Señora de los Ángeles?]	Huitztla (¿Nuestra Señora de los Ángeles?] 1585
			San Sebastián	San Sebastián
			San Luis [¿Axcahucingo?]	
			Amanalco [¿San Juan?]	
			Santa María de la Navidad [¿Zoquipan?]	
			Santa Ana [¿Tlalcingo?]	
			San Gerónimo [¿Chicalhualco?]	
		San Bartolomé	San Bartolomé [¿Tlahuililpan?]	
			Mazahuapan [¿San Pablo?]	
		San Marcos		
	BARRIOS	BARRIOS	BARRIOS	
	Sant Juan Ebangelista Cuahucingo	San Juan	San Juan Evangelista [¿Cuahucingo?]	San Juan Evangelista (¿Cuahucingo?) (1630)
	Santa Clara Cuzcatlan	Santa Clara	Santa Clara [¿Cuxcatlán?]	

1550	*1567*	*1580*	*1581*	*1585-1709**
Sujetos	*Estancias*	*Estancias*	*Estancias*	*Barrios existentes en la Villa de Toluca después de la congregación de 1567*
	Santa Barbara Mixcoac	Santa Bárbara	Santa Bárbara [¿Mixcoac?]	Santa Bárbara (1662, 1709)
	Santa Cruz Tlalcingo	Santa Cruz	Santa Cruz [¿Tlalcingo?]	Tlalcingo (1630)
	Sant Miguel Aticpac		Aticpac [¿San Miguel?]	San Miguel Aticpac (1662)
	Sant Miguel y Pinahuizco		San Miguel [¿Pinahuisco?]	
	Cocoyoltitlan, San Bernardino y Cuyotlachmictlan		Cuitlachnictlán [¿San Bernardino?]	
			San Bernardino [¿Zocomsloya?]	
	Tulitic		Tulic [¿San Buenaventura?]	San Buenaventura (1608, 1632)
		San Luis		
		San Lorenzo		
		San Sebastián	San Sebastián (1580, 1602, 1605)	
		San Juan		
			San Simón [¿Zacango?]	
		San Pedro		

1550	*1567*	*1580*	*1581*	*1585-1709**
Sujetos	*Estancias*	*Estancias*	*Estancias*	*Barrios existentes en la Villa de Toluca después de la congregación de 1567*
			San Mateo [¿Oxtoti-tlán?]	Oxtotitlán "en los términos de la Villa de Toluca" (1604)
			La Transfiguración [¿Capultitlan?]	
			Santa María de la Asunción [¿Cacalomacán?]	
			San Bartolomé	
			San Antonio [¿Ocoyoancopetlahualoya?]	En el Ejido de Toluca que linda con tierras de indios naturales de San Antonio (¿Ocoyoancopetlahualoya?) (1605)
				Huitztla (¿Nuestra Señora de los Ángeles?] 1585
	15 estancias	23 estancias	31 estancias	
6 barrios	8 barrios	9 barrios	15 barrios	

Elaboración propia con base en René García Castro (1999: 383-387).
*La información de esta columna se extrajo del AGNEM, NN1T y constituye una muestra (durante el periodo 1585-1709) de la existencia de otros barrios aparte de los seis matlatzincas sujetos a Toluca por la congregación de 1567, así como de la permanencia de algunos de estos últimos. En este sentido los años entre paréntesis, a la derecha del nombre del barrio, indican cuándo se hizo una transacción que involucró a personas de dichos barrios.

Listado de siglas y acrónimos

AGN	Archivo General de la Nación
AGNEM	Archivo General de Notarías del Estado de México
HJ	Hospital de Jesús
NN 1T	Notaría núm. 1 de Toluca

Fuentes consultadas

Archivos

AGN	Archivo General de la Nación
	Congregaciones
	Hospital de Jesús
	Indios
	Tierras
AGNEM	Archivo General de Notarías del Estado de México
NN 1T	Notaría número 1 de Toluca

Bibliografía

Bernal García, María Elena y Ángel Julián García Zambrano (2006), "El atepetl colonial y sus antecedentes prehispánicos: contexto teórico-historiográfico", en Federico Fernández Christlieb y Ángel Julián García Zambrano, *Territorialidad y paisaje en el altepetl del siglo XVI*, México, Fondo de Cultura Económica.

Correa, Humberto (1981), "La evolución urbana de Toluca", en Alfonso Sánchez García *et al.*, *Siglo y medio. Sumaria Tolucense,* Toluca, Departamento de Comunicación Social-H. Ayuntamiento de Toluca.

Del Paso y Troncoso, Francisco (ed.) (1939-1942), *Epistolario de la Nueva España*, México, Talleres Gráficos de la Nación.

Diccionario enciclopédico Quillet (1978), t. 2, 8ª edición, México, Cumbre.

Escalante Gonzalbo, Pablo (2004), "La ciudad, la gente y las costumbres", *Historia de la vida cotidiana en México I: Mesoamérica y los ámbitos indígenas de la Nueva España*, Pilar Gonzalbo Aizpuru (dir), México, El Colegio de México/ Fondo de Cultura Económica.

Fernández, Federico y Ángel Julián García Zambrano (2006), *Territorialidad y paisaje en el altepetl del siglo XVI*, México, Fondo de Cultura Económica.

Florescano, Enrique (1980), "La formación de los trabajadores en la época colonial, 1521-1750", en Enrique Florescano *et al.*, *La clase obrera en la historia de México. De la colonia al Imperio*, México, Siglo XXI Editores-Instituto de Investigaciones Sociales/UNAM.

García Martínez, Bernardo (1969), *El marquesado del Valle de Oaxaca. Tres siglos de dominio señorial*, México, El Colegio de México.

_____ (2000), "El nacimiento de la Nueva España", *Historia general del Estado de México*, México, El Colegio de México.

García Castro, René (1999), *Indios, territorio y poder en la provincia matlatzinca. La negociación del espacio político de los pueblos otomianos, siglos XV-XVII*, México, Conaculta-El Colegio Mexiquense-CIESAS.

García Solano, Francisco (ed.) (1980), *Relaciones geográficas del Arzobispado de México (1743)*, t. 2, Madrid, Consejo de Investigaciones Científicas.

Gibson, Charles (1976), *Los aztecas bajo el dominio español*, México, Siglo XXI Editores.

Hernández, Rosaura (1988), *El valle de Toluca, época prehispánica y siglo XVI*, 2ª ed., Zinacantepec, El Colegio Mexiquense.

_____ (ed.) (1997), *Toluca 1603. "Vista de ojos"*, Zinacantepec, El Colegio Mexiquense (Fuentes para la historia del Estado de México, 5).

Lockhart, James (1992), *The Nahuas After the Conquest. A Social and Cultural History of the Indians of Central Mexico, Sixteenth Through Eighteenth Centuries*, Stanford, Stanford University Press.

Menegus, Margarita (1994), *Del señorío indígena a la república de indios*, México, Conaculta.

Reyes, Luis (1996), "El término calpulli en documentos del siglo XVI", *Documentos nahuas de la ciudad de México del siglo XVI*, México, CIESAS-Archivo General de la Nación.

Torquemada, Juan de (1986) [1723], *Monarquía indiana*, vol. II, Miguel León Portilla (intr.), copia fascimilar de la 4ª edición, reproducida de la 2ª de Madrid, México, Porrúa.

Vetancourt, Agustín de (1982), *Teatro mexicano: descripción breve de los sucesos ejemplares, históricos y religiosos del nuevo mundo de las Indias*, 2ª ed., México, Porrúa.

Wood, Stephanie (1984), *Corporate Adjustments in Colonial Mexican Indian Towns: Toluca Region, 1550-1810*, tesis docotral, Universidad de California, Los Ángeles, California.

Zorita, Alonso de (1999), *Relación de la Nueva España: relación de algunas de las muchas cosas notables que hay en la Nueva España y de su conquista y pacificación y de la conversión de los naturales de ella*, edición, versión paleográfica, estudios preliminares y apéndices Ethelia Ruiz Medrano, Wiebke Ahrndt y José Mariano Leyva, vol. I, México, Consejo Nacional para la Cultura y las Artes (Cien de México).

Hemerografía

Fernández, Federico y Pedro Sergio Urquijo Torres (2006), "Los espacios del pueblo de indios tras el proceso de congregación, 1550-1625", *Investigaciones geográficas*, núm. 60, agosto, pp. 145-158.

Iracheta, Pilar (2001), "El aprovisionamiento de agua en la Toluca colonial", *Estudios de Historia Novoshispana*, núm. 25, julio-diciembre, pp. 81-116.

Martínez, Hildeberto (2000), "El calpulli ¿otra acepción de teccalli?", *The Journal of Intercultural Studies*, t. 5, núm. 27, pp. 194-208.

Recursos electrónicos

García Chávez, Raúl (s/f), *El altepetl como formación sociopolítica de la cuenca de México. Su origen y desarrollo durante el posclásico medio*, disponible en: <http://pendientedemigracion.ucm.es/info/arqueoweb/pdf/8-2/garcia.pdf> (consulta: 15/05/2014).

Hernández Franyuti, Regina (2005), "Historia y significado de la palabra policía en el quehacer político de la ciudad de México, siglos XVI-XIX", *Ulúa*, núm. 5, enero-junio, disponible en: <http://cdigital.uv.mx/handle/123456789/8990> (consulta: 20/05/2014).

Ouweneel, Arij y Rick Hoekstra (2011), *Las tierras de los pueblos de indios en el altiplano de México, 1560-1920. Una aportación teórico-interpretativa*, Ámsterdam, Publicaciones CEDLA, documento pdf disponible en: <www.cedla.uva.nl/50_publications/pdf/cuadernos/cuad01.pdf> (consulta: 07/10/2011).

Rovira Mogardo, Rossend (s/f), "San Pablo Teopan: pervivencia y metamorfosis virreinal de una parcialidad indígena de la ciudad de México", *Estudios de Historia Cultural. Difusión y pensamiento*, disponible en <http://www.historiacultural.net/hist_rev_rovira.htm>, (consulta: 22/05/2014).

Población, poblamiento y despoblamiento en cinco pueblos cabecera y sus sujetos: un altepeme en el antiguo Michoacán

*Guillermo Vargas Uribe**

II

* Profesor-investigador de la Facultad de Economía "Vasco de Quiroga" de la Universidad Michoacana de San Nicolás de Hidalgo. Contacto: guillermovu@fevaq.net

Introducción

Este trabajo intenta reconstruir un patrón hipotético de poblamiento de los pueblos cabecera y sus sujetos de cinco pueblos prehispánicos de Michoacán. Dicho patrón nos permite analizar cómo era el poblamiento, territorialmente expresado, en el momento del contacto indoespañol y entender mejor las transformaciones que sufrirá el multicitado patrón de poblamiento a partir de la primera mitad del siglo XVI por el efecto de las congregaciones o reducciones de los pueblos de indios. Los resultados de este trabajo apuntan a una transformación radical del poblamiento, así como a un despoblamiento materializado en la disminución de la población indígena y en la pérdida de gran cantidad de pueblos sujetos, proceso iniciado a partir de la primera mitad del siglo XVI, y prolongado hasta los siglos XIX y XX.

Mi fuente principal es la *Visita de Carvajal a Michoacán* (1523-1524), el primer censo de población conocido (Warren, 1977: 404-412), mismo que incluye la lista de los mayores pueblos de la región, haciendo observaciones sobre su situación geográfica, nombres indígenas de los pueblos sujetos y de sus pueblos cabeceras lagos, fuentes, ríos y montañas. Dicho censo debió llevarse a cabo entre los años de 1523 y 1524, y hoy en día se cuenta únicamente con los fragmentos correspondientes a los datos de cinco pueblos cabecera: Espopuyutla (Comanja), Uruapan, Turicato, Huaniqueo y Erongarícuaro. Es lamentable la pérdida del resto de los datos que podrían ser una fuente valiosísima para la reconstrucción de la demografía histórica de la época. A partir de dichos documentos (incompletos) se elaboró un mapa hipotético sobre la distribución geográfica de los pueblos sujetos de esos cinco pueblos cabecera de la provincia de Michoacán.

Por ser una época temprana, anterior a las congregaciones, dicho esquema nos permite analizar cómo era el poblamiento, en el aspecto territorial, en el momento del contacto indoeuropeo y entender mejor las transformaciones que sufrirá dicho esquema a partir de la primera mitad del siglo XVI por el efecto de las congregaciones o reducciones de los pueblos de indios. Asimismo, nos permite identificar cuántos y cuáles barrios desaparecieron en los primeros años de la Colonia.

Los resultados son la transformación radical del poblamiento,[1] así como un despoblamiento[2] materializado en la disminución de la presencia indígena y en la pérdida de gran cantidad de pueblos sujetos, lo cual inició a partir de la primera mitad del siglo XVI y se prolongó hasta los siglos XIX y XX.

[1] El poblamiento es un tema de estudio de la geografía humana (escuela francesa) o social (escuela anglosajona) en el que son notorias las interconexiones y relaciones dialécticas entre hombre y naturaleza. El *diccionario general de Larousse* da estas cuatro acepciones para poblar y poblamiento: "Ocupar con gente un lugar para que habite o trabaje en él", "Ocupar un lugar con cualquier clase de seres vivos: poblar un monte", "Habitar, vivir en algún lugar", "Fundar uno a más pueblos o poblaciones". El término "poblamiento" también se define como "acción y efecto de poblar; proceso de asentamiento de la población o de un grupo humano específico en un área determinada; formas de asentamiento resultantes de este proceso" (Larousse, 2000: 963). Para Thumerelle el concepto de poblamiento —palabra aparecida en francés en el siglo XIII— es ambiguo: "Expresa a un tiempo un proceso, de acuerdo con el cual, un territorio recibe su población y también es un estado, como resultado de este proceso. La bivalencia del término se asimila a la del fenómeno, el proceso y el estado son indisociables, y sólo se aíslan por necesidades del análisis. Podemos convenir por simplificación pedagógica y por analogía con el análisis demográfico que el estudio del poblamiento como proceso se inscribe en un análisis longitudinal (de la dimensión temporal), mientras que el del poblamiento como estado se inscribe en un análisis transversal (o del momento). En este último sentido, nos interesamos por la distribución" (Thumerelle, 1996: 18-19). El Consejo Nacional de Población (Conapo) define "poblamiento" como "el proceso continuo de ocupación del territorio, el poblamiento involucra, en contextos geográficos específicos, no sólo la dinámica demográfica sino también el desarrollo económico, social y político. Hablar del poblamiento implica, entonces, considerar las características y variaciones de la fecundidad, la mortalidad y la migración de las mujeres y los hombres, así como las manifestaciones de estos fenómenos en el volumen total, el ritmo de crecimiento y la distribución espacial de la población; todo ello en su mutua y estrecha relación con el desarrollo económico y social. Se trata del complejo proceso mediante el cual los seres humanos hacen suyo, social y productivamente, el espacio geográfico en el que viven" (Arenzana, 1993: 13).

[2] El diccionario de Larousse define "despoblación" como: "acción y efecto de despoblar; sinónimo de despoblamiento". Asimismo, define Despoblar como la acción de "disminuir considerablemente la población de un lugar" (Diccionario general de la lengua española, 2000: 37). Para Thumerelle primitivamente las dos palabras tienen el mismo sentido: "Designan la acción de vaciar un territorio de sus habitantes mediante la violencia (del latín *depopulatio*: devastación); más adelante, cuando aparece la palabra población, por analogía de los términos, pero no de las raíces etimológicas, llamaremos despoblamiento a la disminución de la población de un territorio cuando el saldo migratorio negativo no se ve compensado por el crecimiento natural, y despoblación a la disminución de la población de un territorio cuando los fallecimientos son más numerosos que los nacimientos" (Thumerelle, 1996: 67).

Unidades de análisis territorial

Para este trabajo se utilizaron como unidades de análisis territorial los pueblos de indios que incluyen un pueblo cabecera y varios pueblos sujetos. Aquí lo fundamental es el pueblo cabecera que tiene el control administrativo sobre un territorio determinado, es decir, el de los pueblos sujetos. Aclaramos que el concepto de pueblo se relaciona más con el concepto del *altepetl* prehispánico que con el actual concepto de pueblo como localidad.

El *altepetl*/pueblo de indios (pueblo cabecera + pueblos sujetos)

Dice Fernández Christlieb que cuando llegaron los conquistadores españoles encontraron ciudades y pueblitos: en realidad era una sucesión de *altepeme* (*altepetl* en singular), es decir, montes llenos de agua, según la mitología mesoamericana. Ahí donde hubiese un cerro con agua, físicamente o construido, se podía vivir (Fernández y García 2006: 36). De acuerdo con la definición etlmológica de Reyes, el *altepetl* está constituido por los sustantivos "agua" y "cerro". Semánticamente significa el gran órgano que cohesiona social, política, económica y culturalmente a los niveles locales, regionales y extrarregionales (Reyes, 2000: 36). Según García Martínez el *altepetl* o señorío independiente, objeto de conquistas sucesivas, subsistió en Nueva España bajo la figura corporativa de pueblo de indios, que se define como una corporación política fundada sobre la base de un *altepetl* prehispánico o derivada de él. No debe confundirse pueblo de indios, que era una institución con personalidad jurídica y jurisdicción territorial, con pueblo indio, pueblo indígena o mucho menos comunidad indígena; este último, inclusive, corresponde a un modelo de organización que no existía en la época colonial (García, 2001b: 184). En cada pueblo o *altepetl* se fue adaptando un cabildo de indios, que era una forma de gobierno municipal de tipo español. Es decir, las distintas formas existentes de gobierno indio se fueron hispanizando (García, 2001a y 2001b). Un proceso histórico de atomización y simplificación anuló el *altepetl* como cuerpo político.

El *altepetl* y el municipio se desarrollaron en forma paralela (Reyes, 2000: 215-233). En el municipio moderno sobreviven los topónimos y linderos que le dieron identidad (García, 1998: 58). De ahí que los estudiosos de la geografía se hayan sentido atraídos por indagar esta relación entre los grupos

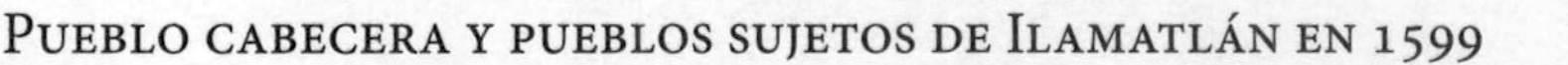

MAPA 1
PUEBLO CABECERA Y PUEBLOS SUJETOS DE ILAMATLÁN EN 1599

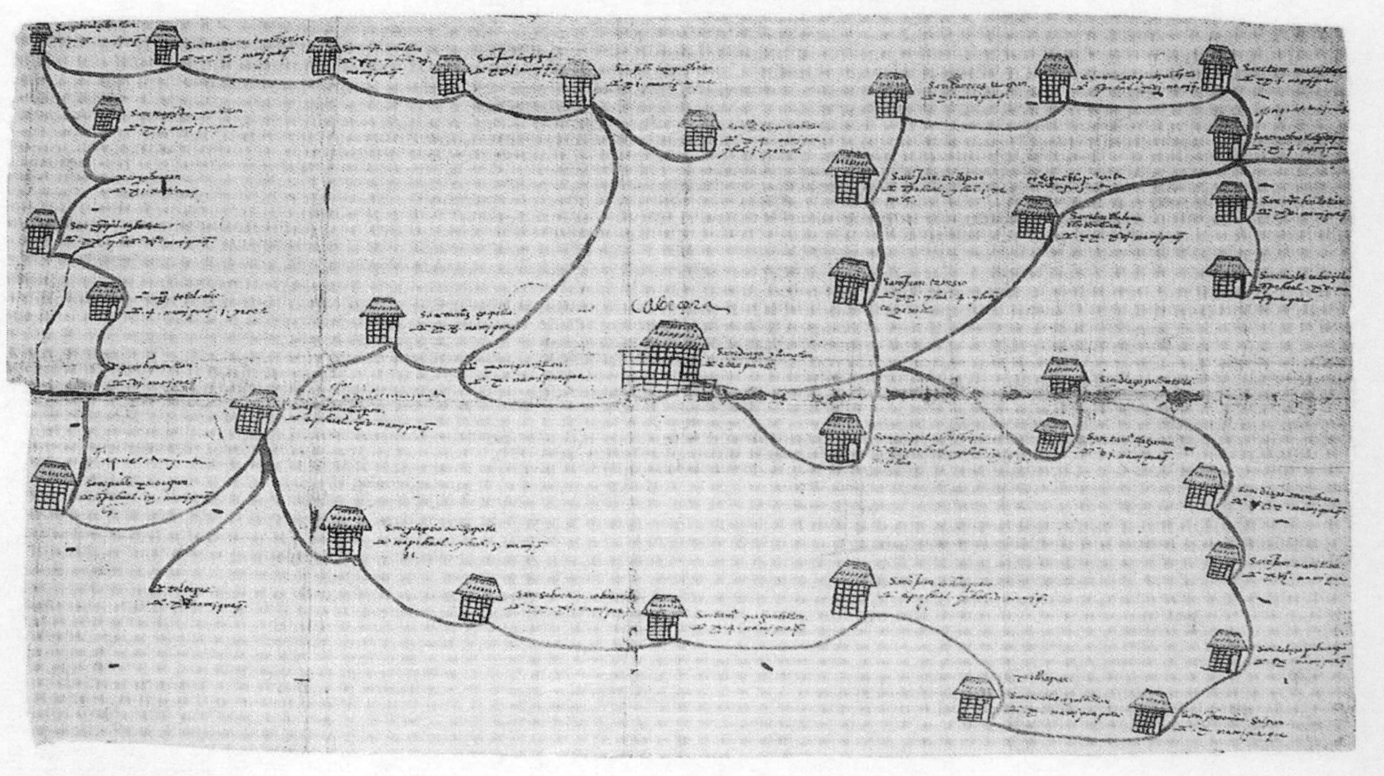

Fuente: García (1998: 58).

sociales, su territorio y su medio natural a partir de técnicas que les son propias, como el análisis cartográfico o el trabajo de campo.

Para explicar el poblamiento de México nos parece más adecuado el concepto de *altepetl* que las interpretaciones del poblamiento y la formación de pueblos de España (Bosch, 1995) o de otros lugares. Para poder entender la jerarquía territorial se hace necesario aclarar los conceptos de barrio, pueblo sujeto y pueblo cabecera (véase el mapa 1 en la página anterior).

Los barrios constituyeron asentamientos en donde fueron congregados los indígenas. En la época colonial el barrio fue considerado la unidad básica de organización social; sin embargo, en cuanto a la administración, el barrio competía con el concepto de pueblo, que se remitía a la población en general sin hacer diferencias sociales, ni divisiones internas de cada asentamiento humano. El significado y el uso de los dos conceptos parece caprichoso; sin embargo, su uso fue relativizado según la región y la localidad (Reyes, 1991: 13-52). Los barrios fueron jerarquizados por el número de habitantes y por su ubicación espacial, por lo cual se podían distinguir en centrales y periféricos. Siempre relacionado con un centro, el espacio geográfico fue dividido en áreas de influencia en relación con la distancia que podía recorrer un individuo en una jornada normal sin llegar a realizar demasiado esfuerzo. Fue así que los centros administrativos (pueblos cabecera) fueron ubicados a distancias medias de cuatro o cinco leguas o sea de 15 a 20 kilómetros de distancia (Reyes, 1991: 20).

La fuente

En 1522-1523 Cortés comisionó inspectores que siguieron y a veces acompañaron a las primeras expediciones militares españolas cuya misión era reducir a la sumisión a los pueblos de las áreas adyacentes al centro de México. Cada uno de los inspectores hizo un estudio más o menos cuidadoso de la región correspondiente. El primer reporte sobre la población y el poblamiento de Michoacán lo encontramos en el llamado censo, producto de la visita de Antonio de Carvajal en 1523-1524 (Warren, 1977: 404-412). Dicho documento es un registro de la contabilidad de los recursos humanos de la Provincia de Michoacán, realizada ex profeso para Hernán Cortés quien los tomó como base al distribuir encomiendas a sus compañeros de conquista (Gerhard, 1986: 29).

La información del censo fue recogida entre 1523 y 1524; de cada lugar visitado se proporciona el nombre del gobernante o del recolector de tributos, los pueblos sujetos a cada una de las cabeceras, así como el número de casas comprendidas en cada barrio sujeto. También contiene información acerca de la topografía y los recursos naturales (Gerhard, 1986: 29). Hasta 1977 sólo se habían encontrado cinco fragmentos de la *Visita de Carvajal*, correspondientes a los pueblos de Espopuyuta (Comanja), Uruapan, Turicato, Huaniqueo y Erongarícuaro[3] (Warren, 1977: 84-101) y se conservan gracias a que fueron copiados durante algunos procesos legales (Cook y Borah, 1977: 28). El resto, en el mejor de los casos, está perdido en algún archivo o desaparecido. Según su compilador esta visita tuvo una importancia fundamental para la primitiva historia de la ocupación española de Michoacán y llegó a ser un documento de importancia primordial para probar la extensión geográfica de algunas de las encomiendas (Gerhard, 1986: 85-86).

De manera indirecta el censo también contiene información demográfica sobre un gran número de pueblos de Michoacán, producto de una acuciosa indagación llevada a cabo por indígenas coordinados por españoles. El objetivo de la contabilidad era permitir al Estado español —la Corona de Castilla— diseñar políticas para el repartimiento de las nuevas posesiones americanas y tener una primera aproximación más o menos detallada de los futuros brazos a explotar. Al margen de la pretendida neutralidad de las fuentes y de las diferencias entre los dos recuentos, los fragmentos que han sobrevivido son de considerable interés para el tema que aquí se trata; de encontrarse el expediente completo sería la mejor y más temprana obra de demografía histórica colonial de México y de Michoacán; su conocimiento es una condición sin la cual es imposible plantear hipótesis más fundamentadas sobre la situación previa y al momento del contacto español en cuanto a población se refiere.

El estudio del censo y sus resultados

Para establecer el modelo hipotético de poblamiento que planteo he dividido el estudio del censo en cuatro secciones: *1)* el recuento de españoles e indígenas de personas, pueblos sujetos y sus casas para analizar el poblamiento y el despoblamiento; *2)* el esquema hipotético del patrón del poblamiento prehis-

[3] La ubicación de las fuentes y su edición más accesible está en "Espopuyutla-Comanja, Uruapan, Turicato, Huaniqueo y Erongarícuaro", documentos que fueron publicados por Warren (1963: 404-412; 1977: 92-112).

pánico de cinco pueblos cabecera de Michoacán (1523-1524); *3)* el impacto de las congregaciones o reducciones en la sustitución de un sistema de poblamiento disperso por uno concentrado; y *4)* la descripción y el análisis de la transformación del patrón de poblamiento prehispánico en el siglo XVI.

Recuento de españoles e indígenas de personas, pueblos sujetos y sus casas para analizar el poblamiento y el despoblamiento.

El censo consiste en un interrogatorio para los indígenas calificados sobre los sujetos de cada pueblo cabecera, las casas que comprendía cada pueblo sujeto, así como las de la cabecera; también incluye cuestiones sobre minería y las ocupaciones de la población. Dicho interrogatorio sería completado por la inspección o visita comprobadora de los españoles para verificar las cuentas de los nativos y hacer cuentas directas.

Los censos son diseñados por la clase dominante, la cual se reserva la posibilidad de alterar la información y darla a conocer públicamente. La diferencia entre cifras ha sido una constante en los censos de todas las épocas y periodos y esta temprana fuente no podía ser la excepción; las casas censadas por el recuento indígena son, en todos los casos, inferiores en número a las censadas por el recuento español (véase el cuadro 1).

El hecho de que ambas cifras se alejen de la media, fenómeno que padecemos aun en los censos contemporáneos —y, que al parecer se acentúa cada vez más—, implica una constante en todo conteo estadístico, moderno o protoestadístico.

Cuadro 1

Diferencias entre el recuento indígena y el español del número de casas en cinco pueblos de Michoacán (1523-1524)

Pueblo cabecera	*Núm. de pueblos sujetos*	*Número de "casas"*	
		Recuento indígena	*Recuento español*
Espopuyuta (Comanja)	35	341	782
Uruapan	12	183	497 (462)
Turicato	17	99	246
Huaniqueo	49	323	801
Erongarícuaro	39	289	863

Fuente: Elaboración propia con base en Warren (1977: 92-102).

El censo enfrenta los intereses de los caciques locales con los de los futuros encomenderos y los de la Corona; lo anterior se refleja en el cuadro 2 en donde las cifras de recuento indígena siempre son inferiores, debido muy probablemente a que el cacique influyó para que fueran "desinfladas" con el objeto de disminuir la tasación del tributo que les impondrían los nuevos amos de la tierra. Por otro lado, las cifras del visitador Carvajal muy probablemente fueron "infladas" para exagerar el número de tributarios potenciales y hacer valer su nombre ante sus superiores del ejército y de la Corona (Warren, 1977: 89).

Esquema hipotético del patrón del poblamiento prehispánico de cinco pueblos cabecera de Michoacán (1523-1524)

Debido a que la fuente comentada proporciona la distancia en leguas de los pueblos sujetos respecto a su pueblo cabecera, es probable hacer una reconstrucción hipotética de la territorialización del sistema de poblamiento en el momento de la conquista (véase mapa 2). Dicho sistema se caracterizaba por los siguientes elementos:

Mapa 2
Ubicación hipotética de cinco pueblos cabecera y sus respectivos sujetos a partir de la visita de Carvajal (1523-1524)

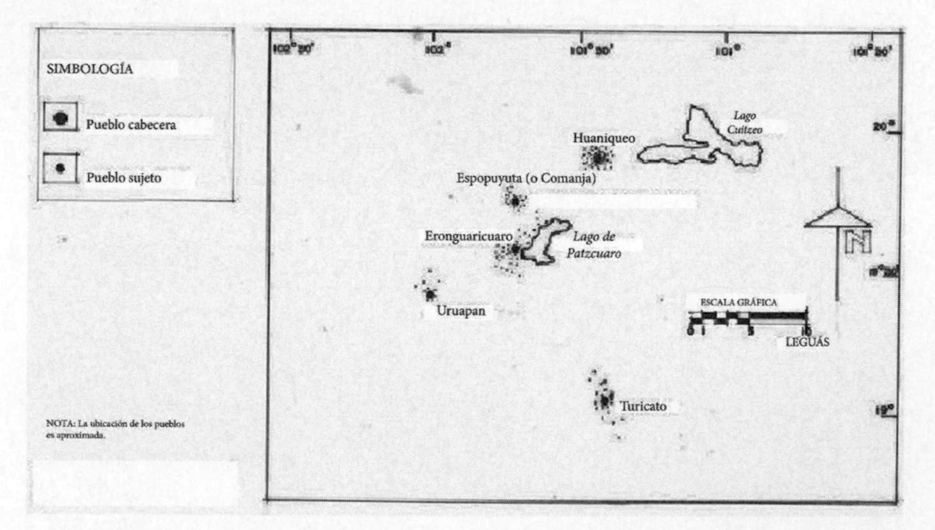

Fuente: Elaboración propia a partir de los documentos publicados en Warren (1977: 92-10).

Cuadro 2

Proporción entre el número de casas y de personas en el pueblo cabecera y en sus sujetos (1524)

	Número de casas:								*Número de personas:*							
	Censo indígena				*Censo español*				*Censo indígena*				*Censo español*			
Pueblo	*Cabecera*		*Sujetos*		*Cabecera*		*Sujetos*		*Cabecera*		*Sujetos*		*Cabecera*		*Sujetos*	
	Total	*%*	*Total*	*%*	*Total*	*%*	*Total*	*%*	*Total*	*%*	*Total*	*%*	*Total*	*%*	*Total*	*%*
Huaniqueo	10	3.1	313	96.9	45	5.6	756	94.4	64	3.1	2 002	96.9	288	5.6	4 836	94.4
Erongarícuaro	20	6.9	269	93.1	65	7.5	798	92.5	77	6.9	1 033	93.1	250	7.5	3 063	92.5
Comanja/ Espopuyuta	40	11.7	301	88.3	65	8.3	717	91.7	136	11.7	1 027	88.3	222	8.3	2 445	91.7
Uruapan	30	16.4	153	83.6	150	30.2	347	69.8	153	16.4	779	83.6	764	30.2	1 766	69.8
Turicato	30	30.3	69	69.7	85	34.6	161	65.4	194	30.3	447	69.7	551	34.6	1 044	65.4
Cinco pueblos:	130	10.5	1 105	89.5	410	12.9	2 779	87.1	624	10.6	5 287	89.4	2 074	13.6	13 154	86.4

Fuente: Elaboración propia con base en Warren (1977: 92-101).

a) Predominancia de la población dispersa; es decir, la que habitaba en los pueblos sujetos, respecto a la total de cada *altepetl*; en Huaniqueo, el pueblo más septentrional de la muestra, dicha predominancia era de 96.9%, de acuerdo con el recuento indígena, y de 94.4% según el español; en Turicato, el pueblo más meridional de los analizados, era de 69.7%, de acuerdo con el censo indígena, y 65.4% de acuerdo con el español (véase cuadro 2 en la página siguiente).

b) Escasa relevancia demográfica del pueblo cabecera respecto al total del *altepetl;* en el caso de Huaniqueo la proporción de la población que habitaba el pueblo cabecera apenas estaba entre 3.1 (según el censo indígena) y 5.6% (según el recuento español), el menor porcentaje de la muestra; y en el pueblo de Turicato alcanzaba un máximo de entre 30.3 (según el recuento indígena) y 34.6% (según el censo español) (véase el cuadro 3).

El impacto de las congregaciones o reducciones en la sustitución de un sistema de poblamiento disperso por uno concentrado

Las congregaciones o reducciones de indios fue un proceso que modificó seriamente los patrones demográfico-territoriales precoloniales de Mesoamérica, ahora convertida en Nueva España. Se debe entender por congregación, junta o reducción del proceso colonial por medio del cual se estableció un nuevo patrón de asentamiento entre los pueblos aborígenes. Esta política alcanzó su máxima expresión a partir de la cuarta década del siglo XVI. Su característica principal es que promovió la concentración de indios que vivían dispersos entre los campos de cultivos. La conquista vino no solamente a imponer la cosmovisión antropo-europeo-centrista en el nuevo mundo, sino también su concepción del deber ser de un patrón de distribución espacial congregado o reducido —es decir pro urbano—, establecido sobre un patrón que anteriormente tenía un fuerte elemento de dispersión. Desde entonces se dio un amplísimo proyecto de congregación de la población nativa. El virrey conde de Monterrey, quien llegó a gobernar en 1596, adelantó enormemente el proceso de congregación de pueblos durante su administración (De la Torre, 1990: 48-67). A finales del siglo XVI fueron excepcionales los casos de asentamientos prehispánicos que escaparon a este lineamiento. Su relocalización enfrentó a los pobladores originales con una

Cuadro 3

Diferencia del número de personas, casas y pueblos sujetos en cinco pueblos de la Provincia de Michoacán (1524-1548)

	1524			*1524*			*1524*	*1548*	*1548-1548*		*1548*
	Censo indígena:			*Censo español:*							
Pueblo	*Personas*	*Casas*	*Personas/ casa*	*Personas*	*Casas*	*Personas/ casa*	*Barrios*	*Personas*	*Casas*	*Personas/ casa*	*Barrios*
Huaniqueo	2066	323	6.4	5124	801	6.4	49	1113	174	6.4	13
Erongarícuaro	1109	289	3.8	3313	863	3.8	39	714	186	3.8	?
Comanja/ Espopuyuta	1163	341	3.4	2667	782	3.4	35	989	290	3.4	6
Uruapan	932	183	5.1	2530	497	5.1	12	2189	430	5.1	7
Turicato	642	99	6.5	1595	246	6.5	17	1316	203	6.5	?
Cinco pueblos:	5912	1235	4.8	15228	3189	4.8	152	6321	1283	4.9	
Mich. completo*								61816	9241	6.7	
Mich. norte **								23630	1895	12.5	
Mich./norte								38186	7346	5.2	

Notas: * Michoacán completo = 66 pueblos; ** Michoacán norte = 21 pueblos; ? = Sin datos
Elaboración propia a partir de Warren (1977: 92-102); Del Paso y Troncoso (1905); Cook y Woodrow (1977: 131).

experiencia totalmente novedosa y, algunas veces, traumática La política de reducciones o congregaciones significó para los naturales la destrucción de su ecúmene. Tal destrucción del hábitat se debió a que los patrones precoloniales de población dispersa molestaban a los conquistadores e impedían la aplicación de las políticas evangelizadora y fiscal. En este sentido, las congregaciones constituyeron "un intento de disminuir las cargas del culto religioso y del gobierno de las aldeas" (Borah, 1982: 19).[4] Según varios autores la congregación sirvió para fines tributario-religiosos; la evangelización y la tributación son elementos que obligan a la concentración humana. En el caso de la evangelización, la urbanización de los pueblos indígenas a la manera española estuvo en manos de las órdenes mendicantes (Kubler, 1983: 88-108). Franciscanos y agustinos se diseminaron por todo el territorio michoacano, fundando y construyendo nuevos centros de población; animados por un fuerte espíritu misionero que se inspiraba en el cristianismo primitivo, los frailes se dedicaron vehementemente a enseñar los principios de la religión, empezando, de esta manera, a cristalizar el gran proyecto de occidentalización de la población aborigen. La forma urbana que se imponía se constituyó en uno de los eslabones fundamentales de esta transformación. Sin ella los indígenas, según lo manifestaban aquellos misioneros, se mantendrían en el salvajismo, comulgando con sus propias creencias, perdidos para las nuevas ideas, entre sus alejados campos de cultivo y diseminados lugares de residencia. Los indígenas de antes de las reducciones vivían, según la concepción europea "sin orden de calles, adonde tres casas y donde cuatro" (Acuña, 1987: 115). Ante ello modificaron la estructura de los asentamientos, la tenencia de la tierra y la movilidad de las poblaciones. Dicha alteración se hace evidente en el caso de la congregación de Tuzantla, pueblo de la Provincia de Michoacán, donde se ordenó que a los indios "les derribaréis y desharéis casas y rancherías que tuvieren hechas fuera de sus verdaderas poblaciones y compeleréis a que hagan las que tenían obligación de hacer en ellas si no lo hubieren hecho y a que siembren y hagan sus sementeras en las nuevas tierras que se les repartieron" (Acuña, 1987: 157).

Los nuevos asentamientos estuvieron localizados dentro de los límites jurisdiccionales indígenas originales y en el nuevo centro de población el cual, en muchas ocasiones, estaba erigido sobre o junto al antiguo centro ceremonial. Cada una de estas localidades se concibió bajo el modelo eu-

[4] Otros textos que abordan la demografía de la población indígena novohispana son: Cook y Woodrow Borah, 1978: 199-212; Simpson, 1934.

ropeo, con una plaza central, su iglesia, edificios para el gobierno local, sitios para el comercio y casas alrededor organizadas en una traza reticular o de damero.[5] En la figura 1 se presenta un modelo que explica el proceso de organización territorial, pasando de asentamiento prehispánico organizado en cuatro *calpoltin* cuyas casas de presentan dispersas en las laderas de un área montañosa a pueblo de indios; tras la congregación, asentado en tierras más planas y organizado en los mismos cuatro barrios,

Figura 1
Del poblamiento disperso del altepetl al pueblo de indios congregado

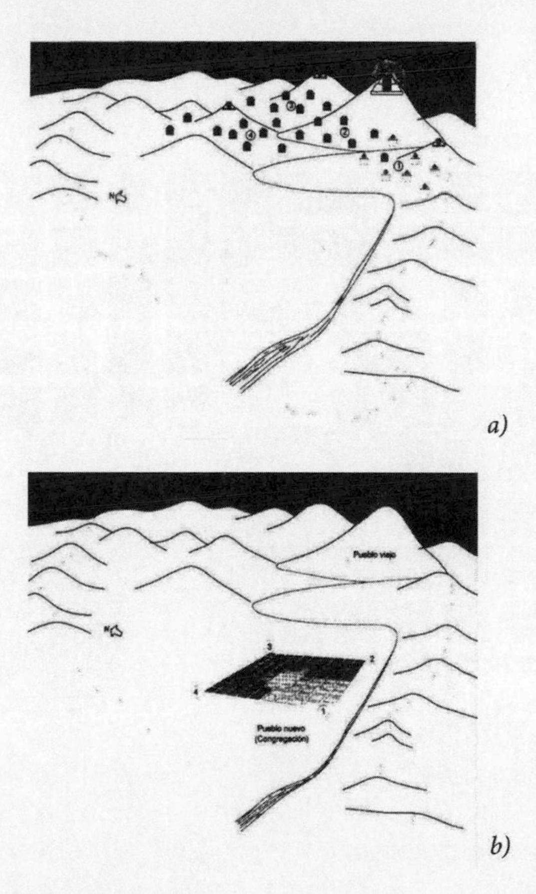

Fuente: Fernández y García (2006: 147).

[5] Véase al respecto: Arvizu , 1993; De Terán, 1997; López, 2001 y García, 2001a, entre otros.

ahora con una densidad arquitectónica y demográfica mayor (Fernández, 2006: 147) (véase figura 1 en la página anterior).

La figura 2 presenta un modelo que explica la manera hipotética de asentamiento de cuatro *calpoltin* (conocidos como barrios en el periodo colonial) tras el proceso de congregación: cada uno se convierte en un barrio, señalado con números romanos. Cada cuadra estuvo dividida en cuatro solares. En aquellas marcadas con la letra "A" residirían los indios principales, uno de los cuales sería el cacique o gobernador; la letra "B" indica las cuadras ocupadas por macehuales (Fernández, 2006: 157).

FIGURA 2
ESQUEMA DEL PUEBLO CONGREGADO EN POLICÍA

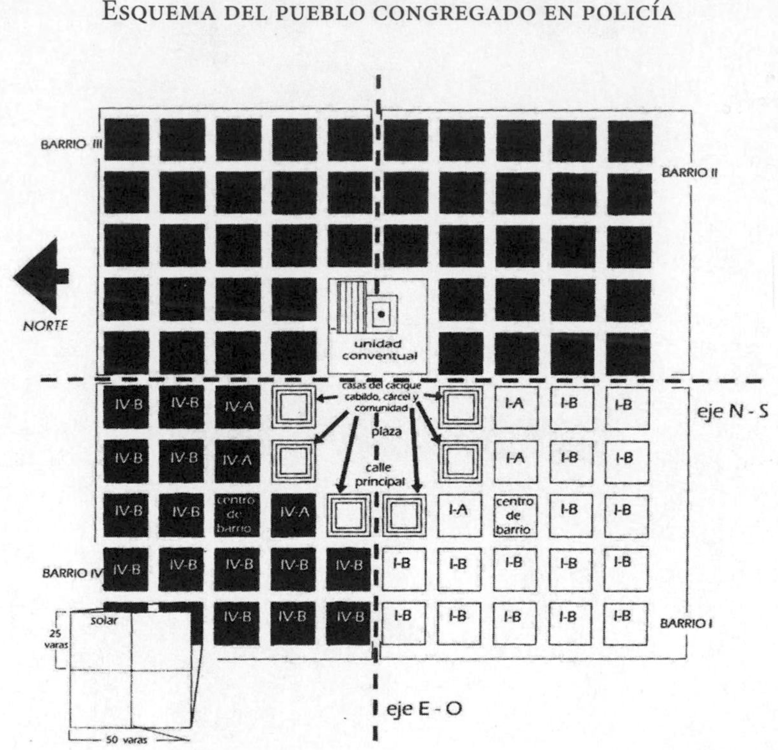

Fuente: Fernández y García (2006: 157).

Descripción y análisis de la transformación del patrón de poblamiento prehispánico en el siglo XVI

Como ya se mencionó, en el caso de los cinco *altepeme* hubo una transformación radical del patrón de poblamiento, materializado en la disminución de la población indígena y en la pérdida de gran cantidad de "pueblos sujetos", como se aprecia enseguida.

El *altepetl* de Huaniqueo perdió 43 barrios o pueblos sujetos entre 1524 y 1601; dichos barrios son los siguientes: Atapuato, Tavanquaro, Cuynio, Yoriquataquaro, Charico, Choropeceo, Tuyquaro, Hachocato, Quinzeo, Haruteo, Chimo, Chinandaro, Puruaco, Cochequeta, Curunxao, Cucharro, Cinhaxeciro, Carachao, Poromo, Curindecutero, Cherequaro, Pareo, Tabinao, Pamo, Cipiajo/Axinda, Chichachequaro, Haxistio, Chichavemo, Machendao, Unjequaro, Aneplayo, Guandararo, Chubero, Areno, Tarinbaro, Tamapuato, Chacurco, Guaguo, Carachao, Xarepetio, Acanbaro, Cumuxoz y Carajo (véanse el cuadro 4 y la gráfica 1 en la página siguiente).

Este mismo *altepetl* perdió más de 95% de su población indígena entre 1524 y 1649; en realidad la población indígena de Huaniqueo nunca volvió a recuperarse (véase gráfica 2).

El *altepetl* de Erongarícuaro perdió 36 sujetos, que son los siguientes barrios/pueblos: Cabaro, Cuyropeo, Tanboo, Tacuyxao, Chacharachapo, Aramontaro, Andaparato, Maharazo, Toricaro, Aran, Pechequaro, Estancia baja, Navache, Charan, Mirio, Se, Paracho, Uquacato, Aranja, Guaraguao, Cheranazcon, Tanpangatiro, Puchumeo, Pecurajo, Yaorochio, Opomaratio, Xunya, Canagua, Cuyxo, Vaparicuto, Vrequero, Icheparataco, Opunqueo, Uristibpachco, Capacadane y Ceremotaro (véanse el cuadro 5 y la gráfica 3 en la pág. 84).

Erongarícuaro se vio menos afectado por el despoblamiento que otros pueblos mesoamericanos, ya que sólo perdió poco más de las dos terceras partes de su población indígena entre 1524 y 1630. Sin embargo, en 1860 logró recuperarse al registrar la misma población que tenía a mediados del siglo XVI (véase la gráfica 4 en la pág. 85).

El *altepetl* de Espopoyuta/Comanja perdió 36 barrios o pueblos sujetos: Tetenematal, Ayunequichi, Tox, Huytla, Xachongoytula, Atenda, Nida, Tebenabo, Chanchiro, Orinda, Cuxinbano, Tipucult a, Chiltecan, Marixo, Tixicato/Tipicato, Quaraqui/Caracua, Tachibeo, Tacaro, Copanban, Otlatli, Tutepec, Guanamocontero, Caringo, Tescalco, Tacatlan, Usapala, Istlauaca,

Cuadro 4
Barrios o pueblos sujetos/tenencias de Huaniqueo, 1524-1889

Años	*1524*	*1548*	*1554*	*1562*	*1570*	*1601*	*1619*	*1630*	*1649*	*1683*	*1760*	*1793*	*1822*	*1860*	*1861*	*1868*	*1882*	*1889*
Sujetos	43	13	5	5	7	0	0	1	1	0	0	0	0	0	2 t	2 t	2 t	2 t

Nota: *t* = tenencias.
Fuente: Elaboración propia.

Gráfica 1
Barrios o pueblos sujetos/tenencias de Huaniqueo, 1524-1889

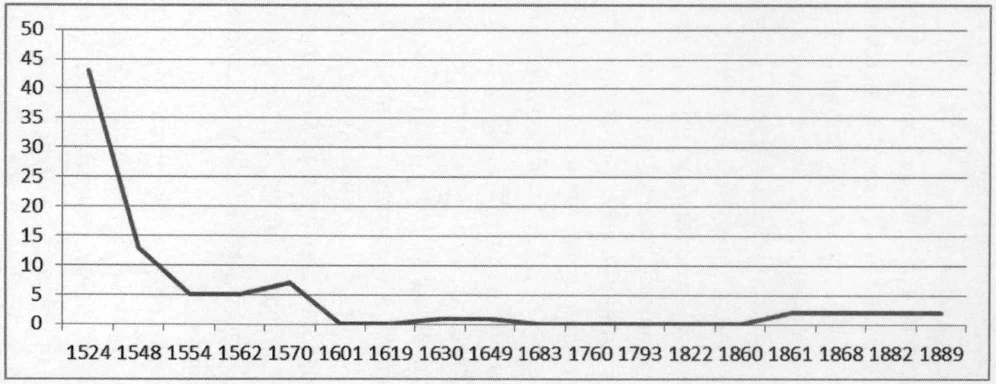

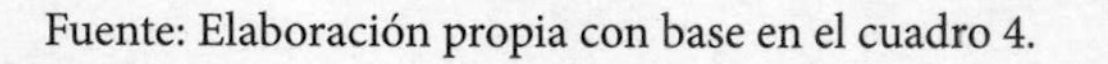

Fuente: Elaboración propia con base en el cuadro 4.

Gráfica 2

Población total y composición étnica del pueblo de Huaniqueo, 1524-1889 (en habitantes)

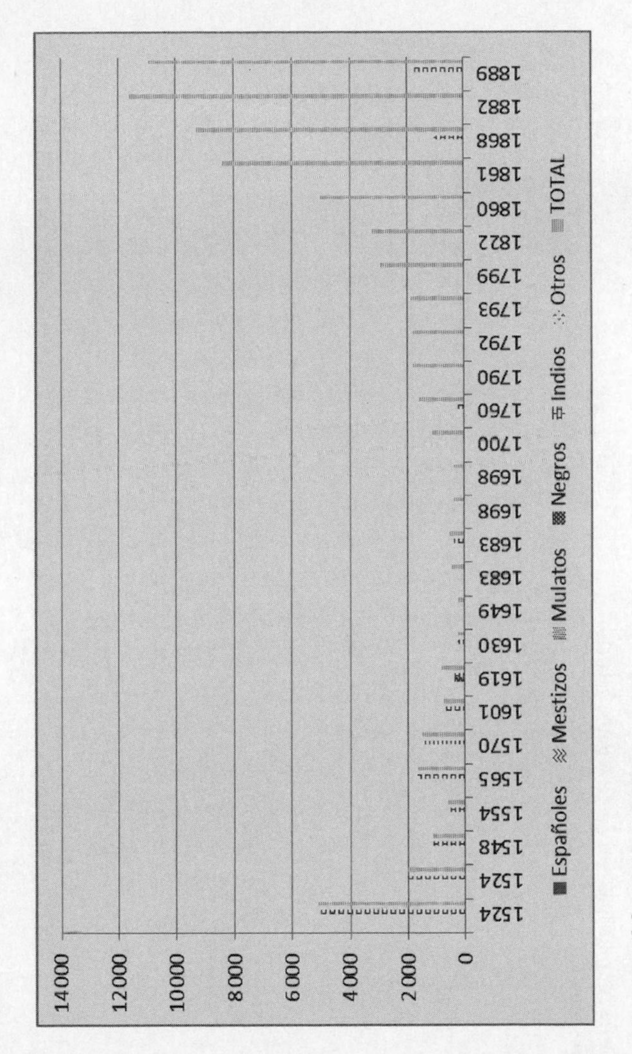

Fuente: Elaboración propia.

Cuadro 5
Barrios o pueblos sujetos de Erongarícuaro, 1524-1889

Año	*1524*	*1548*	*1562*	*1570*	*1619*	*1630*	*1700*	*1754*	*1765*	*1789*	*1793*	*1860*	*1882*	*1889*
Sujetos	39	3	7	7	5	5	4	4	4	4	4	4	-1	-1

Nota: -1 = tenencia de la municipalidad de Pátzcuaro.
Fuente: Elaboración propia.

Gráfica 3
Barrios o pueblos sujetos de Erongarícuaro, 1524-1889

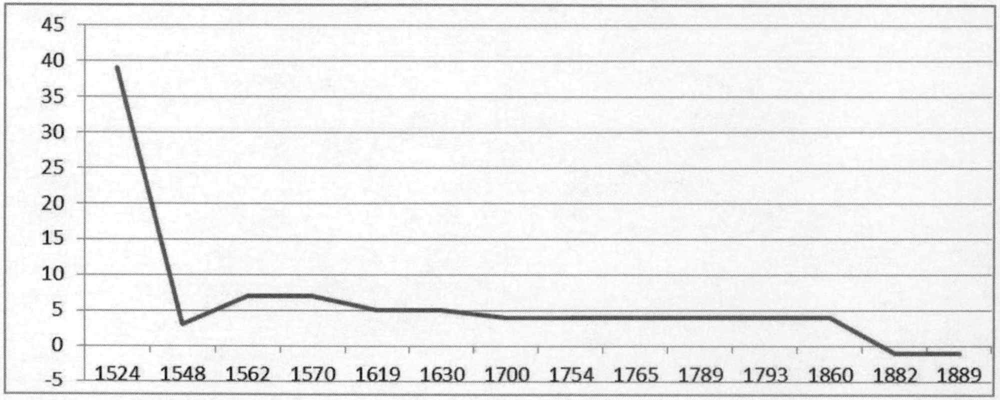

Fuente: Elaboración propia.

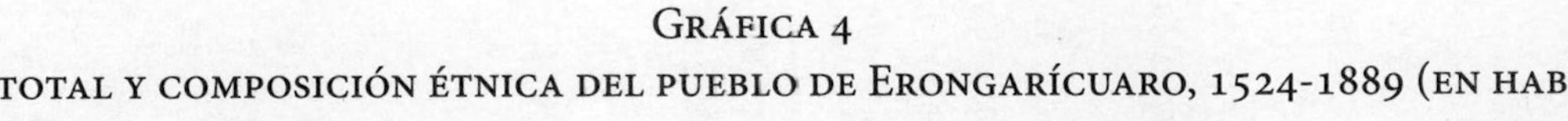

Gráfica 4

Población total y composición étnica del pueblo de Erongarícuaro, 1524-1889 (en habitantes)

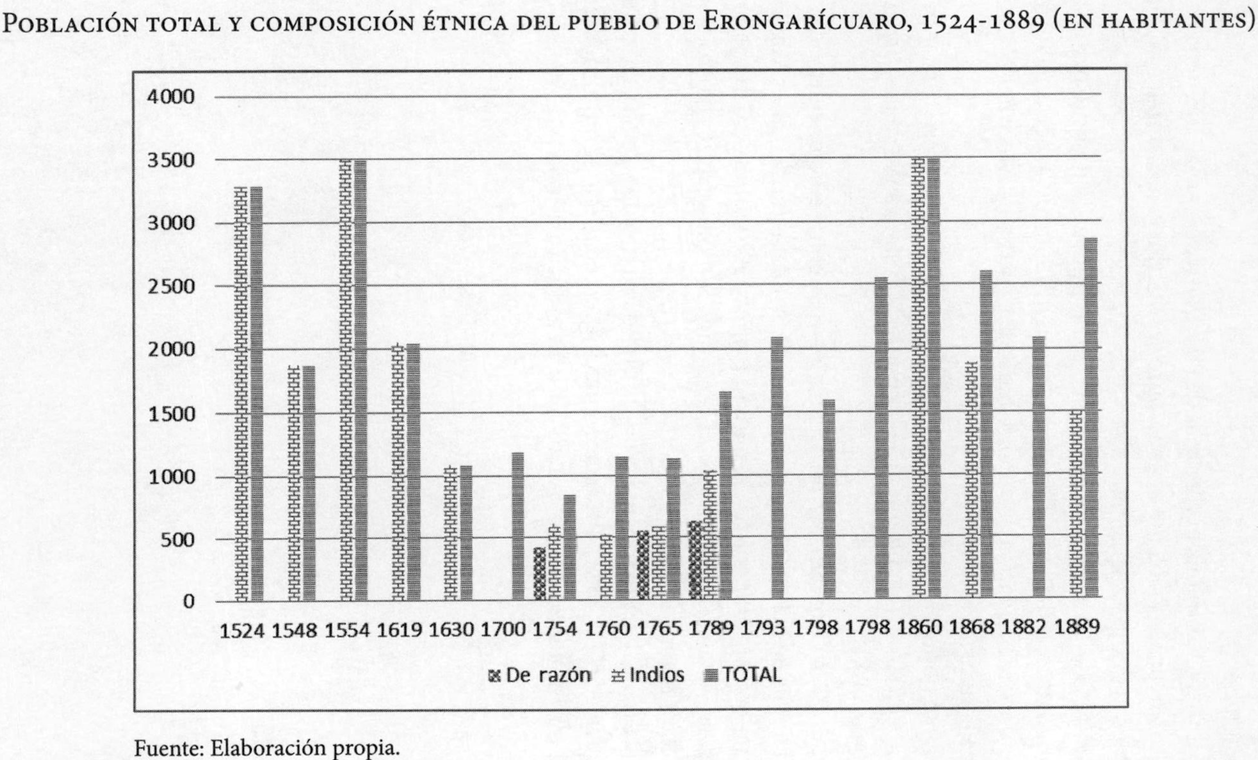

Fuente: Elaboración propia.

Chincharo, Ocinibo/Ocambo, Taricaco, Agungarico, Inchazo, Caqueon, Uraquiteon, Orinebequaro y Apundaro (véanse el cuadro 6 y la gráfica 5 en la pág. siguiente).

Espopoyuta/Comanja perdió más de 90% de su población indígena entre 1554 y 1649; dicha población apenas logró recuperarse hacia finales del siglo XIX (véase la gráfica 6 en la pág. 88).

El *altepetl* de Uruapan perdió 12 barrios o pueblos sujetos: Cupacuaro, Chichanguataro, Anguagua, Chicaya, Charangua, Chire, Quequecato, Arenjo/Harenjo, Cachaquaro, Chirapan/Charapa, Chirusto y Arechuel/Harecho (véanse el cuadro 7 y la gráfica 7 en la pág. 89).

Uruapan perdió más de 90 % de su población indígena entre 1540 y 1619, la cual apenas logró recuperarse hacia finales del siglo XIX (véase la gráfica 8 en la pág. 90).

El *altepetl* de Turicato perdió 17 barrios o pueblos sujetos que son: Cuzengo, Hinchameo, Papaseo, Icharo, Macada, Hurutaquaro, Catao, Vapanio, Acuychapeo, Uranapeo, Chupinguaparapeo, Aroaquaro, Corinquaro, Unguacaro, Tocumeo, Tetenxeo y Casindagapeo (véanse el cuadro 8 y la gráfica 9 en la pág. 91).

Turicato perdió, igualmente, más de 90 por ciento de su población indígena entre 1562 y 1681; población que logró recuperarse mínimamente hacia el último tercio del siglo XIX (véase la gráfica 10 en la pág. 92).

Cuadro 6

Barrios o pueblos sujetos/tenencias de Espopoyuta/Comanja/Tirindaro/Coeneo, 1524-1889

1524	*1548*	*1562*	*1570*	*1619*	*1630*	*1665*	*1683*	*1743*	*1760*	*1860*	*1861*	*1882*	*1889*
38	6	8	19	15	9	8	7	6	6	4	4 t	3 t	3 t

Nota: t = tenencias.
Fuente: Elaboración propia.

Gráfica 5

Barrios o pueblos sujetos/tenencias de Espopoyuta/Comanja/Tirindaro/Coeneo, 1524-1889

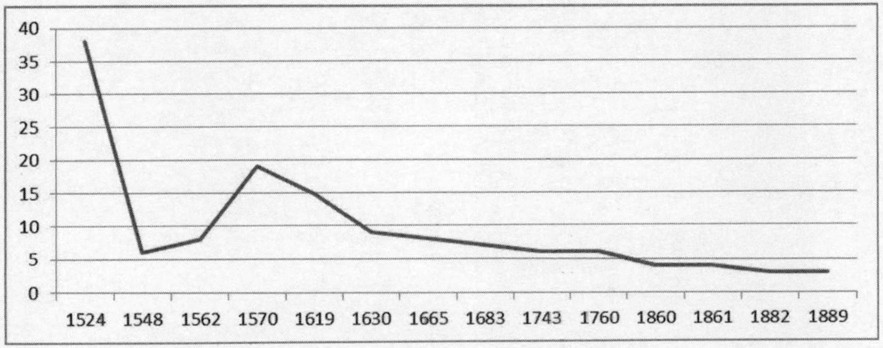

Fuente: Elaboración propia.

GRÁFICA 6
POBLACIÓN TOTAL Y COMPOSICIÓN ÉTNICA DE ESPOPOYUTA/COMANJA/TIRINDARO/COENEO, 1524-1889 (EN HABITANTES)

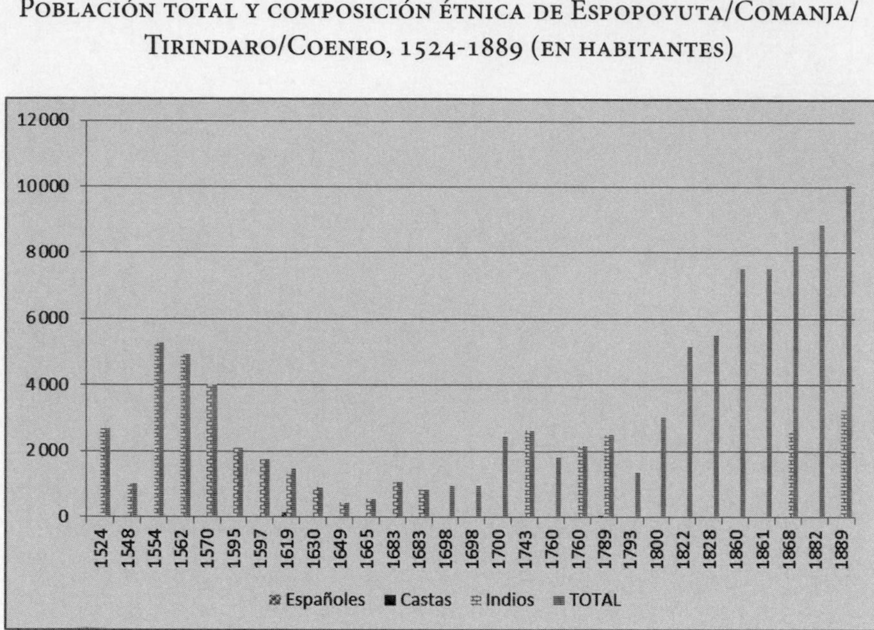

Fuente: Elaboración propia.

Cuadro 7
Barrios o pueblos sujetos/tenencias de Uruapan, 1524-1889

1524	*1548*	*1562*	*1619*	*1630*	*1743*	*1754*	*1760*	*1789*	*1793*	*1822*	*1860*	*1861*	*1882*	*1889*
12	7	6	2	4	4	3	4	3	3	3	3	3 t	5 t	5 t

Nota: t = tenencias.
Fuente: Elaboración propia.

Gráfica 7
Pueblos sujetos/tenencias de Uruapan, 1524-1861

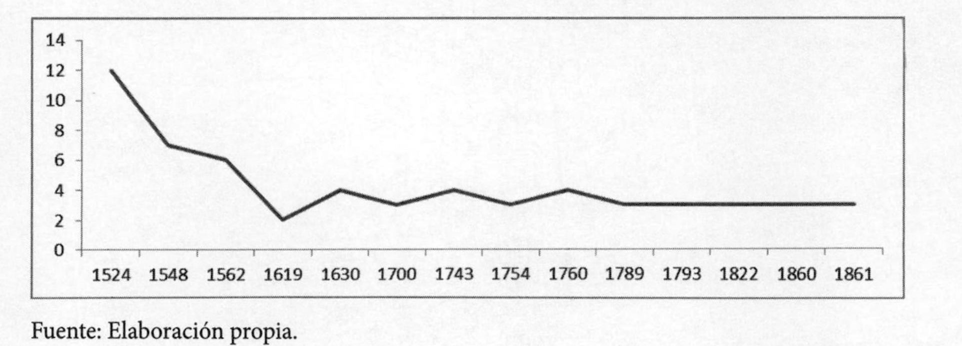

Fuente: Elaboración propia.

Gráfica 8
Población total y composición étnica del pueblo de Uruapan 1524-1889 (en habitantes)

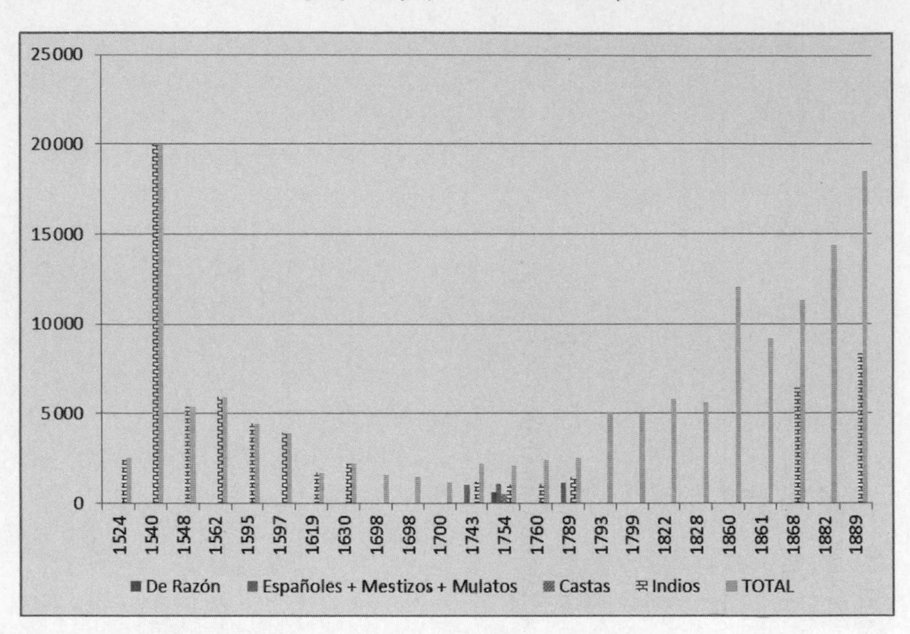

Fuente: Elaboración propia.

Cuadro 8
Pueblos sujetos/tenencias de Turicato + Carácuaro, 1524-1861

1524	*1548*	*1570*	*1619*	*1630*	*1649*	*1681*	*1700*	*1760*	*1789*	*1793*	*1822*	*1860*	*1861*
17	8	22	3	3	2	4	4	4	4	4	4	4	4 t

Nota: en 1861 son tenencias.
Fuente: Elaboración propia.

Gráfica 9
Pueblos sujetos/tenencias de Turicato + Carácuaro, 1524-1861

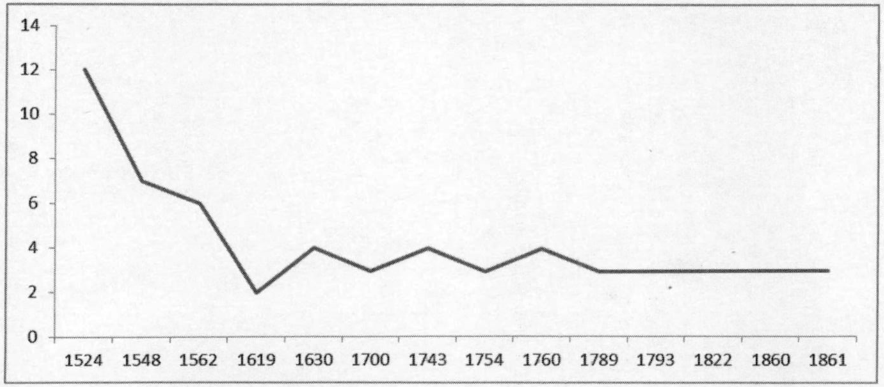

Fuente: Elaboración propia.

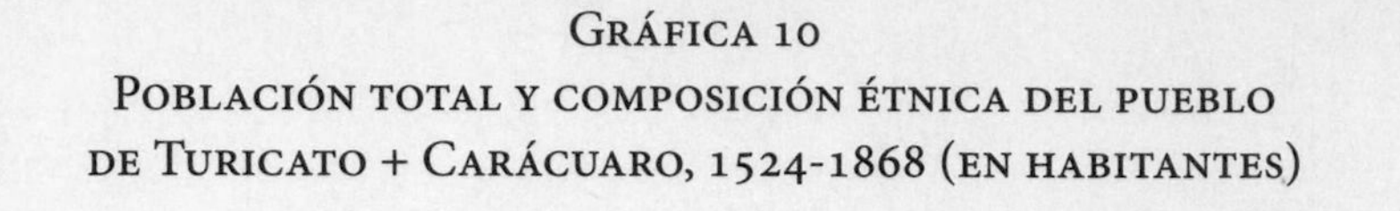

GRÁFICA 10
POBLACIÓN TOTAL Y COMPOSICIÓN ÉTNICA DEL PUEBLO DE TURICATO + CARÁCUARO, 1524-1868 (EN HABITANTES)

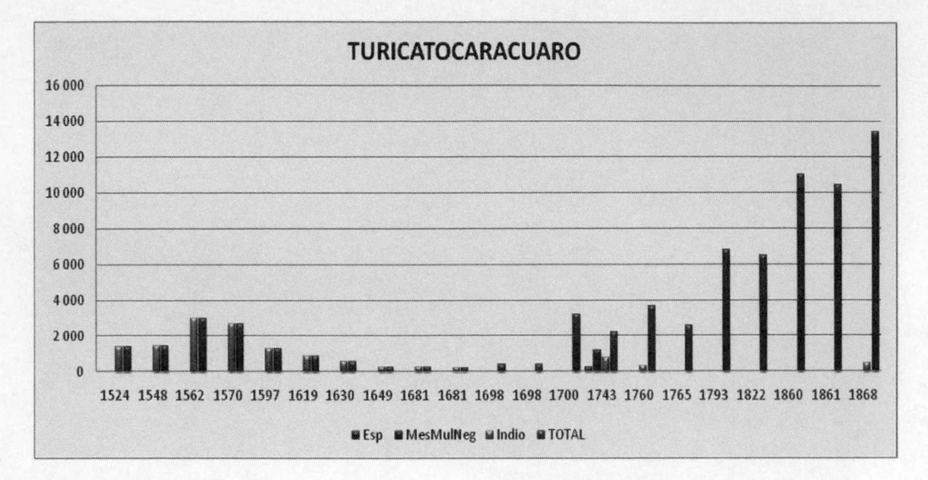

Fuente: Elaboración propia.

Conclusiones

Debido a varios factores como son los sistemas de trabajo, las epidemias y, sobre todo, la política de congregación y reducción de pueblos, el siglo XVI se caracteriza por un proceso de despoblamiento, expresado éste tanto a través de la diminución de la población indígena, como del número de barrios o pueblos sujetos. Sobre este último punto, como explicamos, el sistema prehispánico mesoamericano de poblamiento se basaba en la presencia de *altepeme,* convertidos en pueblos sujetos en la época colonial, gracias al establecimiento de la política de congregación o reducción de la población indígena, lo cual supuso el colapso y, en otros casos, la readaptación del sistema de poblamiento prehispánico disperso, que fue reconvertido en uno nuevo, prourbano. En el caso de la población, según las gráficas mostradas, el comportamiento demográfico cuantitativo en el largo plazo de los cinco pueblos es en forma de U, muy parecido al de la gran mayoría de los pueblos de indios mesoamericanos; sin embargo, éste no es igual entre la población indígena y la población total (véanse las gráficas 2, 4, 6, 8 y 10). La recuperación demográfica o repoblamiento del siglo XVIII no se manifiesta en el largo plazo ni en la recuperación de los pueblos sujetos (véanse las gráficas 1, 3, 5, 7 y 9) ni en la recuperación de la población indígena; dicha recuperación se expresa únicamente si comparamos la población total de los pueblos analizados (véanse las gráficas 2, 4, 6, 8 y 10).

Listado de siglas y acrónimos

AGI Archivo General de Indias, ramo Justicia
AGN Archivo General de la Nación, ramo Hospital de Jesús
Conapo Consejo Nacional de Población

Fuentes consultadas

Archivos

AGI Archivo General de Indias, ramo Justicia
AGN Archivo General de la Nación, ramo Hospital de Jesús

Bibliografía

Acuña, René (ed.) (1987), *Relaciones geográficas del siglo XVI*, t. 9, Michoacán, Instituto de Investigaciones Antropológicas/Universidad Nacional Autónoma de México.

Arenzana, Ana (coord.) (1993), *El poblamiento de México: una visión histórico-demográfica*, México, Consejo Nacional de Población/Secretaría de Gobernación.

Arvizu, Carlos (1993), *Urbanismo novohispano en el siglo XVI*, Querétaro, Fondo Editorial de Querétaro-Gobierno del Estado de Querétaro.

Borah, Woodrow W. (1982), *El siglo de la depresión en Nueva España*, México, SepSetentas-Ed. Era.

Bosch, Pedro (1995), *El poblamiento y la formación de los pueblos de España*, México, Instituto de Investigaciones Históricas/Universidad Nacional Autónoma de México.

Cook, Sherburne F. y Woodrow W. Borah (1977), "La población del México centro-occidental (la Nueva Galicia y la Nueva España adyacente), 1584-1960", en Sherburne F. Cook y Woodrow W. Borah (eds.), *Ensayos sobre historia de la población: México y el Caribe*, trad. de Clementina Zamora, vol. 2, México, Siglo XXI Editores.

De la Torre Villar, Ernesto (1990), "El régimen virreinal visto a través de las instituciones y memorias de los virreyes", *El relox y la rosa*, año 1, núm. 2, octubre-diciembre, pp. 48-67.

De Terán, Fernando (dir.) (1997), *La ciudad hispanoamericana: El sueño de un orden*, Madrid, Ministerio de Fomento.

Del Paso y Troncoso, Francisco (ed.) (1905), "Suma de visitas de pueblos", *Papeles de la Nueva España*, t. 1, México, Impresores de la Real Casa (Geografía y Estadística).

Diccionario general de la lengua española (2000), Barcelona, Larousse.

Fernández, Federico y Ángel García Zambrano (coords.) (2006), *Territorialidad y paisaje en el altepetl del siglo XVI*, México, Instituto de Geografía/Universidad Nacional Autónoma de México-Fondo de Cultura Económica.

García, René (2001a), "Las ciudades novohispanas", *Gran historia de México ilustrada*, núm. 6, México, Planeta de Agostini-Conaculta-INAH.

_____ (2001b), "Los pueblos de indios", *Gran historia de México ilustrada*, núm. 8, México, Planeta de Agostini-Conaculta-INAH.

García, Bernardo (1998), "El *altepetl* o *pueblo de indios*, expresión básica del cuerpo político mesoamericano", *Arqueología Mexicana*, vol. VI, núm. 32, julio-agosto, pp.58-65.

Gerhard, Peter A. (1986), *Geografía histórica de la Nueva España 1519-1821*, México, Instituto de Investigaciones Históricas-Instituto de Geografía/Universidad Nacional Autónoma de México].

Kubler, George (1983), *Arquitectura mexicana del siglo XVI*, México, FCE.

López, Eduardo (2001), *La cuadrícula en el desarrollo de la ciudad hispanoamericana*, Guadalajara, Universidad de Guadalajara-Instituto Tecnológico de Estudios Superiores de Occidente.

Reyes, Cayetano (1991), "Tierras en la cuenca de Zacapu: del siglo XVI a la reforma agraria", en Dominique Michelet (coord.), *Paisajes rurales en el norte de Michoacán*, México, El Colegio de Michoacán-Centre d'Études Mexicaines et Centroamericaines (Cuadernos de Estudios Michoacanos, 3/Collection 'Études Mesoaméricaines II-11).

_____ (2000), *El altepetl: origen y desarrollo*, Zamora, El Colegio de Michoacán.

Sánchez de Carmona, Manuel (1989), *Traza y plaza de la Ciudad de México en el siglo XVI*, México, UAM/Azcapotzalco-Tilde.

Simpson, Lesley B. (1934), "Studies in the Administration of the Indians in New Spain, Part Two: The Civil Congregations", *Ibero-Americana*, núm. 7, pp. 4-128.

Thumerelle, Pierre-Jean (1996), *L'étude géographique des populations*, París, Masson.

Warren, Fintan (J. Benedict) (1963), "The Carvajal visitation: first spanish survey of Michoacan", *The Americas*, vol. XIX, pp. 404-412.

_____ (1977), *La conquista de Michoacán (1521-1530)*, Morelia, FIMAX Publicistas.

El barrio entre la colonia urbana y el pueblo, ¿indefinición territorial?

*María Soledad Cruz Rodríguez***

** Profesora-investigadora en el área de Sociología Urbana del Departamento de Sociología y en la maestría en Planeación y Políticas Metropolitanas, UAM-Azcapotzalco. Contacto: crmasol@yahoo.com.mx

La Ciudad de México es una "ciudad de barrios", dice Enrique Ayala en un trabajo publicado en 1994 que se presentó en el seminario "La ciudad y sus barrios". En su texto llama la atención sobre la permanencia, a través del tiempo, de este tipo de lo que por ahora llamaremos "poblamiento" a lo largo de la historia de la ciudad. Desde esta perspectiva "el barrio" ha sido parte de la estructura, de la morfología, de las identidades presentes en el territorio de esta gran metrópoli. Aun en este siglo xxi, en el que las transformaciones de la Ciudad de México obedecen a la lógica de los grandes capitales inmobiliarios, de grandes proyectos comerciales, viales, que buscan hacer de esta urbe una ciudad competitiva y global, "los barrios" siguen presentes con sus territorios, sus prácticas comunitarias, sus tradiciones, sus espacios simbólicos, etcétera.

Esta presencia a lo largo del tiempo, aunada al intenso crecimiento urbano desde hace ya varios siglos, significa un problema complejo para los investigadores interesados en profundizar sobre las características y evolución de los barrios. Ante la diversidad que existe en la conformación de la ciudad y la confluencia de diferentes procesos históricos (prehispánicos, coloniales y los referentes a los siglos xix y xx) es difícil esclarecer qué se entiende por algunos conceptos que refieren a la estructura de la urbe como pueblo, colonia, etcétera. De aquí la importancia de plantearse preguntas como ¿qué es un barrio urbano? ¿Qué elementos definen a un barrio? Ante un proceso urbano creciente que no sólo ha absorbido suelo antes dedicado a las actividades rurales, sino que ha llegado a incidir en las prácticas de pueblos aledaños al área urbana, dando paso a una gran diversidad de formas de habitar la ciudad, ¿cómo se delimita territorialmente? ¿Un barrio es lo mismo que una colonia, un fraccionamiento o un pueblo? ¿Ha sido considerado el barrio como una categoría política administrativa en la organización territorial de la ciudad?

Intentar responder a estas interrogantes implica realizar un esfuerzo importante para distinguir las connotaciones históricas de la definición de "barrio". Esto nos lleva a considerar que a través de la historia de la ciudad han existido diferentes tipos de barrios; en términos generales podríamos referirnos a los siguientes (Ayala, 1994):

- Barrios prehispánicos, relacionados con la estructura del "*altepetl* y del *calpulli*".
- Barrios de indios, que durante la época colonial se definieron como lo opuesto a las ciudades y villas españolas, y que fueron constituidos a partir de la herencia de la sociedad prehispánica y de la obra urbanizadora de los misioneros, quienes ayudaron a mantener y a congregar en pueblos a los indios de los alrededores de las ciudades.
- Barrios urbanos coloniales, como espacios incorporados dentro del casco de la ciudad una de cuyas características fue la construcción de viviendas y talleres para los artesanos de diversas especialidades.
- Las colonias y los nuevos barrios del siglo XIX, que se conformaron fundamentalmente con la expansión y modernización de la Ciudad de México durante el Porfiriato, lo cual dio lugar a las primeras colonias urbanas para trabajadores, para profesionistas y para la élite porfirista.
- Barrios producto de la incorporación a la ciudad de colonias populares que se hallaban en la periferia, de los pueblos sujetos y de los fraccionamientos "planeados" en el siglo XX, proceso que continúa hasta la fecha.

Ante esta larga trayectoria histórica de la presencia de los barrios, una de las vertientes más recurrentes de los investigadores ha sido abordarlos desde la perspectiva antropológica cultural en la que el barrio, más allá de su delimitación geográfica o administrativa, se considera un "modo de vida", un espacio vívido de maneras de "hacer" y de "ser" con las que se construye la identidad (Licona, 1994). De esta manera, plantea Nivón (1989), el sentido de la identidad implica la pertenencia a un grupo sobre la base de compartir un universo simbólico común, que en este caso tiene una referencia territorial. Esto permite que los barrios sean considerados partes específicas de la ciudad, en las cuales se han logrado la identificación y el sentido de pertenencia de sus habitantes. Este arraigo en la vida cotidiana permite la generación de elementos culturales, ideológicos, de participación política, de organización social, que en algunos casos les permite constituirse en espacios con una relativa autonomía de la ciudad, a partir de los cuales se propongan alternativas de políticas sociales (Lee y Valdez, 1994).

Esta perspectiva permite estudiar los barrios con sus especificidades históricas, con sus espacios simbólicos y prácticas culturales, con sus procesos dinámicos en los cuales percibir la emergencia de nuevos barrios, cuando las colonias urbanas presentan también tradiciones productivas y religiosas compartidas por la comunidad. Si bien todos los elementos mencionados son relevantes en el estudio de los barrios de la ciudad, se identifica un aspecto que ha sido poco explorado: el papel del territorio que poseen los barrios en el contexto político administrativo del funcionamiento de la ciudad. Los estudios desde la historia y la antropología atienden el territorio como el soporte de la construcción de los espacios simbólicos y de las prácticas sociales y culturales. Sin embargo, dentro de la estructura urbana, su delimitación territorial y su lugar dentro de la administración de la ciudad han sido apenas reseñados. Es en este sentido que el presente trabajo pretende aportar algunas notas al respecto.

La Ciudad de México en el siglo xix y su paisaje rústico

Para abordar este asunto se toma como punto de partida una temporalidad definida en el siglo xix, una vez terminada la guerra por la independencia, cuando desaparece legalmente la separación de la república de indios y de españoles. Este proceso llevará a la extensión de instituciones urbanas tanto para los antiguos poblamientos españoles como para los indígenas con el fin de administrar un solo espacio en el que existan "ciudadanos" sin diferenciación étnica. Este proceso, aunado al crecimiento de la ciudad, en particular en el periodo porfirista, y su expansión hacia los espacios rurales incidió sin duda en la problemática relativa al reconocimiento de los barrios en la estructura territorial y administrativa de la urbe.

El eje organizador del poblamiento en la colonia inició con la separación de ciudades para españoles y pueblos de indios. Los pueblos estaban constituidos por un casco urbano o fundo legal, por barrios que podían estar en el interior de la zona de poblamiento o fuera de ella, y por las tierras de los pueblos (que después, en el siglo XX, serán conocidas por tierras comunales). Durante los siglos XVI, XVII y todavía hasta el XVIII, este criterio de segregación étnica determinó las zonas colonizadas por los españoles y la reorganización territorial de las zonas más pobladas en aquel entonces. El siglo XIX y la construcción de una Nación independiente iniciaron con una clara ofensiva contra los pueblos y sus tierras. La derogación de la república de indios y la reorganización político-administrativa del territorio en torno al municipio transformó de manera radical la situación de los pueblos. La igualdad de derechos políticos entre españoles e indios significó la incorporación de los pueblos a las reglamentaciones político-administrativas que se generaron en torno a la construcción de la República. En este sentido, la prohibición de que las corporaciones, dentro de las cuales estaban considerados los pueblos, tuvieran propiedades implicó la pérdida de gran parte de las tierras de éstos. Algunos de ellos dividieron sus tierras en propiedades individuales y lograron mantenerlas,[1] sin embargo, esta estrategia no se generalizó, por lo que prácticamente se despojó de sus tierras a los antiguos pueblos de indios (Cruz, 2001).

Además de la pérdida de las tierras de los pueblos, otro elemento importante que desarticuló los vínculos entre los pueblos fue la nueva reorganización político-administrativa y territorial, resultado de la independencia y de las diferentes constituciones liberales de este siglo. En este proceso se erigió al municipio como célula de este tipo de organización, lo que desmanteló gran parte de las formas de gestión eclesiástica que sustentaban la administración colonial de los indios, y con ello comenzó una serie de cambios en la organización de los pueblos. De esta manera los pueblos perdieron la autonomía administrativa de sus propios recursos y pasaron a formar parte de un territorio municipal más amplio que consideraba ciudades y pueblos sin distinción en el que debían pagar impuestos y, además, formar parte de una estructura político-administrativa que los relacionaba de manera subordinada con otros niveles de gobierno (estatal y central); y si todavía eran propietarios de tierras éstas pasaban directamente a constituirse en propie-

[1] Como en el caso del pueblo de Los Reyes la Paz en el Estado de México, y de Santo Tomás Chiconautla en Ecatepec.

dades municipales, con la consecuente pérdida de la administración de dichos bienes (Lira, 1983).[2]

Uno de los efectos del proceso anterior fue la incorporación de los pueblos y los indios en las instituciones políticas y gubernamentales de la nueva "nación". Así se deja de ser "indígena" para ser un "vecino-ciudadano" con los derechos constitucionales que ello implica. Con este cambio los municipios se constituyeron en una estructura heterogénea determinada por una diferenciación de población identificada con prácticas sociales y estrategias de apropiación de los recursos heredadas del pasado colonial (indígenas, mestizos, españoles y otros). A fin de cuentas los pueblos de indios pasan a formar parte del nuevo orden constitucional y urbano, pero sus intereses y creencias le darán un perfil particular a sus gobiernos locales y a las estrategias de administración de los recursos, así como la permanencia de elementos tradicionales en torno a sus prácticas sociales y culturales (Portal y Álvarez, 2011).

Al proceso anterior se sumó de manera paralela la constitución territorial del Distrito Federal (D.F.). La creación territorial de un distrito que albergara al gobierno central de la república significó para la ciudad adquirir importancia política y económica, que por lo menos en el discurso denotaba la presencia de una urbe "moderna" ante la cual se subordinaba todo poblamiento y proceso social presente en los territorios aledaños a ella. De principio, la delimitación del D.F. no afectó espacialmente a la ciudad, pero sí contribuyó al fortalecimiento de su presencia en el ámbito nacional. La creación del territorio federal implicó cambios de delimitación territorial y de pertenencia para todos los poblados rurales que se encontraban en los alrededores de la urbe, como los pueblos y ranchos que poblaban lo que serían las municipalidades del D.F.

La delimitación del D.F. tuvo cambios importantes desde su creación, en 1828, hasta la definitiva en 1898; su extensión pasó de 300 km^2 a los 1 453 km^2 con los que cuenta actualmente (Ortiz, 2007) e involucró afectaciones a los territorios del actual Estado de México. La *Carta corográfica* de la Secretaría de Fomento, elaborada bajo la dirección del ingeniero A. Díaz, en 1877, da cuenta de estas transformaciones, ya que para ese año todavía no estaban totalmente definidos los límites que conocemos en la actualidad. Las delegaciones de Álvaro Obregón, Magdalena Contreras, una proporción

[2] En algunos casos se tienen noticias de pueblos que lograron constituirse como municipios, con lo que lograron mantener durante este siglo su "autonomía administrativa".

muy importante de Tlalpan, la región de los Ajuscos y una gran parte de Gustavo A. Madero, y la cercana a la Sierra de Guadalupe eran todavía parte del Estado de México. Hacia fines de este siglo, en 1899, Manuel Fernández Leal elaboró otra *Carta corográfica*, según la cual los límites actuales del D.F. quedaron definidos e incluyeron dichos territorios (los cuales se ampliaron un poco más en la primera década del siglo XX, debido al desecamiento de los lagos de Texcoco y Chalco).

Además de la indefinición territorial del D.F. en este periodo la organización político-administrativa tuvo muchos vaivenes relacionados directamente con las vicisitudes de la organización del país. En estos años se organizó el territorio mediante distintas modalidades: se crearon departamentos, después distritos, prefecturas y municipalidades. El periodo es confuso y la historia está por hacerse (Herrera, 2000).

La situación anterior imprimió sellos particulares a las administraciones municipales, a la constitución de gobiernos locales y a las características territoriales de los poblamientos rurales y urbanos. De esta manera, los pueblos que ya prácticamente estaban incorporados físicamente a la ciudad desde la época colonial se reconocen como parte de la ciudad y pierden su especificidad, al menos en términos legales, y se "homogenizan", se integran a la ciudad. En los alrededores de la Ciudad de México los pueblos, como una forma de poblamiento, se mantienen en el paisaje rural (cuadro 1).

CUADRO 1
POBLAMIENTO EN LAS MUNICIPALIDADES DEL DISTRITO FEDERAL EN 1824

Municipalidades	*Ciudades*	*Villas*	*Pueblos*	*Barrios*	*Haciendas*	*Ranchos*
México	1		11	9	1	
Guadalupe Hidalgo	1		4		3	2
Tacubaya		1	3	6	4	2
Azcapotzalco			1	28	2	9
Tacuba		1	1	12	2	2
Iztacalco			5	8		2
Mixcoac			1	6	1	1
Iztapalapa			1	6		1
Popotla			1	2	2	2
Ladrillera			2	5	1	
Nativitas			1	4		
Mexicalzingo			1			

Fuente: Hernández (2008).

Todo esto debió generar impactos significativos en las formas tradicionales con las que los pueblos se relacionaban. La desaparición de la categoría de pueblos de indios y su subordinación directa a la figura del ayuntamiento, como instancia fundamental de organización política, administrativa y territorial, al iniciar el siglo XIX, no impidió la permanencia de las redes eclesiásticas que determinaban la presencia de pueblos cabeceras y pueblos sujetos. De hecho, la organización administrativa del siglo XIX la recuperaría al designar cabecera municipales a varios pueblos que tradicionalmente habían sido cabeceras y que concentraban actividades no sólo referidas a las prácticas religiosas, sino comerciales y económicas. Como ejemplos podemos mencionar Azcapotzalco, Santa María Haztahuacan, San Francisco Culhuacán, entre otros.

La relación cabecera-sujeto, considerada como este conjunto de prácticas religiosas, comerciales y sociales entre los pueblos, logró permanecer durante todo el siglo XIX. Entre otros elementos esto permitió que los pueblos mantuvieran en su interior sus viejas prácticas comunitarias en torno a la gestión de sus problemas y sus tierras. Por otra parte, con el paso del tiempo, los pueblos sujetos pasarían a ser barrios de los pueblos cabecera y, en el siglo XX, algunos barrios pasaron a ser pueblos.[3]

Otro de los cambios importantes del siglo XIX fue el impulso dado en el periodo porfirista a la centralización del poder político en la Ciudad de México, cuestión que influyó de manera directa a que en este espacio se realizaran importantes proyectos urbanísticos, electrificación e introducción de infraestructura urbana. Todo esto generó un importante ensanchamiento de la urbe que se expresó en la aparición de nuevas colonias tanto para las clases pudientes como para los trabajadores que alimentaban a las nuevas industrias ubicadas en la ciudad. Los linderos de la ciudad empezaron a alcanzar a los pueblos circunvecinos y al paisaje rústico se agregaron las nuevas construcciones urbanas denominadas "colonias", figura que aún no es muy utilizada en esta época para referirse a la configuración de la ciudad (Cruz, 1994).

De acuerdo con el censo de 1895 el D.F. contaba con una municipalidad (la de México, en la que se ubicaba la ciudad), que concentraba las dos ter-

[3] Como se abordará más adelante, en esta época al barrio se le considera con una cercana relación con el pueblo y, por ende, tiene un carácter rústico. Con el paso del tiempo el criterio del número de personas de la población será el que defina si se considera a un poblamiento barrio o pueblo; a menor población se categoriza como barrio y a mayor, como pueblo.

ceras partes de la población (331 781 habitantes), y seis prefecturas (Guadalupe Hidalgo, Azcapotzalco, Tacubaya, Coyoacán, Tlalpan y Xochimilco) en las que se encontraba un tercio de la población total. Para esta época la población del D.F. era de 476 413 habitantes (INEGI, 1895). A pesar de la importante concentración de habitantes en la Ciudad de México, el D.F. estaba muy lejos de contar con un impulso significativo hacia la urbanización. Si bien la urbe estaba en expansión, en términos generales el territorio defeño contaba con un poblamiento rústico.

Este panorama lo registra muy bien la *Carta corográfica del Distrito Federal* de 1877. Las categorías utilizadas en la carta refieren directamente a un paisaje rural, en el que si bien se considera a la ciudad, el resto de los poblados se relacionan directamente con las actividades económicas de los alrededores de la urbe y con el tamaño de los poblados. De esta manera, las poblaciones se distinguen sólo por el número de pobladores y por la importancia administrativa de las cabeceras municipales; sin embargo, también se registra la presencia de pueblos, barrios, villas, ciudades, colonias, haciendas, ranchos, etcétera, que muestran la heterogeneidad de un paisaje mayoritariamente rural (figura 1).

Figura 1
Poblamiento en el Distrito Federal en 1877

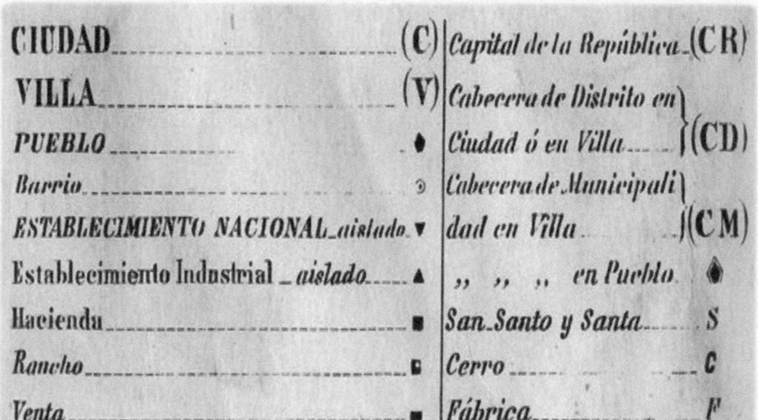

CIUDAD	(C)	*Capital de la República*	(CR)
VILLA	(V)	*Cabecera de Distrito en Ciudad ó en Villa*	(CD)
PUEBLO	♦		
Barrio	◌	*Cabecera de Municipalidad en Villa*	(CM)
ESTABLECIMIENTO NACIONAL aislado	▼		
Establecimiento Industrial *aislado*	▲	,, ,, ,, *en Pueblo*	♦
Hacienda	■	*San, Santo y Santa*	*S*
Rancho	◘	*Cerro*	*C*
Venta	■	*Fábrica*	*F*

Fuente: Secretaría de Estado del Despacho de Fomento, Comisión de Cartografía bajo la dirección del ingeniero A. Díaz, Carta corográfica del Distrito Federal (1877).

La organización político-administrativa del territorio: pueblos, colonias y barrios en la ciudad

La definición de la organización municipal como eje de la delimitación político-territorial, ya casi al final del Porfiriato en el D.F., permitió estabilizar la organización político-administrativa. La Ley de Organización Política y Municipal del Distrito Federal (LOPMDF) de 1903 reconoce 13 municipalidades, en las que se encuentran una ciudad, colonias, ranchos, haciendas, pueblos y poblados.

Como se puede observar, en lo que respecta a la definición político-administrativa del D.F., y en particular de la Ciudad de México, el periodo es muy intrincado. Aún no se ha construido la historia de la definición territorial de sus categorías político-administrativas. De la misma manera que la estructura del D.F. pasa de municipalidades a prefecturas y departamentos para estabilizarse en municipios, la definición de las categorías del poblamiento de la ciudad no está establecida. Llama la atención que en las cartas corográficas y en la LOPMDF los barrios y colonias no son considerados parte de la ciudad. No se especifican las definiciones de ambos poblamientos, tal parece que los únicos elementos que los pueden diferenciar son el carácter urbano de las colonias, determinado por las características de la población que las habita, y la dimensión rústica con la que se identifica al barrio, posiblemente definido por su vínculo con los pueblos, por el número de habitantes y por la importancia administrativa de las cabeceras municipales.

A partir de la Revolución la Ciudad de México tuvo un crecimiento importante que combinó la aparición de nuevas necesidades urbanas (como la vivienda y los servicios) con las demandas de sectores importantes de la sociedad mexicana, como los campesinos y obreros. La creación de las estrategias de corporativización de los sectores populares que alimentaron la Revolución, y la respuesta por parte del Estado a algunas de sus solicitudes como la tierra y los derechos de los trabajadores, permearon las demandas urbanas.

A partir de entonces la urbanización de la ciudad estuvo determinada por dos procesos que se engarzaron de manera diferenciada con la institucionalización de la Revolución: el agrario y el urbano. Ambos procesos se encontraron desde el principio y su desarrollo posterior impactó de modo radical las características de la ciudad. Los cambios en la estructura de la propiedad de la tierra, la desaparición de las haciendas, la creación de ejidos, la ratificación de tierras comunales y la aparición de numerosas pequeñas propiedades, estuvieron íntimamente vinculadas a las peculiaridades de la urbanización. Propiedad, procesos agrarios y urbanización son ejes fundamentales que permiten dar cuenta de las características de los procesos de poblamiento de la ciudad, de la diversidad de los actores sociales urbanos y rurales, y de la heterogeneidad que caracteriza al territorio del D.F.

Si bien, el proceso agrario dio visibilidad a los pueblos como sujetos agrarios con derechos de tierra dentro de un proyecto nacional, al interior de la estructura política del D.F. los pueblos prácticamente fueron ignorados. La relación fue a través de las formas de organización campesina existentes en la época como la Liga de Comunidades Agrarias del Distrito Federal (LCADF); en términos generales, a pesar de las cercanas relaciones entre los pueblos y la ciudad, que pasaban desde el abasto de alimentos, mano de obra, oficios, etcétera, el gobierno de la ciudad no establecía mecanismos de interlocución con ellos. Era claro el interés en crear formas institucionales de relación con los actores urbanos como los pobladores de las nuevas colonias para trabajadores, después denominadas populares, a través de formas de organización corporativizadas en la estructura administrativa y política del D.F.; en el caso de los pueblos esto quedó totalmente en el espacio correspondiente a la organización del sector campesino nacional. La distinción entre los actores urbanos, comprendidos como los que habitan la ciudad, y los actores rurales, presentes en los alrededores de la urbe, los hace quedar políticamente distanciados.

Durante la primera mitad del siglo XX no hubo cambios radicales en la definición en torno a las líneas generales que caracterizaban el poblamiento en la República Mexicana y, en particular, en el D.F. Los criterios se organizaron en función del patrón de la configuración demográfica en el territorio, los rangos de concentración de la población (densidades) y el perfil económico de las actividades que se realizaban.

Un estudio de Claude Bataillon (1972) sobre la configuración territorial de México llama la atención sobre la complejidad para distinguir de manera radical la ciudad del campo. En su trabajo destaca la importante presencia de las relaciones tradicionales con base en las festividades religiosas existentes, tanto en los pueblos ubicados en el ámbito rural como en los que se localizaban en la ciudad. La diversidad del poblamiento era totalmente reconocida para estos años.

Hasta 1960 las leyes orgánicas del D.F. reconocieron un territorio organizado en función de las formas del poblamiento rural y la propiedad agraria. Después de la reforma agraria desaparecen las haciendas y aparecen los ejidos y las tierras comunales; y se mantienen las colonias como figuras del poblamiento urbano. El censo de 1960 (INEGI, 1960) reconoce la organización territorial de un México todavía rural. Se identifican ciudades que cuentan hasta con más de 10 000 habitantes; pueblos y villas con una población de entre 500 y 10 000 habitantes; y ranchos y rancherías con menos de 500 habitantes. Hasta esta época los barrios aún se siguen identificando como un componente del poblamiento rústico cuya delimitación territorial se refiere al ámbito rural, y se consideran una parte de la conformación territorial de los pueblos.[4] Sin embargo, la aparición de estudios sociológicos en torno a los modos de vida urbano, iniciarán el uso de la categoría de barrio con ese matiz de identidad y de significado simbólico del territorio.

La creciente urbanización y el proceso de metropolización de la ciudad cambiaron de manera radical la forma y las categorías para describir y caracterizar el poblamiento del territorio de la zona metropolitana de la Ciudad de México. El censo de 1970 (INEGI, 1970) es el último que dio cuenta de un poblamiento heterogéneo y diferenciado en el que se podían encontrar todavía, pueblos, colonias, barrios, etcétera. A partir de esta década, justo cuando se asume por las autoridades federales que México ya es un país urbano, puesto que la mitad de su población vive en ciudades, desaparece de la configuración territorial, en este caso del D.F., la categoría de pueblos y barrios. Las leyes orgánicas de esta década suprimen por decreto la presencia de estos poblamientos en aquellas delegaciones que ya presentaban un intenso crecimiento urbano y en las que todavía se distinguía su presencia en el paisaje de los alrededores de la ciudad. Ejemplo de esto fueron las delegaciones Cuajimalpa y Coyoacán (Cruz *et al.*, 2011). En ambas delegaciones los pueblos que se mantenían territorialmente diferenciados de las cabeceras municipales de San Pedro Cuajimalpa (como Contadero) y de la Villa de Coyoacán (como Santa Catarina y Churubusco) fueron incorporados en términos administrativos a ellas, de ahí que se perdieran desde entonces los rastros administrativos y territoriales de los pueblos afectados;

[4] En algunos casos los barrios formaban parte del caso urbano o fundo legal del pueblo, como es el caso del Barrio de los Reyes en Azcapotzalco (delegación que para esta época todavía tenía rasgos rurales importantes); en otros, el barrio se localizaba en tierras aledañas al casco del pueblo, ejemplo de esto es el caso del barrio de San Juan, relacionado con el pueblo de Teoloyucan (en el Estado de México).

estos pueblos pasaron a denominarse colonias, lo que las homologó con los poblamientos urbanos formados en los siglos XIX y XX.

El proceso de urbanización y las características de la población urbana se convierten en el eje rector del análisis del territorio y su poblamiento. El supuesto de esta nueva etapa se identificó en el análisis de la población desde la relación rural-urbana, concebida como un "continuum" cuyo fin se constituía en la inexorable urbanización del territorio y del poblamiento rural (Unikel, 1976). De aquí que las categorías del poblamiento se redujeran a considerar la cantidad de habitantes, la relación con el centro de la ciudad y las actividades económicas. Así, ya no se hizo referencia a pueblos, colonias y barrios, sino a localidades y éstas se definieron de la siguiente manera: *a)* localidades rurales: menos de 5 000 habitantes; *b)* localidades mixtas-rurales: entre 5 000 y 10 000 habitantes; *c)* localidades mixtas urbanas: entre 10 000 y 15 000 habitantes; y *d)* localidades urbanas: más de 15 000 habitantes (Unikel, 1976).

De 1980 (INEGI, 1980) a la fecha la metodología de conteo censal del Instituto Nacional de Estadística y Geografía (INEGI) tiene como base la homologación de la población urbana a partir de las áreas geoestadísticas básicas (AGEB),[5] lo que redujo aún más esta forma de dar cuenta de la relación de la población y el territorio urbano. Para 1990 se trabajó con AGEB y se dividió la contabilidad de la población en localidades urbanas (definidas como aquellas que tienen más de 2 500 habitantes) y rurales (menores de 2 500 habitantes) (INEGI, 1990).

La definición de los componentes del poblamiento y su relación con el territorio quedan a cargo de las leyes orgánicas de los gobiernos locales, fundamentalmente municipales y, en el caso que nos ocupa, del D.F. Es importante mencionar que, si bien en el contexto político-administrativo de la estructura territorial del D.F. no se hace alusión a pueblos y barrios, en el ámbito de la política social la definición de ambas sí se considera, justo para la implementación de intervenciones de política pública en estos espacios. Es justamente en este momento que la delimitación territorial relacionada con pueblos y barrios se hace necesaria.

[5] Unidad territorial cuyos límites los define el INEGI únicamente con el objeto de contabilizar la población urbana. Para contar la población rural se sigue empleando la categoría de localidad.

La reconstrucción territorial de los pueblos y barrios de Los Culhuacanes

A partir de la revisión de las legislaciones orgánicas del D.F. y los gobiernos locales inicia el rastreo de la existencia de los pueblos y barrios. Es importante hacer notar que si se quiere realizar un análisis territorial de su presencia en las últimas décadas es imposible hacerlo con los datos censales de los últimos 30 años; sería necesario reconstruir la historia territorial de los pueblos y barrios a través de fuentes históricas.

Un ejemplo de esto es el caso de la zona de Los Culhuacanes en las delegaciones Iztapalapa y Coyoacán. Los Culhuacanes corresponden a una amplia zona que se caracteriza por la presencia de varios pueblos que durante la Colonia conformaron un solo territorio, pero con el paso del tiempo quedaron divididos entre las delegaciones Coyoacán e Iztapalapa. Su historia territorial es compleja, ya que la organización de los pueblos tiene antecedentes prehispánicos que después se modificaron con las peculiaridades de la zona (aquí se creó la Villa de Coyoacán, poblamiento español muy importante en su momento), y en los siglos XIX y XX el área se vio alterada por continuos cambios en la delimitaciones territoriales administrativas. Finalmente, los pueblos y barrios vinculados ancestralmente quedaron separados en dos delegaciones limítrofes.

Los antecedentes de Coyoacán se ubican en la fundación de una villa de españoles. El concepto español de "villa" alude directamente a un poblamiento urbano. En México, durante la Colonia, a los poblados habitados por españoles se les conoció como ciudades o "villas". De esta manera, durante el periodo virreinal la Villa de Coyoacán siempre fue considerada una ciudad española importante, no sólo porque Cortés la fundó, sino porque fue un sitio estratégico para cambiar, en algún momento de crisis, el lugar de la Ciudad de México como el centro del poder colonial.[6] Al igual que en otros lugares de México, los pueblos de indios se mantuvieron en la periferia de las ciudades para españoles. La "villa" se estableció como cabecera española, se le dieron más recursos y la población que habitaba en la zona era de mayor nivel económico. Con el paso del tiempo se incrementó el valor de la propiedad del suelo. Todos estos elementos determinaron, en los años pos-

[6] Durante casi toda la etapa colonial el gobierno virreinal siempre consideró a Coyoacán como un lugar estratégico al cual mudarse en caso de rebeliones indígenas, inundaciones o catástrofes "naturales de la ciudad" (Cruz, 1991).

teriores, el desarrollo urbano de la zona y la preeminencia territorial de la villa española (mapa 1).

A Iztapalapa se le reconocía como una zona prehispánica importante del Valle de México, era una zona lacustre en donde la actividad chinampera se llevaba a cabo por los pueblos localizados en las zonas ribereñas de los lagos de México y Texcoco. Desde la Colonia hasta su creación como delegación, su organización territorial correspondió a la de pueblos de indios, separados de la ciudad y con presencia significativa de actividades agrícolas y ganaderas. Su desarrollo urbano posterior estuvo marcado por la presencia de pueblos y tierras con actividades relacionadas con el trabajo agrícola y las actividades lacustres (mapa 2).

Las diferencias de los procesos de urbanización que se manifiestan en las delegaciones Coyoacán e Iztapalapa fueron determinados por la organización histórica del territorio desde la época colonial. La creación de una "villa española" en este territorio subordinó al poblamiento indígena en pueblos, y con ello apareció una zona de influencia claramente dominada por la "ciudad española". Este proceso se expresó en las definiciones de las cabeceras de pueblos y municipales de la zona. En la época colonial Coyoacán fue

MAPA 1
LA VILLA DE COYOACÁN, CABECERAS MUNICIPALES Y PUEBLOS EN 1877

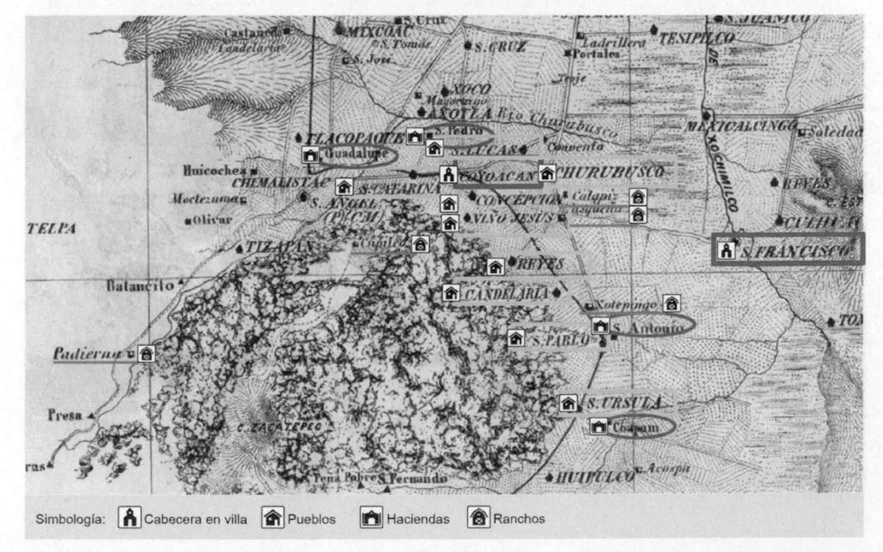

Fuente: *Carta corográfica del Distrito Federal* (1877).

Mapa 2
Cabeceras municipales y pueblos en Iztapalapa

Fuente: *Carta corográfica del Distrito Federal* (1877).
La zona de Los Culhuacanes en las delegaciones Coyoacán e Iztapalapa.

considerada "villa", mientras que en lo que hoy es Iztapalapa existieron varios pueblos cabecera con sus respectivos pueblos sujetos.

Las vicisitudes en las delimitaciones territoriales estuvieron presentes en Iztapalapa y Coyoacán e incidieron también en la definición de las cabeceras. En 1861 existían en el D.F. cuatro prefecturas o distritos: Guadalupe Hidalgo, Tacuba, Xochimilco y Tlalpan. Dentro de esta última se ubicaban cinco municipios: Iztapalapa, San Ángel, Coyoacán, Iztacalco y Tlalpan, cada uno con sus respectivas cabeceras. Para el caso de Coyoacán la cabecera fue, por su importancia histórica, la "villa de Coyoacan"; mientras que para Iztapalapa, Iztacalco y Tlalpan eran pueblos. La presencia significativa de los pueblos en Iztapalapa explica porqué se distinguen tres pueblos con categoría de cabecera hasta el siglo xix: San Francisco Culhuacán, Santa María Aztahuacan e Iztapalapa. A partir de esta época, el criterio del número de habitantes de los poblamientos definió también la categoría adquirida, fuera ésta pueblo o barrio. Los cambios en el comportamiento demográfico de los pueblos incidieron en su permanencia como pueblos. Así, por ejemplo, el caso del pueblo de los Reyes Culhuacán (ubicado en los alrededores de Coyoacán) que en 1877 se registra como pueblo y pocos años después, con la disminución de su población, en 1900 se considera barrio.[7]

En la *Carta corográfica* de 1877 aparecen en la zona de Coyoacán e Iztapalapa cuatro cabeceras de municipalidad: Coyoacán (cabecera "ciudad"), San Francisco Culhuacán, Iztapalapa y Aztahuacán (pueblos cabecera). En ese documento todavía los pueblos formaban parte de una sola unidad territorial y pertenecían a Iztapalapa. Seguramente con la desaparición de las municipalidades y la definición territorial de las delegaciones (en 1928) los pueblos que hasta entonces habían estado en un solo territorio se dividen entre las delegaciónes Coyoacán e Iztapalapa. Las tres antiguas cabeceras de pueblos quedaban localizadas entonces de la siguiente manera: San Francisco Culhuacán en Coyoacán, y el resto de los pueblos en Iztapalapa. La urbanización de los pueblos tuvo características muy distintas de las que se identifican en la villa de Coyoacán; la delimitación de las delegaciones también incidiría en las formas de urbanización en su territorio (mapa 3) [8]

En el siglo XIX, durante la organización administrativa del territorio, la presencia de los pueblos es evidente y reconocida; no obstante, en el siglo XX se presentan cambios importantes en la identificación de los pueblos y barrios. Llama la atención que las fuentes estadísticas para reconstruir la historia de estos poblamientos sólo reconocen los datos hasta 1970. Tal como se comentó líneas arriba esto se debe a que en esa etapa los pueblos y barrios desaparecieron como categorías del territorio. Para ejemplificar este proceso se aborda de manera general el caso de la delegación Coyoacán.

El Archivo Histórico del INEGI (AHINEGI) hace referencia, desde el año 1900 a 1970, a la existencia de nueve pueblos en el territorio delegacional. Éstos se conurban a la localidad de Coyoacán (la antigua villa) en 1970 por mandato de la Ley Orgánica del Departamento del Distrito Federal (LODDF) del 29 de diciembre del año mencionado. Los pueblos fueron los que se muestran en la siguiente tabla:

[7] Hasta 1950 que vuelve a tener la categoría de pueblo. Esto responde seguramente a su cercanía con el pueblo de Culhuacán y la importancia de éste, y seguramente al tipo de relaciones establecidas entre ambos poblamientos; tan solo para 1921 Los Reyes se censa con éste y lo dan de baja en los registros hasta 1950.

[8] Mapa tomado de Cruz, 2011: 55.

La Candelaria	San Mateo Churubusco
Los Reyes	San Lucas
San Francisco Culhuacán	Copilco el Alto
San Pablo Tepetlapa	Copilco el Bajo
Santa Úrsula Coapa	

Estos nueve pueblos tuvieron variaciones a través del tiempo; a lo largo de siete décadas cambiaron su categoría político-administrativa: cuatro se mantuvieron como pueblos (la Candelaria, Los Reyes, San Pablo Tepetlapa y Santa Úrsula; San Francisco Culhuacán en 1921 cambió a barrio para recuperarse como pueblo en la siguiente década. Dos pueblos (San Lucas y Churubusco) pasan a ser barrios y, hacia los años sesenta, aparecen dos pueblos en antiguos territorios de un rancho (Copilco el Alto y Copilco el Bajo). Es interesante notar la diversidad del origen de los pueblos, la arbitrariedad legal para conurbar pueblos con la Villa de Coyoacán y considerarlos barrios, así como la ambigüedad para identificarlos como barrios o pueblos.[9] (cuadro 2, pág. siguiente).

Mapa 3
Delimitación de la zona Los Culhuacanes en las delegaciones Coyoacán e Iztapalapa

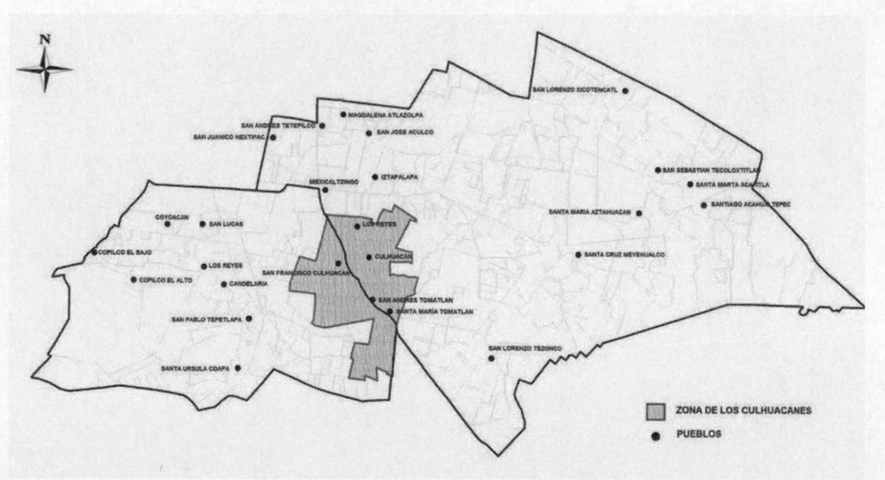

Fuente: Elaboración de Marisol Gutiérrez Cruz a partir de la *Cartografía y datos*, ocim, 2005, en la cual se apoyó el proyecto "Pueblos originarios, democracia, ciudadanía y territorio en la Ciudad de México".

[9] La definición de ambos poblamientos no logró encontrarse en ningún documento del periodo.

Cuadro 2
Categorías de poblamientos en Coyoacán reconocidos como pueblos, 1900-1970

Nombre de la localidad	*1900*	*1910*	*1921*	*1930*	*1940*	*1950*	*1960*	*1970*
	Categoría	*Categoría*	*Categoría*	*Categoría*	*Categoría*	*Categoría*	*Categoría*	*Categoría*
Coyoacán (cabecera)	Villa	Villa	Villa	Villa	Villa	Villa	Villa	Villa
La Candelaria	Pueblo	Pueblo	Pueblo	Pueblo	Pueblo	Pueblo	Pueblo	Pueblo
Los Reyes	Pueblo	s/d	Pueblo	Pueblo	Pueblo	Pueblo	Pueblo	Pueblo
San Francisco Culhuacán	Pueblo	Pueblo	Barrio	Pueblo	Pueblo	Pueblo	Pueblo	Pueblo
San Pablo Tepetlapa	Pueblo	s/d	Pueblo	Pueblo	Pueblo	Pueblo	Pueblo	Pueblo
Santa Úrsula Coapa	Pueblo	s/d	Pueblo	Pueblo	Pueblo	Pueblo	Pueblo	Pueblo
San Lucas	Pueblo	s/d	s/d	Informe del 13 de junio de 1929. Conurbada a la localidad Coyoacán.	s/d	s/d	Barrio	Barrio
San Mateo Churubusco	Pueblo		s/d	Informe del 13 de junio de 1929. Conurbada a la localidad Coyoacán.	s/d	s/d	Barrio	Barrio
Copilco el Alto			Rancho	Rancho	Rancho	Rancho	Pueblo	Pueblo
Copilco el Bajo							Pueblo	Pueblo

Fuente: Elaboración propia con base en los datos del Archivo Histórico del INEGI.

A partir de 1980 los pueblos ya no existen como categoría de poblamiento en el territorio de Coyoacán ni del D.F. Sin embargo su presencia es reconocida por académicos dedicados al estudio de los procesos urbanos, como el grupo del Observatorio de la Ciudad de México (ocim) de la Universidad Autónoma Metropoliana (uam) Azcapotzalco, y por las instancias gubernamentales encargadas de la política social y urbana como la Secretaría de Desarrollo Urbano (sdu) y los Programas Delegacionales de Desarrollo Urbano (pddu). Los criterios para identificar a los pueblos son dos: por un lado, la existencia de zonas patrimoniales y, por otro la permanencia de prácticas sociales comunitarias en torno a las festividades religiosas. Ambos criterios no necesariamente coinciden en las instancias gubernamentales para reconocerlos como pueblos.

De esta manera, el pddu de la Delegación Coyoacán (1997) reconoce como zonas patrimoniales a los pueblos de La Candelaria, Los Reyes, San Francisco Culhuacán, San Pablo Tepetlapa y Santa Úrsula Coapa. Mientras que en el Sistema de Información de la Secretaría de Desarrollo Social (sisds) solo a dos de éstos los refiere como pueblos (Los Reyes y Santa Úrsula), mientras que los otros son reconocidos como colonias. Por su parte, a Copilco el Alto, Copilco el Bajo, San Lucas y San Mateo Churubusco no se les considera pueblos y las razones tienen que ver con su origen: los dos primeros son poblamientos en un rancho y los dos últimos están directamente relacionados con la Villa de Coyoacán. Resultaría interesante investigar los criterios para tal determinación y considerar la opinión que los antropólogos e historiadores puedan tener al respecto, además de saber si existe alguna relación con la identidad y la urbanización de los mismos.

Respecto a los barrios se reconocen 11 y llama la atención que para su identificación se consideran los mismos criterios que para los pueblos, tal pareciera que se trata del mismo tipo de poblamiento; sin embargo, su circunscripción territorial está francamente incluida o adscrita a los pueblos y a la villa. De esta manera del total de barrios identificados en la delegación cuatro son parte integrante del Pueblo de San Francisco Culhuacán: Barrio San Juan, Barrio San Francisco, Barrio Santa Ana y Barrio La Magdalena y sólo el segundo es considerado Zona de Conservación Patrimonial (zcp); el Barrio de Niño de Jesús es un barrio contiguo al Pueblo de los Reyes; dos están dentro de la traza del Centro Histórico de la Villa de Coyoacán: el Barrio La Concepción y el Barrio Santa Catarina, ambos considerados zcp; tres son contiguos a la Villa de Coyoacán: el Barrio San Diego, el Barrio San

Mateo Churubusco y el Barrio San Lucas; los tres formaron parte del Centro Histórico de la Villa de Coyoacán, sin embargo, por acuerdo de delimitación de la traza histórica de la villa quedaron fuera de sus límites y sólo el segundo es considerado zcp. Finalmente, está el Barrio Oxtopulco Universidad que no tiene referencia alguna a los pueblos (cuadro 3). Como se puede observar, aun cuando el barrio no está considerado dentro de la estructura político-administrativa del territorio, su presencia es reconocida por las instancias encargadas de la política social. La diversidad de su origen también es algo que resalta en el territorio, ya que se vincula con pueblos y con la villa urbana, pero también con barrios urbanos producto de una urbanización más reciente.

Reflexión final

Para concluir, es importante apuntar que para el siglo xxi no hay una delimitación territorial dentro del marco político-administrativo del D.F. que considere a los pueblos y a los barrios. En el caso de los segundos el problema de su identificación como barrio urbano o rural, desde la perspectiva legal administrativa nunca existió, ya que según la breve revisión aquí presentada el barrio se consideró un poblamiento fuera del área urbana, es decir, tuvo un carácter rústico. Sin embargo, con el paso del tiempo y debido al intenso crecimiento urbano, el barrio dejó de ser rural y fue absorbido por el área urbana.

A pesar de lo anterior perduraron muchas de las características originales relacionadas con los pueblos y las prácticas comunitarias e identitarias de la población con su territorio. De esta manera, la caracterización de la estructura del poblamiento actual existente en la Ciudad de México muestra la diversidad que hay en el territorio. La presencia de barrios relacionados con colonias y pueblos plantea formas de identificación y de arraigo territorial que se expresan en prácticas y organizaciones comunitarias que en muchos casos tienen interlocución con autoridades urbanas para resolver sus problemas. En este sentido, desde el ámbito de la política social y de su rescate histórico, es fundamental cerrar esta brecha entre su reconocimiento político y su desconocimiento territorial.

Cuadro 3

Barrios de Coyoacán reconocidos por diversas instancias

Barrio	*INEGI*	*OCIM (1)*	*SDUVDF (2)*	*SISDSDF (3)*	*Página web delegación*	*Programa Delegacional de Desarrollo Urbano 1997**	*Zona de conservación patrimonial (PDDU) (4)*
Pueblo San Francisco Culhuacán (dentro)							
Barrio San Juan		x	x			x	
Barrio San Francisco		x	x		x		x
Barrio Santa Ana		x	x				
Barrio de la Magdalena		x	x	x			
Villa Coyoacán (dentro Centro Histórico, cabecera)							
Barrio La Concepción			x	x		x	x
Barrio Santa Catarina			x		x	x	x
Pueblo Los Reyes (contiguo)							
Barrio de Niño de Jesús			x	x	x	x	

Continúa

Barrio	*INEGI*	*OCIM (1)*	*SDUVDF (2)*	*SISDSDF (3)*	*Página web delegación*	*Programa Delegacional de Desarrollo Urbano 1997**	*Zona de conservación patrimonial (PDDU) (4)*
Villa de Coyoacán (contiguos al Centro Histórico, cabecera)							
Barrio San Diego					x**	x	
Barrio San Mateo Churubusco					x**	x	x
Barrio San Lucas			x		x	x	
Sin referencia con pueblos							
Barrio Oxtopulco Universidad			x		x	x	

Fuente: Elaboración propia con base en: INEGI, OCIM, SDUVDF, SISDSDF, página web de la Delegación Coyoacán, Programa Delegacional de Desarrollo Urbano, 1997, (PDDU) Zona de Conservación Patrimonial.

** En la práctica se consideran por separado; administrativamente, como uno solo.
1. Observatorio Urbano de la Ciudad de México, Sociología Urbana, UAM Azcapotzalco
2. Secretaría de Desarrollo Urbano y Vivienda del D.F.
3. Sistema de Información de la Secretaría de Desarrollo Social del D. F.
4. Programa Delegacional de Desarrollo Urbano.

Listado de siglas y acrónimos

AGEB	Áreas geoestadísticas básicas
D.F.	Distrito Federal
INEGI	Instituto Nacional de Estadística y Geografía
LCADF	Liga de Comunidades Agrarias del Distrito Federal
LODDF	Ley Orgánica del Departamento del Distrito Federal
LOPMDF	Ley de Organización Política y Municipal del Distrito Federal
OCIM	Observatorio de la Ciudad de México
OUCM	Observatorio Urbano de la Ciudad de México, Sociología Urbana, UAM Azcapotzalco
PDDU	Programas Delegacionales de Desarrollo Urbano
SDUVDF	Secretaría de Desarrollo Urbano y Vivienda del D.F.
SISDSDF	Sistema de Información de la Secretaría de Desarrollo Social del D. F.
ZCP	Zona de Conservación Patrimonial

Bibliografía

Ayala, Enrique (1994), "México, ciudad de barrios", en José Luis Lee y Celso Valdez (comp.), *La ciudad y sus barrios,* México, UAM Xochimilco.

Bataillon, Claude (1972), *La ciudad y el campo en el México central,* México, Siglo XXI Editores.

Carta corográfica del Distrito Federal (1877), México, Secretaría de Estado del Despacho de Fomento, Comisión de Cartografía bajo la dirección del ingeniero A. Díaz.

Cruz, Ma. Soledad (1991), "La emergencia de una ciudad novohispana. La ciudad de México en el siglo XVII", *Espacios de mestizaje cultural: anuario conmemorativo del V Centenario de la llegada de España a América,* t. 3, México, UAM Azcapotzalco.

_____ (1994), *Crecimiento urbano y procesos sociales en el D.F., 1920-1928,* México, UAM Azcapotzalco.

_____ (2001), *Propiedad, poblamiento y periferia rural en la zona metropolitana de la Ciudad de México,* México, UAM Azcapotzalco, RNIU.

Cruz, Ma. Soledad, *et al.* (2011), "Los pueblos del Distrito Federal, una reconstrucción territorial", en Lucía Álvarez (coord.), *Pueblos urbanos. Identidad, ciudadanía y territorio en la Ciudad de México,* México, Miguel Ángel Porrúa/UNAM.

Fernández, Manuel (1899), *Carta corográfica del Distrito Federal*, México, Secretaría de Fomento.

Hernández Franyuti, Regina (2008), *El Distrito Federal: historia y vicisitudes de una invención, 1824-1994*, México, Instituto Mora/CONACYT.

Herrera, Ethel (2000), *Evolución gráfica del Distrito Federal*, México, Gobierno del Distrito Federal, CD.

Lee, José Luis y Celso Valdez (comps.) (1994), *La ciudad y sus barrios*, México, UAM Xochimilco.

Ley de Organización Política y Municipal del Distrito Federal, México, Imprenta del Gobierno Federal en el ex Arzobispado, 1903.

Licona, Ernesto (1994), "Notas etnográficas de un barrio", en José Luis Lee y Celso Valdez (comps.), *La ciudad y sus barrios*, México, UAM Xochimilco.

Lira, Andrés (1983), *Comunidades indígenas frente a la ciudad de México*, México, El Colegio de México, El Colegio de Michoacán.

Nivón, Eduardo (1989), "El surgimiento de identidades barriales. El caso de Tepito", *Alteridades. Anuario de Antropología*, núm. 1, Departamento de Antropología, UAM Iztapalapa.

Ortiz, Héctor (2007), "Los pueblos originarios y el inexorable avance de la mancha urbana", en Teresa Mora (coord.), *Los pueblos originarios de la Ciudad de México. Atlas etnográfico*, México, Gobierno del Distrito Federal, INAH.

Portal, Mariana y Lucía Álvarez (2011), "Pueblos urbanos: esquema conceptual y ruta metodológica", en Lucía Álvarez (coord.), *Pueblos urbanos: identidad, ciudadanía y territorio en la Ciudad de México*, México, Miguel Ángel Porrúa, UNAM, CONACYT.

Unikel, Luis (1976), *El desarrollo urbano de México*, México, El Colegio de México.

Recursos electrónicos

INEGI (1895), Censo General de la República Mexicana, disponible en: http://www.inegi.org.mx/default.aspx? [actualización: 18 de febrero de 2012] (consultada: 20 de octubre de 2011).

INEGI (1960), Censo de Población y Vivienda, disponible en: http://www.inegi.org.mx/est/contenidos/proyectos/ccpv/cpv1960/default.aspx [actualización: 30 de marzo de 2012] (consultada: 23 de septiembre de 2011).

_____ (1970), Censo de Población y Vivienda, disponible en: http://www.inegi.org.mx/est/contenidos/proyectos/ccpv/cpv1970/default.aspx [actualización: 3 de abril de 2012] (consultada: 23 de septiembre de 2011).

_____ (1980), Censo de Población y Vivienda en: http://www.inegi.org.mx/est/contenidos/proyectos/ccpv/cpv1980/default.aspx [actualización: 16 de abril de 2012] (consultada: 23 de septiembre de 2011).

_____ (1990), Censo de Población y Vivienda en: http://www.inegi.org.mx/est/contenidos/Proyectos/ccpv/cpv1990/Default.aspx [actualización: 18 de abril de 2012] (consultada: 23 de septiembre de 2011).

La Merced. Centro y periferia

*María del Carmen Bernárdez de la Granja**

* Profesora-investigadora, Jefa del Área de Estudios Urbanos. Departamento de Evaluación del Diseño en el Tiempo, UAM-A. Contacto: bdmc@correo.azc.uam.mx, mcbernardez@gmail.com.

SE HA DICHO QUE LA CIUDAD es un espacio de intercambios, un centro de consumo, un centro productivo y un centro de mando. Existen, de hecho, diferentes teorías sobre la centralidad, algunas de ellas referentes a la espacialidad regional como, por ejemplo, la teoría de los lugares centrales de Christaller, que estudia la relación entre localidades y distancias; la teoría sobre la relación centro-periferia, y otras tantas que estudian la difusión de las innovaciones tecnológicas y su localización espacial.[1]

La centralidad histórica a la que me remito en este trabajo difiere de estas teorías porque descansa sobre el antiguo lugar fundacional y, por tanto, conserva una funcionalidad simbólica superior a otras centralidades; en general, la primera condición de esta centralidad es la accesibilidad como factor dominante; es el lugar al que se puede acceder con mayor facilidad desde el resto del área construida y que también presenta un adecuado acceso incluso para quienes viven fuera de la ciudad.

La accesibilidad permite localizar en estas áreas centrales servicios o tiendas como joyerías, librerías, oficinas de administración pública, restaurantes, papelerías, etcétera. También concentra servicios especializados como despachos de contadores, abogados y, en el origen, imprentas, periódicos y revistas, y en algunos casos industrias especializadas.

Esta gran accesibilidad ha influido también en la multiplicación de negocios y en la variación de los usos del suelo, con una alta tendencia a la

[1] Burgess (1920), teoría concéntrica: el precio del suelo urbano desciende en círculos alejándose del área central. Hoyt (1939), teoría sectorial: las diferencias en los usos del suelo se expanden en forma de cuña a lo largo de las vías de comunicación. Berry (1959), teoría de los valores del suelo: los precios disminuyen en línea recta desde el centro que posee mayor accesibilidad.

transformación del espacio urbano y la destrucción de edificios para obtener una rentabilidad mayor. Como consecuencia de lo anterior, el número de residentes tiende a disminuir, aunque también influye en este aspecto el mejoramiento de los transportes desde mediados del siglo XIX, lo que permite una conexión más fluida con las periferias.

En el caso de la Ciudad de México la centralidad histórica sufrió un paulatino desplazamiento hacia el poniente, conformando un eje histórico Zócalo-Reforma-Castillo de Chapultepec-Los Pinos-Santa Fe, con transformaciones clave en los últimos años del siglo XX y principios del XXI, donde el también eje histórico de Reforma y la colonia Polanco renueva su condición de espacio de la centralidad metropolitana. Además, en el transcurso del siglo XX la Ciudad de México desarrolló un policentrismo al asimilar antiguos pueblos situados en la ribera del lago y con la generación de nuevos ejes urbanos como la Avenida de los Insurgentes y con la descentralización de algunas funciones comerciales y culturales urbanas, como la creación de la Ciudad Universitaria y la desconcentración de oficinas gubernamentales.

La dinámica anterior aplica para la zona de la ciudad que trato aquí. Gran parte de la dualidad que presenta el barrio de La Merced, entre su condición de área periférica y su función central estratégica comercial, proviene de la función que como centro especializado de abasto cumplió a lo largo de los años. Con el transcurso del tiempo, la ubicación de las instituciones virreinales, fueran religiosas, públicas o residenciales, así como los sistemas de accesibilidad urbana, terrestres o acuáticos, determinaron las características físicas, económicas y sociales del barrio de La Merced.

La ciudad prehispánica y la ciudad virreinal

La ciudad virreinal se integró como un rectángulo que utilizó el sistema de retícula para dividir equitativamente los solares partiendo —con algunas desviaciones en la traza original de los tres grandes ejes que conformaban la traza prehispánica—, la calzada de Tlacopam, que continuaba hacia el poniente; la calzada de Iztapalapa, con la subdivisión hacia Coyoacán e Iztapalapa; y la calzada del Tepeyac. La ciudad tenía tres autoridades civiles: una para los españoles, constituida por el Ayuntamiento, la Audiencia y los virreyes (ubicadas en el centro), y dos para los indios, ubicadas en los extremos, con los gobernadores de Tenochtitlan y Tlatelolco.

Según afirma Sonia Lombardo:

> la Iglesia Católica continuó, en su forma general, la organización que existía desde la época prehispánica y por ello es que se han conservado hasta nuestros días los lugares que ocupaban los centros comunitarios de los campa [...] existía en cada uno de los campa un núcleo semejante al del centro de México [. . .] Se componía de un templo, que fue sustituido en la época colonial por una iglesia, construida generalmente sobre él; un palacio, que no siempre se conserva [...] y una plaza, que en todos los casos perdura frente a la iglesia funcionando como mercado (Moreno y Lombardo, 1984: 159).

Los límites de la traza en los primeros años, según el plano reconstruido por Antonio García Cubas, serían: al sur las calles de San Pablo, San Jerónimo y las Vizcaínas; al oeste la Avenida San Juan de Letrán (Eje Central) hasta la esquina norte de la plaza de La Concepción, doblando hacia el este siguiendo las calles de Puerta Falsa de Santo Domingo, Colombia y Lecumberri que constituían el límite norte. Este límite fue modificado en 1527, al realizarse la primera ampliación de la traza para hacerla coincidir con la acequia que corría por la calle del Apartado hasta la espalda del Convento de Santo Domingo (Valencia, 1965: 56). El límite oriental lo conformaron las calles de Leona Vicario, La Santísima, Alhóndiga, Talavera (Consuelo) y Topacio hasta llegar a la calle de San Pablo.

La Merced se integró como una parte del distrito central de la ciudad virreinal, en ella se asentaron una parte de las instituciones virreinales, sobre todo aquellas relacionadas con las mercancías que entraban por los canales, y algunos de los conventos fundados en el siglo xvii, que se localizaron en un área que no tenía una gran densidad, por lo que pudieron ir adquiriendo terrenos y casas hasta conformar grandes edificaciones. Los frailes de La Merced que se instalaron en la zona hacia 1601 se quejaban de la gran distancia hasta la universidad y de las condiciones de humedad y lodazales, debido a la gran cantidad de acequias y acalotes. La Merced concentraba también diferentes gremios: zapateros, sombrereros, tabaqueros, etcétera, y los curtidores, sobre todo en la parte oriente, que aprovechaban las acequias en el proceso de curtido. Desde el siglo xvii puede hablarse entonces de que esta localización inicial de usos, íntimamente ligada a las condiciones físico-geográficas de la zona, con características de periferia urbana (área de acceso a la ciudad, vivienda de ingresos bajos, bodegas y gremios) definió el destino urbano del área.

En el plano de Uppsala pueden verse siete acequias importantes que cruzan la ciudad. Sobre la zona de estudio confluyen dos: la que venía de la Viga y doblaba hacia el poniente para transformarse en la Acequia Real, pasando a un costado del Palacio de los Virreyes y de la Plaza del Volador; y la que saliendo del rumbo de Chapultepec se unía a la anterior en lo que actualmente es la calle de República de Uruguay. Puede verse una tercera acequia secundaria, paralela a la de la Viga que desemboca en la Acequia Real. En un sector del polígono que forman estas acequias fue donde se asentó en 1601 el Convento de La Merced. Esta zona en el plano se encuentra todavía despoblada, aunque pueden apreciarse construcciones aisladas hacia el sur, donde se localizan visiblemente el barrio y el templo de San Pablo (mapa 1).

La ciudad conservaba la traza regular de Alonso García Bravo, pero las condiciones topográficas dieron como resultado calles no tan rectilíneas y espacios irregulares cortados por las acequias. Las descripciones de los viajeros del siglo xvii hablan con admiración de la anchura y la limpieza de las calles, de las acequias y canales y de los edificios construidos. Sin descartar las exageraciones en que incurrían muchos de ellos, podemos de todas formas pensar en una ciudad que en dos siglos había logrado consolidar su urbanismo y que presentaba un conjunto arquitectónico tan atractivo como para despertar estos elogios.

En el plano de 1628, realizado por Juan Gómez de Trasmonte, podemos observar algunos cambios significativos en el norte y oriente de la traza, ensanchándose hasta encontrar las barreras de las acequias de Chalco y la que cruza el puente del Clérigo (Toussaint, en Fernández, 1938: 175). Se detectan cuatro acequias principales de las cuales dos rodean el Convento de La Merced; funcionan ya los barrios de Jesús María y de la Santísima (1568), el de San Pablo (1575) y el de San Sebastián (1585). Los barrios Del Carmen y La Merced debieron formarse posteriormente a estas fechas; en este plano aparecen ya los dos conventos y templos dentro de un área prácticamente poblada.

Puede verse también el barrio de Manzanares, contiguo al de La Merced, que surgió alrededor de la capilla de Manzanares del cual tenemos una descripción realizada por Guillermo Prieto en 1830: "[...] nido de tifus, escondite de los hijos sacrílegos y confidente de los amoríos de los reverendos padres de *La Merced*; todo ceñido o limitado por las acequias, con sus curtidurías pestilentes, sus puentes, sus depósitos de frutas y verduras,

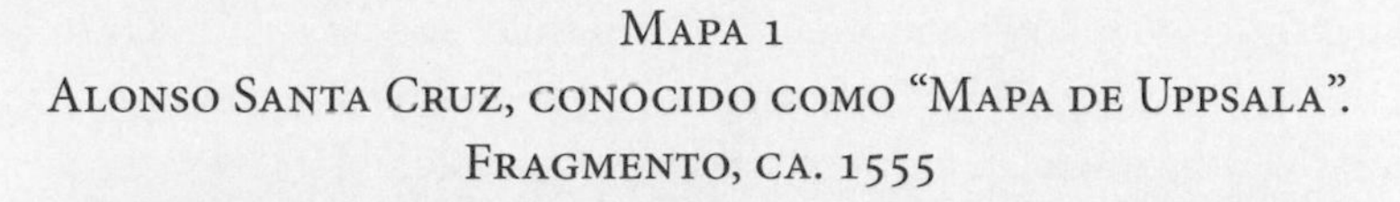

Mapa 1
Alonso Santa Cruz, conocido como "Mapa de Uppsala".
Fragmento, ca. 1555

Fuente: Benítez, 1984: 188.
Nota: En el mapa se distinguen el templo de San Pablo, el canal de La Viga y la Acequia Real.

sus indias enredadas, sus indios desnudos y su idioma musical y quejumbroso, perdiéndose entre los gritos y desvergüenzas de regatones y cargadores" (Valencia, 1965: 64) [las cursivas son mías].

Al ser la sociedad novohispana especialmente religiosa, la división administrativa-religiosa se estableció como base de la estructura urbana y del sentido de pertenencia comunitario. A la formación de barrios, instituciones y fiestas populares contribuyó, sobre todo en esta zona de la ciudad, la localización de establecimientos comerciales y de artesanos que fundaron varios gremios y contribuyeron a definir grandes colectividades urbanas (Valencia, 1965: 61).

La crónica de Juan de Viera, de 1777, nos habla de una ciudad idealizada, pero define de manera lúcida la importancia que tenía en el siglo XVIII el Canal de la Viga y que mantuvo hasta bien entrado el siglo XX:

> [...] la noble imperial ciudad de México hace competencia a todas con su clima, en su situación, grandeza y edificios en su fertilidad y abundancias; pues es su plan el más hermoso que se puede discurrir ni imaginar. Está situada en un hermosísimo valle cuya circunferencia es un abreviado diseño del paraíso, porque la circundan tres hermosísimas lagunas bastante grandes y capaces, que pudieran navegar por ellas muchos bergantines, como de facto navegaron cuando su conquista. La primera es la de Texcoco, que tendrá como catorce leguas de circunferencia; la segunda, la de Chalco que es un poco menor, y la tercera, la de San Cristóbal que es más pequeña, cuyas abundantes aguas y cristalinas corrientes se introducen por un canal hasta el centro mismo de la ciudad, causando tanta fertilidad sus humedades, que toda su circunferencia son bosques de pinos, cipreses, fresnos, y álamos, y en sus intermedios hermosos jardines [...] (Viera, 1992: 1 y 2).

Los centros parroquiales, con sus respectivas plazas, se consolidaron como puntos nodales del tejido urbano. La acequia más importante la constituye el canal de la Viga, como hemos visto en la descripción de Viera, unido a una red de acequias y canales secundarios. El canal constituía un límite entre la zona de mejor nivel socioeconómico, situada al oeste del mismo, y la zona más popular, al oriente, donde se localizaban las curtidurías y bodegas. Esta acequia no sólo era importante por ser el canal principal de abastecimiento de la ciudad, sino que constituyó también, en algunas celebraciones específicas, un paseo recreativo cuyos ecos resuenan hoy en Xochimilco:

> El otro paseo, superior a todos los que tengo referidos, es un breve epílogo de las delicias con que la mano soberana de Dios quiso adornar esta ciudad; pues desde el centro de la plaza de ella corre por una calle derecha la laguna que va para Chalco hecha otra segunda Venecia; de manera que dejando por una y otra acera paso para un coche y caballos, el centro de la calle lo ocupa la laguna que corre por una canal de mampostería, registrándose desde los balcones de las casas el crecidísimo número de canoas y chalupas que entran cargadas [de] flores, verduras y menestras; y en esta laguna, por determinados tiempos, se embarcan los vecinos de México para pasearse por todo el día en un pueblo nombrado Iztacalco; para este fin cubiertas las canoas con sus carrozas de esteras adornadas todas de flores del tiempo, se acomodan una o dos familias, según el tamaño de la embarcación, llevando

> consigo músicos e instrumentos con que van cantando y bailando dentro de la misma canoa hasta llegar al referido pueblo. Pintar la hermosura de esta laguna tan llena de árboles verdes en todo tiempo, la multitud de canoas de esta calidad, la alegría de las gentes, la multitud de pájaros, no cabe en la misma elocuencia... Y es una maravilla en las noches de luna ver volver las canoas para la ciudad, coronadas las personas de coronas de hermosísimas flores y rosas de Castilla, cantando al compás de los instrumentos, dejando venir las canoas al corriente de las aguas, sin agitarlas el impulso de los remos [...] (Viera, 1992: 108 y 109).

En el siglo xviii la ciudad se encontraba dividida en 12 barrios. Simultáneamente a la reorganización parroquial realizada por el arzobispo Francisco Antonio Lorenzana, el segundo conde de Revillagigedo emprende la regularización urbana que da lugar al primer plano regulador de la ciudad, levantado por Ignacio Castera en 1794. Éste buscaba recuperar el ordenamiento "original" de la traza donde se proponía, con la regularización de la traza de los barrios y de la zanja cuadrada, facilitar e incorporar los servicios de recolección de basura, limpieza y mejoramiento de atarjeas, la ordenación del comercio, etcétera, que corresponden a las mejoras de modernización borbónicas que se intentaron aplicar en la Ciudad de México en el siglo xviii.

La ciudad del siglo xix

En el siglo xix, desde la Independencia hasta la Restauración de la República, hay un periodo de lento desarrollo de la capital, debido a los desequilibrios económicos provocados por la guerra y las diversas disputas civiles. Del aparato de la sociedad virreinal quedaba solamente en pie la iglesia. Su riqueza, sin embargo, no representaba un valor de progreso económico y social, ya que el acaparamiento de tierras y edificios congeló potencialidades de desarrollo económico a través de un sistema de monopolio rentista. El punto de partida de la transformación de la ciudad en el siglo xix lo constituyeron las Leyes de Reforma, promulgadas en 1857, pero que se hicieron efectivas hasta 1861. La expropiación de los bienes de la Iglesia tuvo como consecuencia la creación de una nueva capa social de rentistas que creía en el progreso y se consolidaba como burguesía en la época porfirista, que "[...] se siente alentada a abandonar con mayor decisión los viejos marcos de la herencia colonial, dejando al mismo tiempo el marco material que la contuviera" (Valencia, 1965: 69).

A partir de 1857, con el surgimiento del ferrocarril urbano y la incorporación de los tranvías, empiezan a sustituirse los antiguos sistemas de transporte (carros y carruajes) y los canales, como elementos imprescindibles del transporte urbano. De esta forma da inicio la expansión de la ciudad que tendrá como consecuencia el abandono parcial de las funciones de este núcleo central. La expansión hacia el poniente, iniciada en el siglo xvi con la construcción de la Alameda y consolidada posteriormente con el Paseo de Bucareli, se verá impulsada notablemente con la construcción del Paseo de la Emperatriz, idea de Maximiliano de Habsburgo, quien deseaba dotar a la capital de un "Boulevard Imperial" que al funcionar como paseo, diera acceso a varios edificios públicos situados a sus costados, siendo éste un proyecto urbano mucho más amplio que la apertura de una vía de comunicación entre el Castillo de Chapultepec y el Palacio Nacional.[2] Este paseo, recibió posteriormente el nombre de Paseo de la Reforma. Bajo el gobierno de Porfirio Díaz inició su transformación como un eje residencial, con medidas de apoyo a la construcción si se respetaban las normas de planeamiento impuestas en el sitio. Es precisamente en este periodo que el centro económico-financiero de la ciudad empieza a trasladarse desde la Plaza Mayor hacia el oeste, aunque ésta conserva las sedes de los poderes civiles y eclesiásticos. La ciudad crece, desbordando la metrópoli virreinal, y comienzan a aparecer colonias con trazos diagonales —en contraposición a la traza de damero inicial—, perspectivas, fuentes, plazas y monumentos de carácter cívico.

La descripción del oriente de la ciudad en la *Novísima Guía Universal de la Capital de la República Mexicana*, de Adolfo Prantl y José L. Grosso, de 1901, nos muestra un deterioro urbano que continuará agravándose durante todo el siglo xx, y expone también cómo esta nueva visión ha modificado el imaginario social sobre la ciudad vieja: "Por el Oriente se extiende entre casas, vetustas, de sobria y pesada arquitectura, el México Viejo, con sus calles angostas, sucias y tortuosas, sus míseras plazoletas, los puentes en ruina del canal de la Viga, charcos verdosos y deletreos, carros que corren

[2] "Arreglar los terrenos a 200 metros de cada lado, desde el caballo de bronce hasta Chapultepec, plantar árboles y trazar caminos de manera que se pueda en los años venideros poner a la derecha y a la izquierda de la calzada los 20 grandes edificios de utilidad pública, cortando de las plantaciones para cada de este edificio su jardín y anteplaza respectiva. Toda la calzada debe tener cuatro hileras de árboles, bancos de hierro, fuentes y sus respectivos irrigatorios [...]" ahcm: op, mc, 1866, vol.1504-a, exp. 1, f. 15.

en medio del arroyo, macizas extensas desnudas tapias, y a largos trechos, jacales de adobe y tejamanil [...]" (p. 689).

Desarrollo de la función comercial y de abastecimiento

Los canales o acequias eran el principal medio para el abasto, el comercio y la comunicación. La falta de animales de carga los había convertido desde la época prehispánica en el medio de transporte fundamental para aprovisionar a la ciudad.

En el periodo virreinal el canal de la Viga se convirtió en la principal vía de acceso por donde llegaba a la ciudad toda clase de mercancías, principalmente alimentos; otro de los puntos de acceso fue el embarcadero de San Lázaro, que dejó de funcionar cuando disminuyó el nivel de los lagos. Sin embargo, toda la zona de estudio y el área localizada al oriente y suroriente se encontraban cruzadas por multitud de acequias que facilitaban la entrada de pequeñas canoas las cuales transportaban mercancía desde el sur, y que también permitían a los habitantes de esta zona comerciar los productos que obtenían de la laguna, como patos, peces tules, etcétera (Dávalos, 2009). Puede decirse que esta característica reforzó la cualidad periférica de la zona al mantener áreas de conexión con el límite del lago y, al mismo tiempo, como área general de acceso de mercancías.

La importancia de las acequias queda demostrada con la localización que fue impuesta a las instituciones relacionadas con el comercio, todas ellas a orillas del canal mayor (canal de la Viga, Acequia Real): el tianguis de la Plaza Mayor y el Mercado del Volador, contiguos a la Acequia Real; la Alhóndiga, construida donde el canal de la Viga daba vuelta hacia el poniente para convertirse en la Acequia Real y, más tarde en el siglo xix, en el mercado y el embarcadero de La Merced, a un costado del canal (mapa 2, pág. siguiente).

Al inicio del Virreinato la función comercial se ubicó básicamente en dos mercados, el tianguis de la Plaza Mayor y el de Tlatelolco, que fue poco a poco perdiendo importancia. Como se ha mencionado anteriormente, los barrios conservaron una plaza delante de la iglesia que en la mayoría de los casos funcionó también como mercado. Sin embargo, la función especializada de comercio se fue concentrando en la Plaza Mayor. Muchas de las transformaciones e intervenciones que se dieron sobre ella en los siglos xvii y XVIII, corresponden a la necesidad de organizar y controlar la expansión de esta actividad comercial.

En 1798 el virrey segundo conde de Revillagigedo hace limpiar y nivelar la Plaza Mayor y traslada el mercado a la Plaza del Volador (actual edificio de la Suprema Corte de Justicia), situada a un costado de la Acequia Real y que ya funcionaba como mercado suplementario.[3] Las bodegas de recepción y distribución de productos alimenticios se localizaron casi desde el principio a lo largo del canal de la Viga y en torno a la Alhóndiga.

Durante la primera mitad del siglo XIX el canal de la Viga se mantiene como una de las principales vías de acceso de productos perecederos. La

MAPA 2
PLANO DE VILLASEÑOR, 1750.
LOCALIZACIÓN DE LAS INSTITUCIONES COMERCIALES

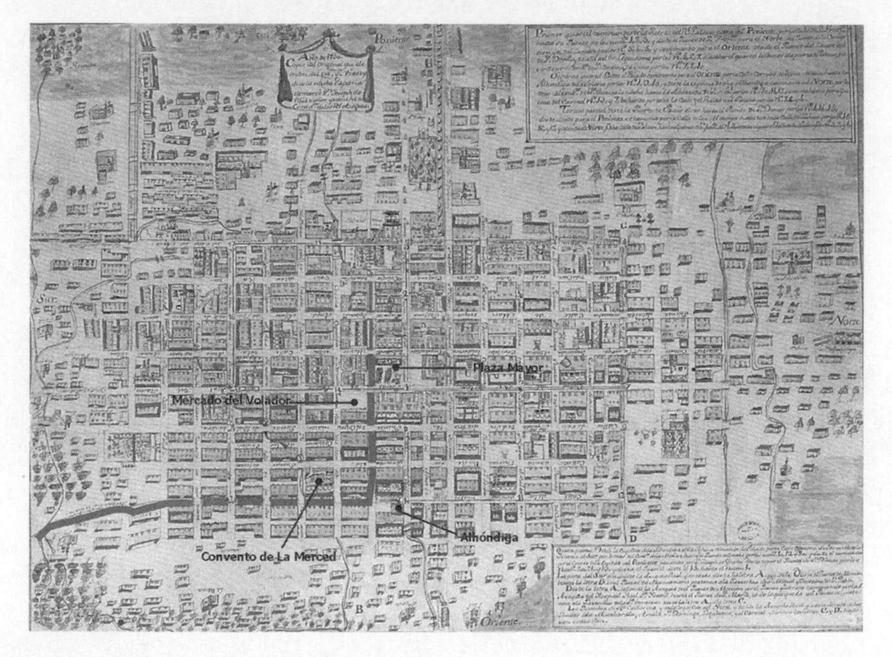

Fuente: Moreno y Lombardo, 1984: 331.

[3] "[...] daré un paso a la plaza que llaman del Volador [...] en el centro de esta plaza hay tres órdenes de barracas, que forman calles donde se vende lo mismo que en la plaza, verduras y frutas con adición de que aquí se vende mucha loza vidriada [...] y a la orilla del costado del Palacio, que mira a esta plaza entra encañada la Real Acequia, hasta el palacio del corregidor, conduciéndose por ella desde la laguna, cuántas verduras y comestibles entran a esta plaza de la universidad más de dos mil canoas, sin las que en los demás desembarcaderos se desembarca, cuyo cómputo prudente es el número de 10 000 canoas" (Viera, 1992: 42-43).

descripción que se hace del Puente de Roldán en el libro México y sus alrededores (Castro *et al.*, 1855-1856: 16) nos señala la trascendencia que tenía el canal para la ciudad:

> [...] Puente de Roldán es el verdadero muelle del canal, el sitio donde se hacen todos los contratos; y sabido es que las mercancías que entran por aguas son muy considerables, además de los productos de las haciendas y poblaciones vecinas, todos los efectos que vienen de tierra caliente por Cuernavaca, cortan el camino para venirse por agua desde Chalco.
>
> Desde la aurora hasta poco antes del mediodía el comercio es muy activo en ella: todos los mercaderes de fruta, legumbres, flores, etc., que después se sitúan en los mercados, ocurren aquí a hacer sus compras.

María Dolores Morales (2011: 51) señala un valor de la propiedad más alto en el barrio de La Merced que en las áreas colindantes al norte, al este y al sur a principios del siglo xix, lo que parece indicar el otorgamiento de un cierto valor inmobiliario al área de bodegas por encima del resto del área situada en la zona oriente de la traza, concordante con la consolidación del área de abasto de la ciudad (imagen 1)

Imagen 1
Casimiro Castro, México y sus alrededores.
Puente de Roldán, ca. 1858

Fuente: Benítez, 1984: 292.

En la Plaza del Volador se construyó un mercado de mampostería en 1844; en abril de 1865 el Ayuntamiento ordenó el traslado de los vendedores de carnes, pollos y legumbres de los mercados del Volador y de la Plaza de Jesús a la Plaza de La Merced, que se conoció como Tianguis de las Atarazanas. En octubre del mismo año se realizó un segundo traslado de los puestos de frutas y legumbres, ante lo cual se presentaron varias quejas de los comerciantes que consideraban que el lugar estaba muy lejos del centro de la ciudad.

En 1880 se termina la construcción de un nuevo y funcional mercado, símbolo de la modernidad porfirista, edificado sobre las ruinas de la iglesia y el Convento de La Merced, con un muelle en la puerta; "El mercado de La Merced, sobre todo, constituyó una especie de puerto interior de la capital para su abastecimiento" (Valencia, 1965: 67).

En esta época existían otros sistemas de venta y comercialización en las inmediaciones: "los tendajones", las "pulperías" y los "cajones", con lo que el área se hallaba invadida por un gran número de vendedores ambulantes (Urrieta, 1999: 42). En 1901 este edificio fue renovado con lo cual se reforzó la actividad comercial: en las manzanas que rodean al mercado comienzan a construirse nuevos edificios para usarse como tiendas-bodegas-vivienda de comerciantes y vivienda de alquiler, y los puestos semifijos empiezan a saturar las calles.

La ciudad del siglo XX

Resumiendo lo anterior, a partir de la segunda mitad del siglo XIX la centralidad de la ciudad sufre un lento desplazamiento y la función residencial se traslada hacia el poniente. Las transformaciones principales pueden observarse, sobre todo en la zona oriente, a través de dos procesos: el abandono de la función residencial, la concentración de bodegas asociadas al nuevo mercado y el aumento de la migración, que lleva a que La Merced se convierta en un foco de adaptación y asimilación de los estratos más bajos de la sociedad. Los mayorazgos desaparecen y en esas grandes casonas y en muchas de las propiedades eclesiásticas[4] se instalan vecindades, lo que contribuye a modificar radicalmente la calidad de la vida urbana de la zona. En

[4] Aunque la Iglesia poseía muchas vecindades en la zona de estudio, en el proceso posterior a la expropiación, con el paso de las propiedades de la Iglesia a manos privadas, los conventos fueron sub-

los últimos años del siglo xix y los primeros del xx se asientan varias importantes industrias textiles y de hilos en la colonia Obrera y a lo largo de San Antonio Abad, rodeando la zona de La Merced.

En los primeros años del siglo xx, el Mercado de La Merced estaba constituido por el edifico construido en el periodo porfirista y cuatro manzanas a su alrededor las cuales concentraban las bodegas hasta la Alhóndiga. El sistema de mercados en este momento lo conforman el Mercado de La Merced, que se conectó a través de puestos semifijos con el Mercado de San Lucas, donde funcionaba antiguamente el rastro; y hacia el norte con el tianguis que se ubicaba en las ruinas del Convento de San Gregorio (posteriormente Mercado Abelardo Rodríguez); a poca distancia de La Merced surgió el Mercado de Jamaica, como última estación terminal del sistema de canales que conectaba, a su vez, con el sistema de canales que comunicaba con el sur (Xochimilco, Mixquic, Chalco).

Los medios de transporte más importantes en este momento lo constituían las estaciones de San Lázaro, adonde llegaban los productos provenientes de Veracruz, Puebla, Oaxaca y Morelos; y la de Hidalgo (Glorieta de Peralvillo), donde se recibían los productos del Estado de México, Hidalgo y Tlaxcala. Existían también carros de cuatro ruedas tirados por mulas, que llevaban la mercancía al Mercado de La Merced. La distribución a las bodegas era a través de la fuerza humana y los productos se llevaban hacia otras zonas de la ciudad a través de las "góndolas" de los tranvías (Valencia, 1965: 214). Los productos perecederos llegaban a Jamaica a través de trajineras y chalupas.

En la década de 1930 el canal de la Viga llegaba a las proximidades del Río de la Piedad —lo que hoy es el Viaducto Miguel Alemán—. Los productos provenientes del sur del Distrito Federal eran desembarcados en Jamaica, que formaba parte del sistema de abasto de La Merced. Las calles que rodeaban el Mercado de La Merced se saturaron de puestos semifijos y la mayor parte de los edificios fueron destinados al comercio y al almacenamiento, mientras que las viviendas se ubicaban en las plantas altas. Esto constituyó uno de los elementos característicos del barrio, ya que más de 50% de los propietarios de bodegas tenía su residencia en el barrio de La Merced, así como casi 17% de quienes trabajaban en ellas. A pesar de que los propietarios de las bodegas tenían altos ingresos, esto no modificó las características de marginalidad social del barrio, ya que a lo largo de muchas

divididos y en la mayoría de estas propiedades se multiplicó el número de viviendas para obtener mayor ganancia.

décadas no se invirtió en el mejoramiento de los edificios ni de las condiciones de vida del área.

Entre los años cuarenta y cincuenta se da el mayor auge económico de la zona que rodea al mercado; se abre el Anillo de Circunvalación mejorando la accesibilidad de una zona que presentaba cada vez más conflictos de tráfico, y a lo largo de la calle se instalan nuevos edificios construidos exclusivamente para bodega o para bodega en la planta baja y vivienda en la planta alta, con lo que la zona de abasto inicia su expansión hacia el oriente, involucrando a los barrios de Santo Tomás, La Candelaria y La Soledad. El Mercado de La Merced es mencionado, en la Memoria de labores del Departamento del Distrito Federal de 1934, como un gravísimo factor de deterioro de la zona (citado por Valencia, 1965). El centro de esta gran aglomeración comercial lo conforman el barrio de La Merced[5] y los restos del ex convento.

En 1957 se construye el nuevo sistema de mercados, cruzando Anillo de Circunvalación: Nave Mayor, Nave Menor, Flores Juguetes y Artesanías, Dulces, Herbolaria y Animales, y el mercado de ropa y calzado en Mixcalco. La zona de bodegas continúa expandiéndose hacia el oriente. La implantación del nuevo sistema de mercados a unas cuantas cuadras de la ubicación original tuvo como consecuencia una expansión de las actividades comerciales que no modificó sustancialmente las características de la "zona histórica" que ya contaba con un emplazamiento acreditado entre los comerciantes y clientes. Con el mejoramiento de la vialidad, la ampliación de las avenidas San Pablo, Fray Servando Teresa de Mier y Calzada de la Viga, y su conexión con el Anillo de Circunvalación, se forma el eje de abastos que une el Mercado de Jamaica, los mercados de pescados y mariscos y el sistema de mercados de La Merced.

El sistema de transporte más utilizado son los camiones de carga que, junto con el transporte de pasajeros, se concentra en la zona. Crece el comercio paralelo (ropa, mercerías, papelerías, ferreterías, etcétera), la industria del vestido avanza por Izazaga y Fray Servando. La producción de prendas de vestir y su comercio se va consolidando en la zona norte, dando principio a lo que ahora puede apreciarse como un espacio continuo de especialización económica impulsado por los mercados de Mixcalco, Abelardo Rodríguez, La Lagunilla y Tepito (Cenvi, 1983). El abandono de la

[5] Los límites del barrio histórico de La Merced serían las actuales calles de Corregidora, Circunvalación, San Pablo y Pino Suárez.

función residencial crea un vacío que se llena con la instalación de comercios y servicios.

Para la década de los sesenta, La Merced concentraba uno de los centros de abasto más importantes del país. En la zona no solamente se concentraban las bodegas de los comerciantes de La Merced, sino también las de los grandes supermercados urbanos. La centralidad de la función de abasto es innegable, La Merced se convirtió en un gran nodo de recepción y distribución de alimentos, con carácter nacional, que cubría no solamente los requerimientos de la capital, sino de varios estados. Asociada a esta función surge una gran cantidad de servicios como el de los mesones, los bancos, así como el comercio de reatas y cajones, además de un grave factor de deterioro que perdura hasta la actualidad: la prostitución. Esta fuerte concentración económica hacia la función de abasto desplazó otras funciones de la centralidad como otro tipo de comercio especializado, la función pública administrativa, librerías, teatros o sedes educativas, que sí estuvieron presentes en los inicios del barrio.

En la década de los setenta la actividad económica crece y se fortalece, saturando la zona. Las calles se bloquean prácticamente por maniobras de carga y descarga de productos. La expansión espacial del abasto es impresionante. En 1975 las bodegas y los comercios de alimentos ocupaban 44 manzanas y en 1976 ocupaban 67 manzanas (Copevi, 1976); y se estima que en 1982 ocupaban 111 manzanas (DGPDDF, 1983: 11). El comercio especializado se sitúa en el perímetro poniente y norte de la zona de abasto, la industria del vestido la rodea por el sur, el poniente y el norte en estrecha relación con el comercio especializado. La expansión comercial y de abasto en el barrio de La Merced refleja la transformación sufrida por todo el Centro Histórico, preservándose solamente y durante algunos años el eje Zócalo-Alameda, que concentra el comercio especializado de mayor nivel.

El comercio ambulante tuvo un crecimiento explosivo. Esta situación es producto tanto de factores internos de la zona (desempleo de la población residente), como de factores externos a ella (desempleo, desalojo de ambulantes en otras zonas de la Delegación Cuauhtémoc, disminución de las ventas al menudeo que se realizaban de forma irregular a la entrada de las bodegas, etcétera). Sin embargo, la antigüedad que tenía en el comercio informal de La Merced un importante número de ambulantes (51 por ciento con más de cinco años), confirma la opinión de Valencia y otros estudiosos según la cual se trata de "[...] una actividad económica estable, si bien su dimensión espacial puede depender de coyunturas económicas específicas" (Cenvi, 1983: 51).

Paralelamente a este fenómeno la población decreció considerablemente: en 1950 el área considerada en los límites del programa de mejoramiento tenía 59 645 habitantes; en 1960 eran 46 362; y, en 1970, tenía 40 787 habitantes. Para 1983 se cuenta con una estimación de la Dirección General de Planeación del Departamento del Distrito Federal (DGPDDF), que marca la cifra de 32 951 habitantes (Cenvi, 1983: 54). Estos datos indican una pérdida de población hasta de 32% entre 1950 y 1970.

En los años setenta y ochenta se implementaron en el Centro Histórico varias medidas que influyeron de forma determinante en el cambio de la estructura económica de la zona: empieza a funcionar la Central de Abastos, el traslado de las terminales de autobuses foráneos, la reubicación de las terminales de los autobuses suburbanos y urbanos, la reestructuración del transporte urbano sobre la red de ejes viales, la inauguración de la línea 4 del metro sobre Avenida Morazán, que transformó la estructura de flujos peatonales de la zona.

De todos los cambios mencionados el primero es el que generará el mayor impacto en el área de La Merced. El traslado de las bodegas a la Central de Abastos se realizó en dos etapas: en 1982 se trasladó la mayoría de las bodegas ubicadas en la parte más antigua (Corregidora, Jesús María, San Pablo y Anillo de Circunvalación), pero un número considerable de las que se encontraban localizadas alrededor de la nave mayor se mantuvieron abiertas. En agosto de 1983 se clausuró la mayoría de las bodegas que seguían operando.

Durante este tiempo las consecuencias en la parte más antigua se hicieron evidentes: la zona perdió toda su capacidad de atracción de la población compradora o de paso y la inseguridad aumentó. Sólo algunos lugares en torno a nudos que tuvieran alguna otra actividad, mantuvieron alguna vitalidad. En cambio, los alrededores de las Naves Mayor y Menor siguieron contando con un flujo regular de personas similar al que tenían antes de que fueran desalojadas las bodegas.

El traslado de las bodegas no sólo dejó un vacío físico de dimensiones desconocidas en las transformaciones espaciales que ha sufrido el centro de la ciudad, también provocó un vacío económico de la misma magnitud. La construcción del Palacio Legislativo y el desalojo de las bodegas de abasto provocaron que dejara de funcionar el sector noreste: un buen número de edificios que originalmente no cumplían con la función de bodega de abasto quedaron desocupados. La expulsión de las bodegas ocasionó el incremento de la prostitución y la delincuencia.

A raíz de los sismos de 1985 varios inmuebles fueron invadidos. Las acciones de vivienda implementadas dentro del programa de Renovación Habitacional y algunas acciones sobre los locales comerciales no lograron frenar el proceso de deterioro. Las tendencias continuaron a lo largo de los años noventa, creando un vacío económico y un desplome de las actividades en el área. La prostitución se trasladó a las avenidas San Pablo y Circunvalación. Sobre las calles de Roldán y Santo Tomás existen centros de distribución de droga y algunos de los inmuebles invadidos sirven de refugio a los asaltantes. A partir de 1998 pudo observarse una reactivación estacional, ya que algunas bodegas fueron alquiladas transitoriamente para la venta de productos de temporada (Navidad y Reyes, Semana Santa, etcétera).

En el año 2000 se inició un lento repunte en el alquiler de locales comerciales y el establecimiento de bodegas en inmuebles anteriormente abandonados, principalmente en los ramos de papelería, venta de telas y jarcería. Este repunte alcanza ya las calles de Ramón Corona, Uruguay y Regina hasta la calle Roldán.

Conclusiones

El barrio de La Merced desarrolló un carácter de distrito de abasto desde la época virreinal por la proximidad con la Acequia Real y las acequias y los acalotes que estaban repartidos sobre todo en la zona oriente y sur. Esto dejó una memoria tanto en el ámbito urbano como en el social, dando lugar a muchas de las características actuales de este sector.

A partir del siglo xvii La Merced consolidó dos tendencias; la primera, característica de las periferias urbanas: el establecimiento de bodegas y comercios asociados a la facilidad de poder llegar a ellos por agua, la presencia de instituciones virreinales ligadas a la función del abasto y el asentamiento de vivienda para la población de bajos niveles económicos; la segunda se refiere a la localización de conventos que, fundados en el siglo xvii, consiguieron amplios terrenos en una zona que no poseía especiales atractivos y se convirtieron en grandes centros educativos con extraordinarias bibliotecas, así como la existencia de caserones sobre todo en la parte oeste de la traza más cercana a la plaza mayor.

Esta última tendencia, que permitió la radicación de algunas actividades que confirmaban la inclinación hacia la centralidad urbana, asociada al comercio especializado y el uso residencial de mejor nivel, fue deteriorándose a partir de las Leyes de Reforma y la construcción de nuevos barrios que promovieron un paulatino abandono de la función residencial de altos ingresos en el Centro Histórico.

La creación de los nuevos mercados, en la década de los cincuenta, generó una ampliación hacia el oriente de la zona de abasto, pero no modificó sustancialmente el carácter del área histórica. Se puede afirmar el carácter de centralidad del barrio en el aspecto de comercio de abasto, comercio especializado y servicios asociados, donde existe también una consolidación de la función industrial textil en la zona sur; sin embargo, las características de marginalidad periférica se mantienen, ya que La Merced absorbió durante muchos años una buena parte de la migración campo-ciudad —sin ninguna formación para el mercado de trabajo— que se dio en el proceso de expansión urbana de la Ciudad de México. Podemos entonces afirmar esta dualidad entre centro y periferia, dado el carácter de centro de abasto metropolitano y nacional que mantuvo el barrio hasta los años ochenta.

En la década de los ochenta la salida del comercio primario de abasto significó el desplazamiento de la actividad que estructuraba espacial y económicamente al barrio. La desaparición de la función comercial y de servicios no fue compensada por ningún programa de inversión y rehabilitación de esta zona histórica durante más de 20 años. En términos reales ésto se tradujo en el incremento del deterioro patrimonial, ambiental y social del barrio. El impacto de la salida de las bodegas de abasto generó un vacío urbano que potenció todas las características de marginalidad social y su cualidad de periferia urbana, haciendo desaparecer a la mayoría de los elementos de centralidad del área.

LISTADO DE SIGLAS Y ACRÓNIMOS

Cenvi Centro de la Vivienda y Estudios Urbanos, A.C.
Copevi Centro Operacional de Vivienda y Poblamiento, A.C.
DGPDDF Dirección General de Planeación del Departamento del Distrito Federal

Fuentes consultadas

Archivos

AHDDFCSG Archivo Histórico del Distrito Federal "Carlos de Sigüenza y Góngora"
ROP Ramo Obras Públicas
SMC Serie Mejoras de Ciudad

Bibliografía

Benítez, Fernando (1984), "Historia de la Ciudad de México", *Enciclopedia Salvat*, t. 2, España, Editorial Salvat.

Castro, C. *et al.* (1855-1856), *México y sus alrededores*, México, Decaen Editor.

Cenvi (1983a), *Situación actual de la estructura económica espacial de la zona de La Merced* [mecan.].

_____ (1983b), *Situación actual de la estructura económica espacial, empleo y vivienda de la zona de La Merced* [mecan.].

Copevi (1976), "Estudio de Regeneración Urbana de la Ciudad de México, Capítulo V", *Proyecto de Regeneración Urbana: El caso de La Merced como un Área-Plan Testigo.*

Dávalos, Marcela (2009), *Los letrados interpretan la ciudad; los barrios de indios en el umbral de la independencia*, México, INAH.

Del Valle Arizpe, Artemio (1946), *Historia de la Ciudad de México según los relatos de sus cronistas*, México, Editorial Pedro Robredo.

DGPDDF (1983), *Programa de mejoramiento urbano, zona de La Merced* [mecan.].

Fernández, Justino, Federico Gómez de Orozco y Manuel Toussaint (1938), Planos de la Ciudad de México, siglos XVI y XVII. Estudio histórico urbanístico y bibliográfico, México, UNAM-Editorial Cultura.

García, Antonio (1904), *El libro de mis recuerdos*, México, Imprenta Antonio García Cubas.

Morales, María Dolores (2011), *Ensayos urbanos. La Ciudad de México en el siglo XIX*, México, UAM (Antologías).

Moreno, Alejandra y Sonia Lombardo de Ruiz (coords.) (1984), Fuentes para la historia de la Ciudad de México, 1810-1979, 2 vols., México, Siglo XXI-INAH (Fuentes y Documentos).

Prantl, Adolfo y José L. Grosso (1901), *Novilísima Guía Universal de la Capital de la República Mexicana.*

Urrieta, Salvador (1998-1999), *Estudio diagnóstico para la regeneración integral del barrio de La Merced*, México, FCH-PN.

Valencia, Enrique (1965), *La Merced, estudio ecológico y social de una zona de la Ciudad de México*, México, INAH.

Viera, Juan de (1992), *Breve y compendiosa narración de la Ciudad de México*, México, Instituto de Investigaciones Dr. José María Luis Mora, edición facsimilar [1777].

El Edificio Ermita como andamiaje de un barrio. Tacubaya

*Marcela Dávalos**

* Investigadora titular C en la Dirección de Estudios Históricos del INAH. mardavalo@gmail.com

El pueblo de Tacubaya, cuya historia se remonta más allá del periodo virreinal, fue fragmentado hacia la segunda mitad del siglo xx. Antes de que su antiquísima configuración fuera desmembrada los vecinos se desplazaron sin obstáculos hacia sus cuatro puntos cardinales. De la Iglesia de la Candelaria, ubicada en su extremo oriente, hasta el antiguo edificio del Arzobispado, en el poniente —aun a pesar de los cambios poblacionales o el crecimiento territorial a que estuvo sujeto desde la segunda década del siglo xix hasta la creación del Distrito Federal (Miranda, 2008)—, existía una unidad que permitía caminar de manera continua del atrio de la iglesia hacia la Alameda de Tacubaya, llegar a la Plaza Cartagena y entonces comenzar la pronunciada subida rumbo al Arzobispado, o bien descender más allá de la Casa del Conde de la Cortina.[1]

En este texto se abordará la historia de un barrio a partir de un elemento simbólico: el Edificio Ermita, en tanto que su construcción es un elemento clave para explicar el declive de su antiguo orden urbano. De alguna manera, sin perder la distancia respecto a lo complejo que resulta señalar fronteras temporales fijas, la construcción refleja un aspecto del proceso de transformación de Tacubaya. El papel del Edificio Ermita fue clave en ese paso del Tacubaya como "suburbio veraniego" a su integración a la ciudad (Miranda, 2008).

[1] La Iglesia de la Candelaria se ubica hoy día sobre Avenida Revolución, y en el antiguo edificio del Arzobispado se halla actualmente el Observatorio Astronómico y Mapoteca "Manuel Orozco y Berra". El atrio de la iglesia se conjugaba con la Alameda de Tacubaya y con la Plaza Cartagena, que fue rebautizada en el siglo xx como Plaza De Gaulle. Del Arzobispado se descendía hacia la antigua Hacienda de Olivas y luego Casa del Conde de la Cortina, hoy llamadas Casa de la Bola y Parque Lira.

La edificación más alta de la Ciudad de México en los años treinta, el llamado Edificio Ermita o Triángulo de Tacubaya, se construyó en un sitio clave para el barrio, que desde el siglo XVI había sido reconocido como lugar de huertas, de agua potable y tierra firme, además de receptor del circuito mercantil que centralizaba mercancías que eran transportadas hasta la ciudad de Toluca. Su construcción, símbolo de gran lujo para la época, encarna un condensado del giro comercial, inmobiliario y simbólico que llevó al barrio de Tacubaya a dialogar con la modernidad.

La historia del pueblo de Tacubaya y el sitio en donde fue asentado el Ermita van de la mano con las formas de vida del pasado, la distribución de la vivienda y el trabajo, la traza de las calles o los tiempos de recreo en que se reconocieron sus vecinos; su construcción, el arquitecto que lo proyectó, el sitio donde se levantó, así como el momento de su aparición, son elementos inseparables para comprenderlo. La construcción del edificio imantó y tomó vida de prácticas culturales que habían regido en el poblado al menos 150 años antes. Por esa razón es necesario vincularlo con su proyectista y a éste con la evolución del entorno y las herencias culturales del lugar. Qué significó su construcción en el contexto en que fue erigido, cómo reordenó la antigua villa de Tacubaya o qué elementos heredó del ambiente, son algunas de las inquietudes que pueden apuntar a cómo ese edificio emblemático de la modernidad, invitó tanto a los vecinos del barrio como a los del conjunto de la ciudad, a reconocer nuevas formas de experimentar al espacio urbano.

LA ARQUITECTURA DEL ERMITA EN EL BARRIO

Todo lo que rodea a la arquitectura del Ermita refiere a la historia de Tacubaya. Por ello concentraremos la atención en ubicar al arquitecto y al edificio dentro del contexto histórico en que fue levantado. El Edificio Ermita nació inmerso en un diálogo entre la tradición y las tendencias modernistas que se oponían a los modelos europeos y afrancesados que habían dominado desde el último tercio del siglo XIX. Tanto en el diseño como en las construcciones de la Ciudad de México, desde al menos 50 años atrás, el modelo europeo había sido la regla por excelencia para medir la calidad, el estilo y los criterios arquitectónicos y urbanísticos. Y el Edificio Ermita, años después de la Revolución, dialogaba con esas tendencias.

En pleno periodo posrevolucionario se echaron a andar diversos proyectos que pretendían separarse de aquel modelo afrancesado; sin embargo, hasta entonces el grueso de los arquitectos más bien se alineaba a los grupos elitistas que habían formado parte de esa cultura siempre referenciada a Europa, y en particular a Francia,[2] por tanto, sus obras no generaban expectativas prioritarias en aquel ambiente cultural: "en general los arquitectos de la época se identificaban más con la dictadura recién derribada que con los revolucionarios triunfantes" (Toca, 1998: 167).

La falta de interés del medio cultural de esos años por las obras arquitectónicas también se explica por la crisis económica y las carencias materiales; porque los inversionistas, que formaban parte de las filas de las antiguas clases acomodadas, estaban refugiados en el extranjero; y debido a la inestabilidad política. En este contexto sólo unos cuantos arquitectos como Juan Segura (1898-1989 tuvieron la posibilidad real de proyectar y construir, no obstante la época. Sus obras no participaron de manera relevante en el sentido arquitectónico y la gran mayoría de ellas no figuraró directamente en las discusiones de los intelectuales, subrayadas por los vanguardistas o los muralistas.[3] Se ha dicho que el Edificio Ermita formó parte de la naciente arquitectura moderna o del *art déco* mexicano, sin embargo, investigaciones posteriores han dejado claro que su arquitecto, Juan Segura, "desconoció este término hasta el año de 1978".[4] Es decir, cuando el Ermita fue construido la arquitectura era vista como algo secundario cuando no parte de la vieja ola afrancesada que había transformado e influenciado de manera preponderante el paisaje urbano.

No obstante, el Edificio Ermita tuvo gran impacto en el barrio de Tacubaya, lejos de términos arquitectónicos o estilísticos. La prioridad de señalar al inmueble como parte de una corriente y vincularlo con los primeros arquitectos modernistas fue posterior. Fue luego de la polémica respecto a lo afrancesado y hasta "el momento en que fue aceptada una versión más esquemática y abstracta del movimiento moderno, lo que en México se produjo durante los años cincuenta" (Toca, 1998: 175), que el inmueble

[2] "[...] los arquitectos de nuestra época nunca nos enseñaron la herencia que teníamos de la época colonial; es decir, la herencia que teníamos de todo el Virreinato [...] todos ustedes de arquitectos, están reconociendo los valores que tienen las iglesias y conventos [...]". *Cfr.* "Entrevista con el arquitecto Juan Segura el día 14 de abril de 1980" (Gómez *et al.*, 1981: 17).

[3] Entre los arquitectos que iniciaron la transformación a los valores porfiristas estaban Juan Segura, Carlos Obregón Santacilia, José Villagrán García, Carlos Tarditi , Vicente Mendiola y Enrique del Moral.

[4] "Con frecuencia se califica la obra de Segura como *art déco,* cuando lo cierto es que él mismo desconocía este término hasta 1978" (Toca, 1998: 174).

proyectado por Segura fue incluido en la discusión sobre estilos arquitectónicos de rasgos nacionalistas.

Ajeno a su momento, el Ermita quedó inmerso en el punto de vista que calificaba a la etapa porfirista dominada por la cultura europea y que, además, declaraba que "la modernidad se equiparaba a la copia dócil de los modelos de la arquitectura internacional". De tal modo que cualquier arquitectura que estuviera situada entre ambos periodos pasó a ser considerada automáticamente como de "transición".[5] Mostrar, después de haber sido dejada en el olvido durante muchos años, que la obra de Segura perteneció al "periodo de transición" fue hacerlo partícipe de la explicación que periodizó de manera ambigua a los arquitectos que emplearon elementos prehispánicos y locales en la época posrevolucionaria.

Al arquitecto Juan Segura, quien no participó en el movimiento armado, se le ubica en un tercer periodo de la arquitectura moderna, y al tiempo que se criticó la tibia conciencia revolucionaria en su obra, se ha dicho que impulsó la creación desde lo nacional, y que por ello el Edificio Ermita era parte de una reacción en contra del "exotismo", aunque sólo quedara en "lo ornamental o lo decorativo de las formas, sin alcanzar la comprensión integral de lo arquitectónico".[6]

Si Juan Segura buscó o no romper con los contenidos y prácticas académicos que moldearon a la generación de arquitectos que estuvieron en boga durante el régimen de Porfirio Díaz, si nunca representó "una ruptura radical o total con el pasado, o si abrazó conscientemente o no el vocabulario formal del lenguaje arquitectónico tradicional, pero utilizando materiales y tecnología de su época" (Toca,1998: 165), ello sugiere pensar en lo que significó levantar un Edificio como el Ermita en el periodo posrevolucionario, en plena reconstrucción de un país salido de las ruinas.

El Ermita fue reubicado en esas corrientes arquitectónicas debido a que en su fachada, a la vista, resaltan detalles de inspiración prehispánica y una serie de elementos estructurales que divergen de los contenidos clásicos que fueron impartidos durante décadas en la Academia de San Carlos.[7] Sin dejar

[5] Según esta versión "la obra de Segura y otros arquitectos no pasa de ser un interesante ejemplo de *art déco* mexicano y se le considera, de forma harto simplista, como un caso anacrónico de protomodernismo o como un ejemplo irrelevante de los diferentes *revivals* que se produjeron en México antes de la llegada de la 'arquitectura moderna" (Toca, 1998: 175).

[6] A Juan Segura se le ubica "en lo que hemos denominado nacional y actual, pero individualista" (Villagrán, 1963: vii).

[7] Para profundizar en estos aspectos de la obra de Segura *cfr*. Toca, 1979; Pinoncelli, 1965 y León, 1983.

de lado que el arquitecto Segura era un hombre sensible a los requerimientos, las líneas, los materiales, discusiones y entorno de su época, quiero subrayar la idea de que al construir el edificio hizo una intervención que no era casual en el paisaje. Más allá de sus características nativas, sus probables símbolos nacionales, su estilo o el material y texturas empleados, es importante destacar que la discusión anterior inserta al Ermita en una tradición historiográfica que exige ser ampliada junto a la explicación del papel que el edificio ocupó en su entorno. En consecuencia, sin perder de vista la veta que conjuga al arquitecto con el espacio y la sociedad adyacente a su obra, es posible referir al Ermita en el entorno del barrio de Tacubaya.

Su construcción fue el símbolo de una modernidad que dejaba atrás los tiempos del pueblo y del ritmo campirano que habían caracterizado a Tacubaya desde el periodo virreinal (Miranda, 2008). Retomando la idea de que toda obra es una intervención en el paisaje, la estructura que levantó el arquitecto Segura es inherente a un conjunto de prácticas culturales heredadas que, de alguna manera, afectaron las tradiciones con que los pobladores de Tacubaya acostumbraban procesar su mundo social. Por tanto, con la edificación del Ermita ha sido posible considerar al menos dos distintas épocas que conformaron a Tacubaya: "con el legado casi total de las generaciones pasadas, el espacio urbano parece entonces constreñir a sus nuevos usuarios y modelar sus formas de hacer" (Lepetit, 1996: 111). Herencias lejanas, que parecen remontarse al pasado colonial y que hacen relativizar que la modernidad, incluso en términos arquitectónicos, pueda "reducirse simplemente a una mera cuestión cronológica [...] y decir que empieza en un cierto momento y termina en otro" (Pérez Gómez, 1998: 12).

La peculiaridad del Edificio Ermita es que rebasó en mucho a cualquiera de las construcciones que hasta entonces se habían levantado en el pueblo de Tacubaya. La filosofía que respaldó su mole participó de un funcionalismo racional llevado a la práctica desde esa frase bien conocida que resume la idea: "El máximo rendimiento con el mínimo esfuerzo". Su asentamiento fue reflejo de los cambios sociales, económicos y culturales que estaban sucediendo en el periodo. Es decir, Juan Segura y el Ermita marcaron una frontera imaginaria que modeló nuevas maneras de actuar entre los vecinos, tal como lo señaló en algún momento Teodoro González de León: "[...] intervenir en un sitio, colocar un edificio en cualquier parte, constituye tal vez, la tarea más delicada del arte de proyectar [...] cada edificio es un ejercicio profundo de relación con el sitio; cada inserción depende del manejo de las tensiones que existen en cada lugar y, a sabiendas, de que el nuevo edificio las modifica" (González de León,1996: 1).

De modo que la obra de Segura, ubicada en la principal entrada del antiguo pueblo de Tacubaya, constituyó un momento entre arquitecto, barrio e historia. En su arquitectura aglutinó las referencias espaciales, los usos del suelo, las trayectorias, percepciones e historia que reinaron en Tacubaya mucho antes de que el edificio fuera proyectado. En suma, el Ermita es una intervención que refiere a un momento clave de la historia de Tacubaya.

El pasado barrial proyectado en el Ermita

Del Edificio Ermita nada parece ser casual. Si lo proyectamos en el tiempo ni su nombre ni su ubicación ni su arquitecto ni sus dimensiones parecen haberse dispuesto inocentemente. Su existencia formó parte de un cambio inevitable y en su mole se condensaron, por muchas décadas, la historia del barrio y sus alrededores.

Antes de que la construcción del edificio fuera iniciada, en 1929, Tacubaya era un "centro receptor de migrantes" (Ávila, 1993: 81-86) debido a varios factores: las inestables condiciones sociales de la Ciudad de México, el ferrocarril, que facilitaba la comunicación, en el piso firme y alto de Tacubaya eran inexistentes las inundaciones[8] (Gaytán, 1997: 60), el crecimiento demográfico, entre otros tantos. Todavía a mediados del siglo XIX la ciudad conservaba el mismo aspecto y extensión que en la época de la Colonia, sin embargo, con la transición al siglo XX había extendido su mancha urbana y sería sujeta a los profundos cambios políticos y sociales que afectaron directamente la vida en ella: después de la Revolución se entró en una etapa de renovación y Tacubaya fue uno de los sitios predilectos para alojar las nuevas demandas de las poblaciones emigrantes. Esto trajo consigo la transformación del lugar que, de ser una villa aislada para la gente acaudalada de la ciudad, pronto se convirtió en el sitio para una clase media, que demandó habitaciones de medianas dimensiones, implicando con ello el fraccionamiento de las grandes casonas y la transformación del barrio. "Poco a poco se iban transformando sus barrios y se iba creando un México moderno incrustado en el antiguo" (García y Bustamante, 1999: 103).

[8] "La fundación de la villa de Tacubaya [...] dada su ubicación en una serranía, su configuración no siguió parámetros preestablecidos", *cfr.* Gaytán, 1997: 60.

Lo anterior implicó la transformación del paisaje urbano en la zona. Cuando el Ermita comenzó a construirse, solamente ciertas manzanas fueron añadidas a la traza espacial con que se había conservado el barrio durante varias décadas, es decir, aunque hubo incremento de población y requerimientos habitacionales, el pueblo fue transformándose mucho más notoriamente en términos de un uso unifamiliar del suelo que de otro destinado para vecindades (Ávila, 1993: 83).

Las grandes casonas destinaron parte de sus jardines para construir viviendas colectivas y las tierras de cultivo se fueron reduciendo; sin embargo, es posible deducir que a pesar de dichos cambios, las referencias espaciales y el uso del espacio heredado a los vecinos desde al menos la segunda mitad del siglo xviii, se prolongó hasta las primeras décadas del xx.

La presencia del Ermita puede verse como un momento de ruptura en Tacubaya; como la última construcción que participó en un proceso de continuidad histórica de su antigua traza y como la primera que abrió las puertas a los tiempos modernos. Su mole fue parte del proceso inicial de aquel crecimiento, no obstante, su presencia continuó dentro del orden espacial del poblado. Es decir, no desarticuló la coherencia espacial tradicional, como sí sucedería tres décadas después, cuando la especulación del suelo de Tacubaya ignoró brutalmente cualquier tradición, convirtiendo su traza en un espacio desolador.

El Ermita puede ser visto como un símbolo que marca el final de un periodo virreinal de larga duración y el inicio de Tacubaya dentro de la urbe moderna. Cuando lo proyectó, Segura no tenía ni siquiera la intuición de que su obra quedaría como emblema de la conservación arquitectónica.

El Edificio Ermita se sumó así a un uso inmemorial del espacio barrial. Un primer punto a considerar desde este ángulo es que su estructura se asentó en la que desde hacía al menos 200 años había sido reconocida por todos los vecinos como la entrada al pueblo de Tacubaya. El edificio fue construido "rematando con el arco de acceso de la casa de los Mier". Aquí el camino se bifurcaba en dos: a la izquierda se encontraba la calle del Calvario, hoy Avenida Revolución; y a la derecha, lo que después se llamó Avenida Jalisco. Hacia el sur del predio en que se construyó el Ermita se hallaban la iglesia principal de Tacubaya, llamada La Candelaria, con un enorme atrio que, atravesando la calle, se convertía en la Alameda, y poco más allá estaba el mercado de Cartagena.[9] La parroquia de La Candelaria "poseía un atrio enorme del cual formaba parte la Alameda de Tacubaya".

Las pulsiones históricas inconscientes apuntan a que tampoco fue casual que se le bautizara con el nombre de Edificio Ermita, si tomamos en cuenta varios aspectos. El primero de ellos es que durante la Colonia en ese mismo lugar había una pequeña ermita[10] que sirvió a los dominicos como centro de evangelización; el segundo que, durante años, se estableció muy cerca de ahí una conocida pulquería llamada "La Ermita", y tercero, que para 1960 "ese lugar aún era conocido por las personas de edad, como 'la Ermita' (Fernández del Castillo, 1991: 254). El edificio, que en un primer momento causó polémica entre los vecinos del barrio, terminó por ser una referencia de uso coloquial que, de boca en boca, lo reapropió como "El Ermita".

Otro elemento de no menor importancia para referirse a la arquitectura del edificio vinculada a las transformaciones espaciales es la historia del barrio de Tacubaya desde el siglo XVIII y a todo lo largo del Porfiriato. Precisamente en el terreno en el que más tarde se construyó el edificio, se hallaba un famoso portal que durante décadas sirvió como una de las entradas a la opulenta residencia de la familia Mier y Cosío. Es necesario resaltar que ese predio pertenecía, en los años treinta, a la familia Mier y que justo sobre el mismo se hallaba la entrada principal de Tacubaya: "[...] la casa de don Antonio Mier y Celis, en el mismo sitio en que se encuentra hoy el Edificio Ermita; esta casa se había convertido en un hito que enfatizaba el acceso a la villa de Tacubaya" (García, y Bustamente, 1999: 86). Su asiento era eje del movimiento del lugar, pues era la recepción de gran parte de la gente que llegaba a Tacubaya: "El portal de acceso a la notable casa de los Mier, cortaba la punta de la traza triangular existente, es decir sobre el vértice del terreno que se había formado por las calles del Calvario y Real (avenidas Revolución y Jalisco, respectivamente) que dividía en dos, por decirlo así, a la ciudad. Su dueño lo mandó construir entre 1867 y 1883" (García y Bustamante, 1999: 86).

[9] "La calle Real desembocaba en una gran arboleda al centro de la población, es decir en la plaza de Cartagena, sitio que fuera el nodo principal al que acudían los tacubayenses, ahí sus residentes disfrutaban de un precioso jardín, en donde encontraban distracción y salud." (García y Bustamente, 1999: 66).

[10] "Creemos que [...] ermita del Santo Calvario dio lugar a que con el tiempo se llamara Ermita a la bifurcación de las calles del Calvario y la calle Real, que hoy llevan respectivamente los nombres de Revolución y Jalisco" (Fernández del Castillo, 1991: 152-163].

El arquitecto Juan Segura —no está de más subrayarlo—, pertenecía a la familia Mier y Celis, que descendía de los Mier y Cosío, propietarios de aquel portal. Desde su residencia en Europa, don Antonio, uno de los principales miembros de la familia, había decidido donar parte de sus bienes y de la mansión en la que había vivido durante décadas para fines no lucrativos. Motivado por la figura de la filantropía —que desde el Porfiriato y aun en las primeras décadas del siglo XX oscilaba entre la protección social y la especulación—, quiso donar parte del terreno a un asilo y asignar la otra parte a una inversión. Fue entonces que se decidió encomendar la obra a uno de sus herederos, quedando Juan Segura como responsable. Fue así que don Antonio le encargó a su nieto que convirtiera aquellos extensos terrenos en una inversión rentable de carácter filantrópico. Y el arquitecto creó un espacio que, consciente o inconscientemente, inauguraría la etapa moderna en Tacubaya. A su cargo quedaron el Edificio Ermita y las vecindades que años después construyó en los terrenos adyacentes. Quizá sin proponérselo levantó sobre la propiedad de la familia Mier y Celis una construcción que por muchas décadas serviría de emblema para los vecinos y el poblado.

El Ermita, además de ser la entrada a Tacubaya o la terminal de los tranvías que iban y venían del Zócalo, tuvo un papel clave como lugar de residencia, entretenimiento y centro comercial. Como ya se ha mencionado, Tacubaya era un centro de concentración, gracias a su mercado, pues a este sitio llegaba de los pueblos del poniente, de Toluca y sus alrededores cualquier cantidad de productos, incluso zapatos elaborados en Guanajuato. Por ello no es casual que en el entorno se encontraran varios talleres de calzado y una gran fábrica llamada Calzado Excélsior, que atraía a compradores de todas partes. Por lo mismo, tampoco es casual que en el periodo de modernización, los vecinos de Tacubaya se hubieran apropiado de una de las distribuidoras más grandes de calzado en México. Desde los años cincuenta hasta 1998 los propios residentes o quienes llegaban a Tacubaya reconocían en la cara frontal del poliedro que conformaba el Edificio Ermita, un anuncio singular en el que se leía la palabra CANADÁ, el cual durante décadas atrajo las miradas con unas enormes letras que casi abarcaban los siete pisos de altura del inmueble. El anuncio hacía referencia a la famosa zapatería que se había instalado en uno de los locales comerciales más grandes de la planta baja, y cuyos aparadores veían a las banquetas oriente y poniente del edificio. Así, a lo largo de esos años en que la demanda del calzado fue notable en la capital, no podemos ignorar que luego de que el Edificio Ermita quedó sellado con aquella marca, se creó una reapropiación del inmueble, pues a los pocos años de colocado el sello, la gente comenzó a llamarlo el "edificio de la Canadá".

Desde aquí se vuelven muy sugerentes las reflexiones de Bernard Lepetit para pensar "la ciudad como un sistema no verbal de elementos significantes [...] que se despliegan de acuerdo a cronologías diferentes". El edificio desempeñó un rol integrador; es decir, desde el sitio en que se ubicaba hasta el imaginario de la población que lo frecuentaba, el Ermita hizo "coincidir en un mismo tiempo los fragmentos de espacio y las costumbres provenientes de diversos momentos del pasado" (Lepetit, 1996: 114-115). De alguna forma todo esto habla de la recreación de las maneras de residir en el barrio. Una cadena de funciones dio cierta continuidad a prácticas nunca reglamentadas, pero construidas por las vivencias y referentes acuñados por el uso cotidiano del lugar; una serie de elementos significantes no escritos ni verbalizados, que proceden de un pasado tan lejano como el de la Tacubaya virreinal y decimonónica —cuando la hoy Avenida Jalisco se conectaba con Camino Real a Toluca (Miranda, 2007)—, cuando en los nombres de algunas de sus calles aún se traducía el uso y la reapropiación de los vecinos en el espacio urbano. Usos que no siempre se asociaron a los criterios haussmanianos o modernos, en tanto que la numeración era sustituida por la nomenclatura dada por la costumbre, ya fuese remitiendo a la característica singular de algún sitio —la Casa de la Bola—, a ciertos hechos —Los Mártires de Tacubaya—, o bien a alguna cualidad física del paisaje o construcción relevante como, por ejemplo, la ermita del Calvario que daría nombre a la calle del Calvario (actualmente Avenida Revolución): "el nombre de cada calle reflejaba el espacio mismo que invadía, era poner en evidencia lo que ahí se encontraba o que desaparecería" (García y Bustamante, 1999: 64).

Aun décadas después de construido, el sitio donde se edificó el Ermita siguió marcando la entrada al pueblo de Tacubaya; como si el arquitecto Segura hubiese tenido claro que su diseño sería levantado en lo que hasta entonces era reconocido, tanto por los capitalinos como por los vecinos del lugar, como la puerta de Tacubaya. El Edificio Ermita ocupa el lugar en donde estuvo la estación a la que arribaban provenientes de México los trenes y tranvías desde 1856, cuando se le otorgó a Jorge Hammeken la concesión para construir el primer ferrocarril de tracción animal hacia la Ermita, así como la vía México-Tacubaya que iba de la Plaza Mayor de México a la de Cartagena. Ahí, justo en donde al llegar los usuarios se topaban con el bien conocido portal de la familia Mier y Cosío, quedaría levantado el primer edificio moderno en Tacubaya.

Pero el sitio, además de simbolizar el acceso a Tacubaya, se integró al diálogo que afectó a todos los pueblos y municipios que durante décadas había alternado entre si mantenerse como municipios, pueblos o barrios, ante el crecimiento urbano y la creación del Distrito Federal. La figura del Ermita respondió al aumento de una población que requería nuevas necesidades, creando con ello cambios al antiguo circuito mercantil, de distracción y descanso, que hasta entonces había sido usual para los vecinos del entorno. En el costado sur del Ermita se hallaba la enorme Alameda que era parte del atrio de la iglesia de La Candelaria (dividida después para trazar la Avenida Revolución), plano que se prolongaba hacia la Plaza de Cartagena, al sur poniente, donde se establecía un enorme mercado que solía recibir productos que llegaban por aquel Camino Real desde Toluca, así como mercaderías de San Ángel o de la Ciudad de México. El asiento de Cartagena era un sitio en:

> donde se surtía con todo lo indispensable, frutas, verduras, semillas, pan, carne [...] Ahí se conjugaban puestos de madera, tenderetes improvisados, vendedores ambulantes [...] Desde los balcones del portal se veía el constante tránsito de carros, recuas y jinetes, cargadores, tortilleras, pulquerías y comerciantes en pequeño; unos iban o venían hacia el camino de Toluca o el de Nonoalco, barrio de Mixcoac; otros ocurrían a los mesones que estaban por el barrio de Huichilac y otros entregaban su mercancía en los comercios de la plaza, también llegaban los jugadores a la plaza de Cartagena "corazón de Tacubaya", es decir sitio de reunión, de paso y de comercio (García y Bustamante, 1999: 69).

Al norte del edificio, como ya señalamos, se ubicaban la estación del tren y las vías que llevaban a México. En suma, la superficie que iba de la entrada de Tacubaya al enorme atrio de la iglesia y de ahí al mercado de Cartagena fue, hasta 1965, un microcosmos homogéneo que durante décadas había realizado actividades religiosas, comerciales y de distracción para los habitantes locales y fuereños.

El Edificio Ermita añadió un uso distinto del lugar, pero nunca destruyó la lógica del entorno. Sólo participó con otras prácticas y nuevas costumbres. Su mole estuvo dirigida a una naciente clase media y a un conjunto de añejas familias aristócratas que poseían fincas de descanso o vivienda en aquella zona siempre privilegiada por sus huertos, abundancia de agua limpia y la distancia respecto a las usuales inundaciones que cercaban al centro de la ciudad. La construcción y su presencia en Tacubaya pueden ser vistas desde un sentido de innovación en tanto que su arquitectura fue la primera en su género. Se trataba del primer edificio funcionalista de la ciudad en ese sitio y su misión era reunir, prolongar o especializar todas las tareas en un solo predio, con los requerimientos mínimos y el máximo aprovechamiento: el Ermita, además de ser habitación y poseer locales comerciales con aparadores que daban hacia la calle, tenía también un importante escenario que, entre otras, ofrecía funciones de teatro y cine. Así, su existencia ofreció a los habitantes de Tacubaya —o a ciertos consumidores guiados por el confort—,

Figura 1
Fachada del Edifico Ermita

Fuente: reprografía de la autora.

un nuevo corredor donde distraerse, caminar, disfrutar al aire libre, incluso donde comprar desde un botón hasta un coche. Su presencia generó nuevas actitudes en el barrio, como simplemente mirar los aparadores, ir al cine o quizá prolongar el paseo desde la iglesia hasta aquel nuevo punto que invitaba a recorrerlo a pie, transformando el paseo con una nueva oferta; no obstante, con el agravante de que por su tono elitista los productos, así como los espectáculos o habitaciones que el Ermita ofrecía, no eran para cualquier habitante, es decir, eran continuación de uso del entorno, pero se dirigían a una naciente clase media que había emergido en Tacubaya.

Juan Segura tuvo claro que sus proyectos en Tacubaya eran parte de un nuevo conjunto visual y funcional. Porque, ya que el arquitecto también trabajó para la Fundación Mier y Pesado, una institución fundada en 1917 por su abuela, la viuda Isabel Pesado de Mier quien había sido esposa de don Antonio Mier y Celis. Como ya lo comentamos, en las primeras décadas del siglo xx y en pleno periodo posrevolucionario la figura de la filantropía tomaba una forma de inversión. Sus abuelos, quienes radicaban en Europa, decidieron dar su patrimonio, a fin de "crear una institución que prestara asistencia social", creándose con ello el Instituto Mier y Pesado para señoritas externas y una residencia con capilla que se destinó para la Casa de salud Mier y Pesado. El proyecto

> tenía como objetivo rehabilitar y rescatar la zona de Tacubaya, solucionándolo por medio de la construcción de un conjunto de edificios que sirvieran como pivote del cambio en la zona. [Para esto, Juan Segura] analizó la situación urbana de Tacubaya: sus usos de suelo, infraestructura, equipamiento y vialidades, y así proponer una alternativa de cambio para la zona, la que consideraba como un importante centro urbano de la Ciudad de México (García y Bustamante, 1999: 122-123).

Desde este punto de vista el Edificio Ermita debería ubicarse en un nuevo diálogo con "las tensiones del sitio". Si durante el periodo "afrancesado", visto de manera general, Tacubaya se conformaba, por un lado, por las casas de descanso de las familias aristócratas de la Ciudad de México que llegaban para descansar y alejarse del bullicio urbano, y por el otro por los dueños de tendajones, pequeños talleres, trabajadores domésticos o campesinos que alternaban su jornada con oficios diversos, hacia la década de los treinta, cuando la construcción del edificio inauguró nuevas prácticas de residencia, la conformación poblacional sufrió notables cambios. Una nueva capa de profesionistas, entre ingenieros, médicos, abogados o profesores, así como numerosos burócratas, comenzaron a demandar otro tipo de vivienda alejada del tradicional centro de la capital. Cuando la familia Mier ofreció al arquitecto Segura construir el edificio —y dos conjuntos de casas cerrados en los predios adyacentes—, seguramente estaba consciente de la nueva situación urbana. Que la familia cediera su antiguo portal y casa de campo para construir la Casa de Salud —que más tarde se denominaría Fundación Mier y Pesado— y el Edificio Ermita, desde luego se explica por intereses especulativos, debido al atractivo que podía representar ante el posible retorno de las familias que vivían en el extranjero exiliadas luego de la Revolución, pero también nos habla de la ambigüedad con que aquella sociedad de rasgos claramente tradicionales concibió el paso hacia la franca especulación urbana.

Antes de la ampliación de la Avenida Revolución —pasó de tener ocho a 20 metros de ancho—, y de que varias de las casonas que quedaban frente al Ermita fueran derribadas, el edificio fue símbolo de modernidad no sólo por sus dimensiones inusitadas para la época en que fue construido, sino también porque la oferta de su diseño arquitectónico fue un diálogo desde el momento mismo en que quedó terminado. Sus dimensiones hablaban del nuevo papel que jugaría el barrio de Tacubaya: era una invitación a residir en multifamiliares de clase media, que se afianzó con la construcción del conjunto adyacente: el Isabel, que fue construido posteriormente. Reunir viviendas acomodadas ante una misma entrada, jardín o patio, ofrecía una nueva perspectiva de residencia. Se trataba de complejos habitacionales que se alejaban de la densidad del centro y se convertían en una propuesta novedosa. De modo que el Ermita y luego el Conjunto Isabel, dieron un nuevo sello a los usos habitacionales del antiguo barrio de Tacubaya.

Lo anterior refiere a la diversidad de las facetas que se condensaron en la construcción e intervención del Edificio Ermita. Desde la dimensión del edificio, que aun cuando sobresalía de la elevación alcanzada hasta entonces por cualquier construcción en Tacubaya nunca se apartó de los volúmenes marcados por las colinas del entorno, hasta su estructura o las funciones que cumplió, todo nos sugiere recordar aquella reflexión de que la arquitectura representa la época que la produce pero también, "si es genuina, en el fondo revela algo local: expresa el subconsciente colectivo de cada lugar" (González de León, 1996: 49).

Figura 2

Croquis de localización del Edifico Ermita

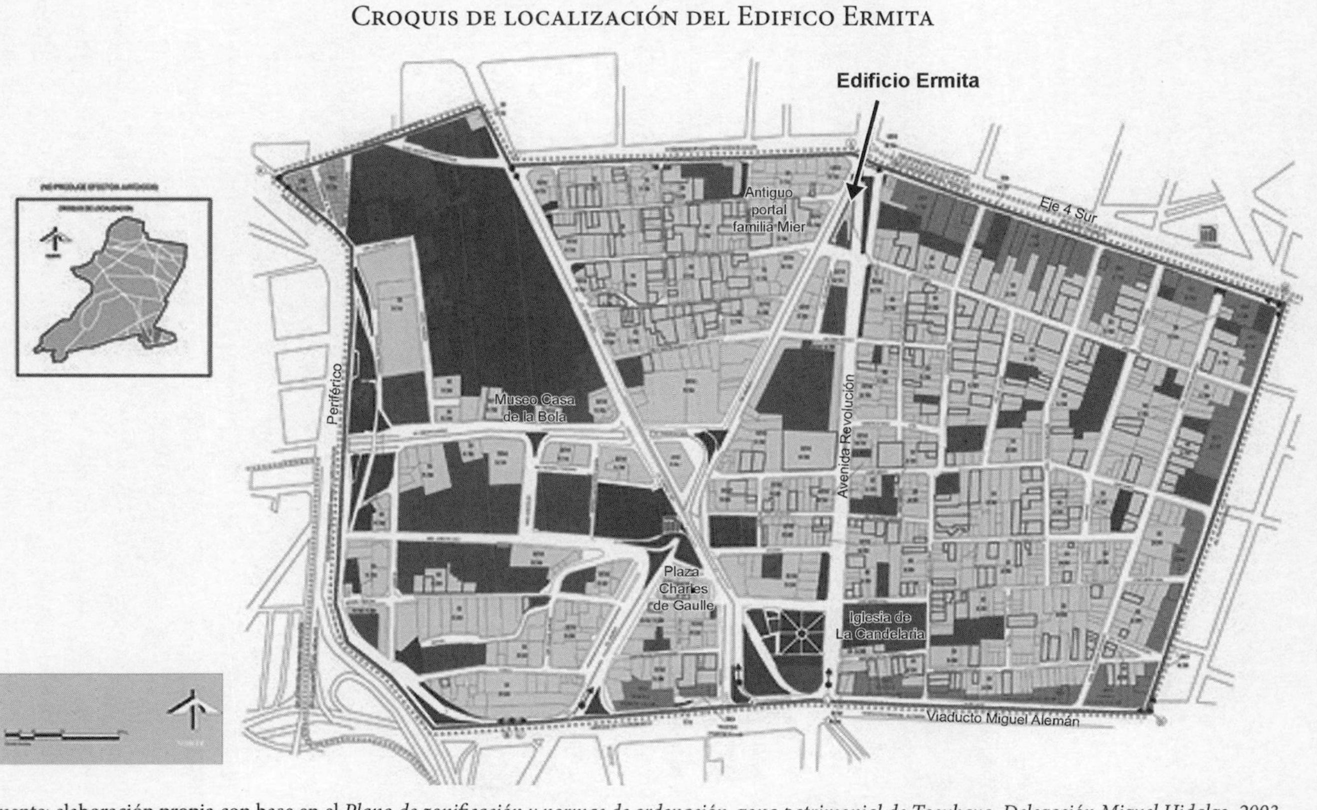

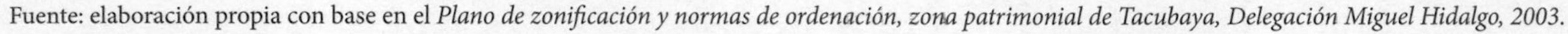
Fuente: elaboración propia con base en el *Plano de zonificación y normas de ordenación, zona patrimonial de Tacubaya, Delegación Miguel Hidalgo, 2003.*

El declive de la Plaza Cartagena comenzó con la destrucción de las arcadas y de las casas que la circundaban, con la construcción de un nuevo mercado en 1957 y con el trazo de tres líneas de metro. Casi 40 años después de haber sido levantado, el Edificio Ermita se vio amenazado cuando se pretendió derrumbarlo so pretexto de aquellas construcciones urbanas y ampliaciones viales, pero los vecinos del barrio se movilizaron para defenderlo.

Fue durante la presidencia de Adolfo Ruiz Cortines y la regencia de Ernesto P. Uruchurtu, que el conjunto fue sustraído a los peatones. La construcción del Periférico, el Viaducto y la Avenida Observatorio fragmentaron un entorno que tomó siglos en construirse. El gran cambio en el paisaje de Tacubaya comenzó con la construcción de esas enormes vialidades. El Anillo Periférico, el Viaducto -Río Piedad y Avenida Observatorio fueron motivo para derribar decenas de casas de los habitantes de la zona y terminar con un paisaje centenario que había estructurado la comunicación de un conjunto de poblados entre Toluca y Tacubaya, tales como Santa Fe, San Pedro Cuajimalpa o Santa Lucía.

Aquellos circuitos, en los que no se tomó en cuenta la calidad de vida o la historia del lugar, destruyeron mucho más que el entorno natural, pues también fragmentaron las sociabilidades del antiguo pueblo de Tacubaya. Desde entonces el Río Tacubaya —que siguió sus vertientes en la ruta del Viaducto Río Piedad, que desemboca en el Río Churubusco al sur, en Pantitlán hacia el oriente y luego corre hasta Xochiaca— fue entubado y hasta la actualidad corre por debajo de la ciudad transportando aguas que en época de lluvias inundan las calles del barrio y sus alrededores, como si las corrientes quisieran retomar sus antiguos cauces.

Desde entonces el barrio de Tacubaya fue dividido por enormes avenidas e intersecado por un trébol que distribuye el denso tráfico hacia el Periférico y el Viaducto, es decir, dos de las principales arterias que recorren la ciudad a lo largo de más de 30 kilómetros. De aquel triángulo peatonal que formaban la entrada a Tacubaya, la Iglesia de la Candelaria, la Alameda y el mercado de Cartagena sólo quedan restos. La Plaza de Cartagena, en donde antes era posible surtirse de todo lo indispensable o que reunía los productos de los vendedores que llegaban con su mercancía desde los poblados circundantes a Toluca, fue segmentada y convertida en paradero de peseros y camiones que mezclan su bullicio sobre costras putrefactas que adornan las deformadas banquetas. Del paseo peatonal que permitía caminar desde la iglesia a la Alameda, sólo queda el recuerdo. Un suspiro de ello se muestra al arqueólogo urbano en el atrio de la Iglesia de La Candelaria: las bancas que descansaban bajo los árboles fueron removidas para convertir este espacio en un enorme almacén destinado al consumo y de la Alameda sólo queda una plancha de asfalto en donde hoy los vendedores ambulantes pelean por las contadas sombras naturales; en fin, el circuito que fue uno de los orgullos del barrio de Tacubaya fue pulverizado: parte de su recuerdo queda plasmado hoy día en la memoria que guarda el Ermita, edificio emblemático de una modernidad que representa 200 años de un espacio vivido y construido por los vecinos.

Bibliografía

Ávila, Jesús Salvador (1993), *Crecimiento y transformación de una unidad periférica: el municipio de Tacubaya, 1880-1920*, tesis de licenciatura en historia, México, Escuela Nacional de Antropología e Historia-Instituto Nacional de Antropología e Historia,

Fernández del Castillo, Antonio (1991), *Tacubaya. Historia, leyendas y personajes*, México, Porrúa (Biblioteca Porrúa 103).

García, Araceli y Ma. Martha Bustamante (1999), *Tacubaya en la memoria*, México, uia-Fundación Cultural Antonio Haghenbeck-Consejo de la Crónica-Gobierno de la Ciudad de México.

Gaytán, Graciela (1997), *Tacubaya 1833: el año horriblemente memorable del cólera morbo*, tesis de licenciatura en Historia, México, Escuela Nacional de Estudios Profesionales Acatlán, unam.

Gómez, Lilia *et al.* (1981), *Testimonios vivos: veinte arquitectos, 1781-1981, bicentenario de la Escuela de Pintura, Escultura y Arquitectura*, cuadernos de arquitectura y conservación del patrimonio artístico, México, Secretaría de Educación Pública-Instituto Nacional de Bellas Artes (Serie documentos núm. 15-16).

González de León, Teodoro (1996), *Intervenciones*, México, El Colegio Nacional.

León, Adriana (1983), "Juan Segura", *Revista Traza*, núm. 2, México, 1983.

Lepetit, Bernard (1996), "El tiempo de las ciudades", en Bernard Lepetit, *Las ciudades en la Francia moderna*, México, Instituto Mora.

Miranda, Sergio (2008), *Tacubaya. De suburbio veraniego a ciudad*, México, Instituto de Investigaciones Históricas, unam.

Plano de zonificación y normas de ordenación, zona patrimonial de Tacubaya, Delegación Miguel Hidalgo, 2003.

Toca Antonio (1979), "Juan Segura: un precursor olvidado", *Arquitectura y sociedad. Revista de la Sociedad de Arquitectos Mexicanos*, núm. 2.

_____ (1998), "Juan Segura. Los orígenes de la arquitectura moderna en México", en Edward R. Burian (ed.), *Modernidad y arquitectura en México*, Barcelona, Gustavo Gili, pp. 165-178.

Pérez-Gómez, Alberto (1998), "México, modernidad y arquitectura. Entrevista [de Edward R. Burian] con Alberto Pérez-Gómez", en Edward R. Burian (ed.), *Modernidad y arquitectura en México*, Barcelona, Editorial Gustavo Gili.

Pinoncelly, Salvador (1965), "Juan Segura, precursor", *Diorama,* suplemento cultural de *Excélsior*, 21 de noviembre 1965.

Villagrán, José (1963), "Panorama de la arquitectura mexicana contemporánea", en J. Villagrán, *Panorama de 62 años de arquitectura mexicana contemporánea (1900-1962),* México, INBA (Cuadernos de Arquitectura núm. 10).

Las Lomas de Chapultepec, análisis de su trazo urbano a partir de fuentes cartográficas

*Manuel Ángel Sánchez de Carmona**

* Profesor-investigador de la UAM Azcapotzalco, Ciencias y Artes para el Diseño (CYAD). Contacto: manuelsdecarmona@yahoo.com.mx

Las Lomas de Chapultepec forma parte del proceso de expansión de la ciudad iniciado a mediados del siglo XIX cuando la Ley de Desamortización favoreció a las primeras colonias, como fue el caso de la Guerrero, la Santa María de la Rivera y la San Rafael, entre otras, continuando una marcha acelerada durante el Porfiriato (Morales, 1978). El movimiento armado de la Revolución disminuyó este proceso, el cual tomó un nuevo impulso a partir de 1917, cuando los dueños de ranchos y haciendas vieron amenazadas sus propiedades por los mecanismos de expropiación. A este grupo pertenecen las Lomas de Chapultepec que junto a las colonias Ampliación Condesa, J. G. de la Lama, Reforma, Anzures y Lebrija se clasificaban como residenciales (Cruz, 1994).

Las Lomas mantiene hoy en día su trazo excepcional que, aunado a la vegetación que ha logrado consolidar por casi 100 años, lo hacen un tema de estudio por demás interesante que, debido a la poca información documental sobre su diseño, se torna muy atractivo para inferir del acervo cartográfico procesos y elementos de su diseño, algunos de ellos ya desaparecidos.

Este singular fraccionamiento inició su desarrollo el 28 de septiembre de 1921, fecha de constitución de la sociedad anónima "Chapultepec Heights Company" cuyo objeto era fraccionar terrenos. En octubre de 1921 la compañía le compró al señor Alberto Cuevas 2 210 940 m^2 de las tierras llamadas Pila Vieja, Barrilaco y Nopalera, correspondientes a la quinta sección de la Hacienda de los Morales, que ahora corresponden a la colonias Lomas de Chapultepec y Polanco hasta la calle de Presidente Mazarik, llamado en aquel tiempo Camino de Piedra. La compañía compró, en octubre del mismo año, otra porción de 6 670 000 m^2 que correspondía a la sección cuarta conocida como Rancho de Huizachal. Esta porción abarcaba desde la barranca de Tecamachalco hasta el Río San Joaquín y la actual calle de Cervantes Saavedra. Por el poniente colindaba con tierras de Jesús del Monte, más o menos los límites actuales de Huixquilucan y Naucalpan. Años después compraron las secciones 1, 2 y 3, limitadas las dos primeras por la Calzada de la Verónica, hoy Circuito Interior, Río San Joaquín al sur y Marina Nacional al norte. La tercera sección se extendía de Mazarik a Cervantes Saavedra y del Circuito Interior al casco de la Hacienda, hoy Ferrocarril de Cuernavaca (Collado, 2003) (plano 1).

Chapultepec Heights se extendió al poniente sobre el Rancho del Castillo y Lomas de Santa Ana (Lombardo, 1997), tierras que años después le disputaban los herederos del señor Benfield como parte de la Hacienda Molino del Rey (Mancebo, 1960). También reclamaban las tierras entre la actual calle de Prado Sur y la barranca de Dolores, 2ª Sección del Bosque.

El trazo de la colonia fue una verdadera novedad en la Ciudad de México. Era la primera vez en la ciudad que se abandonaba la traza en retícula uti-

Plano 1
Propiedades de la Hacienda de Los Morales

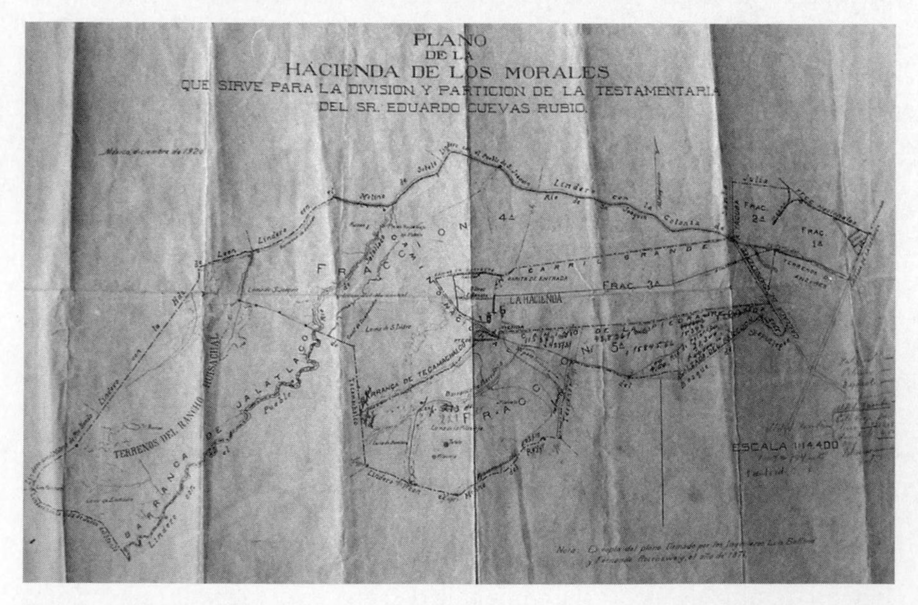

Fuente: Lombardo, 1997: 295.

lizada desde la época de la Colonia. Además se significó por ubicarse lejos de la mancha urbana, circunstancia que perduró, al menos parcialmente, hasta finales de los años treinta con la urbanización de Polanco y Anzures. Al poniente, a finales de los años cuarenta, aparecen algunos fraccionamientos y a mediados de los sesenta se une a Tecamachalco y a Bosques de las Lomas al inicio de los años setenta.

Hoy en día la colonia conserva su trazo general, caracterizado por calles con suaves líneas onduladas y por el denso arbolado tanto en las banquetas como al interior de los lotes, y ofrece un paisaje urbano de gran calidad formal y ambiental (plano 2).

El arquitecto José Luis Cuevas Pietrasanta fue al autor del proyecto, ahora considerado de valor patrimonial como lo señala el Programa de Desarrollo Urbano de 1997. El arquitecto Cuevas fue pionero del urbanismo en México. A su regreso de su viaje a Europa, al comienzo de la segunda déca-

Plano 2
Plan parcial de desarrollo urbano, Lomas de Chapultepec, 1997

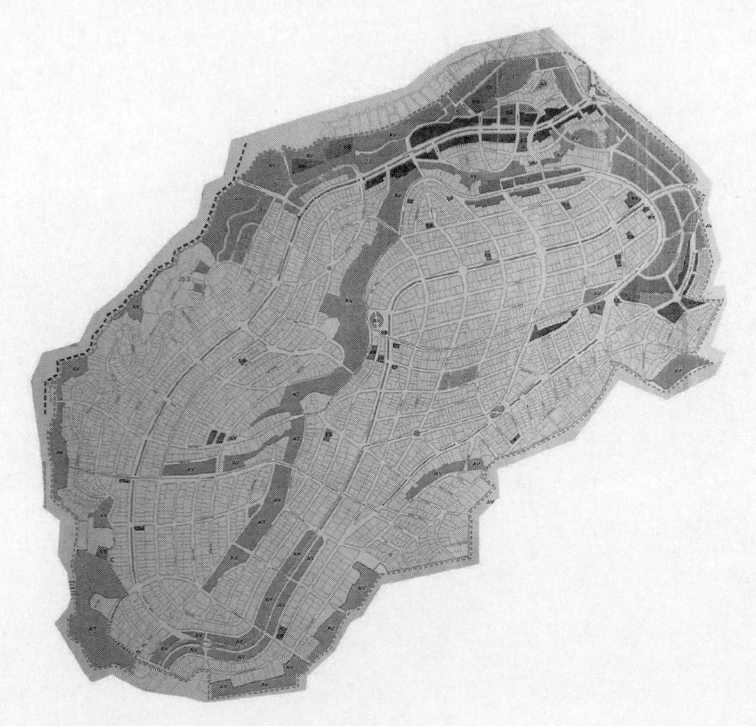

Fuente: *Programa de Desarrollo Urbano*, 1997.

da del siglo XX, se volvió un promotor de las ideas en boga principalmente en Inglaterra, Alemania y Bélgica (Ríos, 2004); fundó la primera cátedra de Urbanismo en la UNAM, así como la Sociedad de Arquitectos, y difundió en congresos y conferencias las ideas de Ebenezer Howard (1850-1928) sobre la ciudad jardín. Quizá debido a estos antecedentes, aunados al eslógan publicitario del boletín de la colonia y la referencia a ella en revistas como *Planeación,* publicada por el arquitecto Contreras, se popularizó la idea de considerarla como la "primera Ciudad Jardín de México" (Collado, 2003 y Ríos, 2008). Sin embargo, el proyecto de Cuevas para las Lomas poco tiene que ver con las ideas de Howard (plano 3).

Howard proponía integrar una cooperativa propietaria de la tierra, administrada autónomamente, lugar de residencia de obreros y campesinos que tuvieran su lugar de empleo cercano a sus viviendas. Ciertamente en su esquema, que publicó para ilustrar sus ideas, y que claramente señala que

PLANO 3
CIUDAD JARDÍN HOWARD

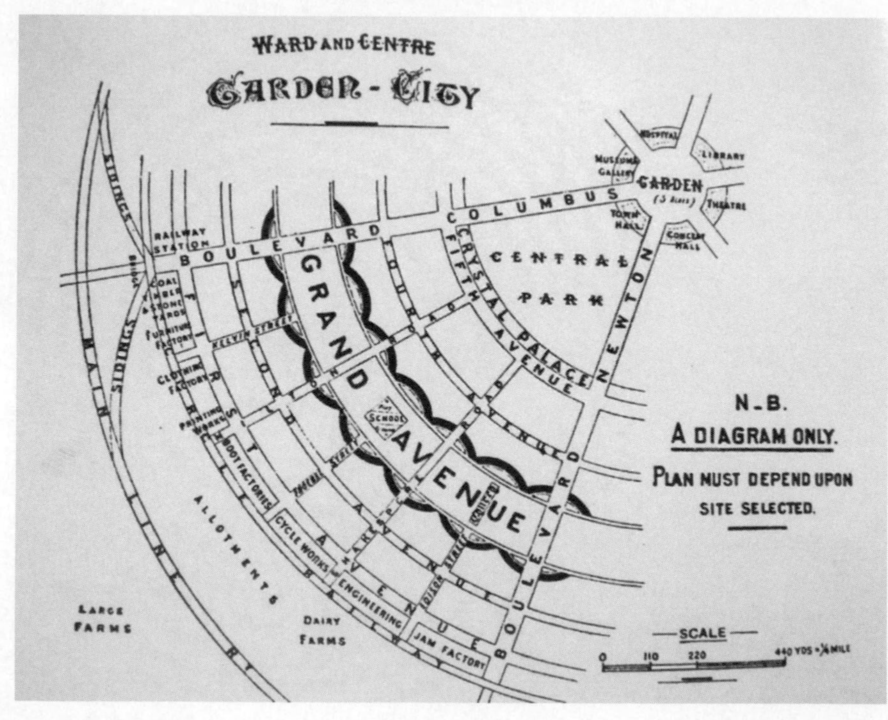

Fuente: Reps, 1965.

"sólo es un esquema", plantea un núcleo de equipamiento concéntricamente rodeado primero por un jardín central, todo circundado a su vez por cuatro manzanas de vivienda, y al centro una gran avenida-parque. Las viviendas eran pequeñas construcciones adosadas, de 7 m de frente, cada una con sendos jardines delantero y trasero. La zona de viviendas estaba rodeada por el área industrial que a su vez estaba cercada por un cinturón verde de granjas que a su vez limitaba el tamaño de la ciudad. Si a algo se oponía Howard era a los suburbios residenciales dependientes de la gran ciudad.

Los primeros arquitectos que escogió Howard para la primera ciudad jardín fueron Unwin y Parker, autores de la ciudad de Letchworth a 45 millas de Londres (plano 4).

Unwin era un ingeniero preocupado por el trazo de avenidas con amplias banquetas arboladas y construcciones no alineadas y separadas de la calle. Su preocupación era el trazo de los barrios, más que las ciudades coopera-

Plano 4
Letchworth

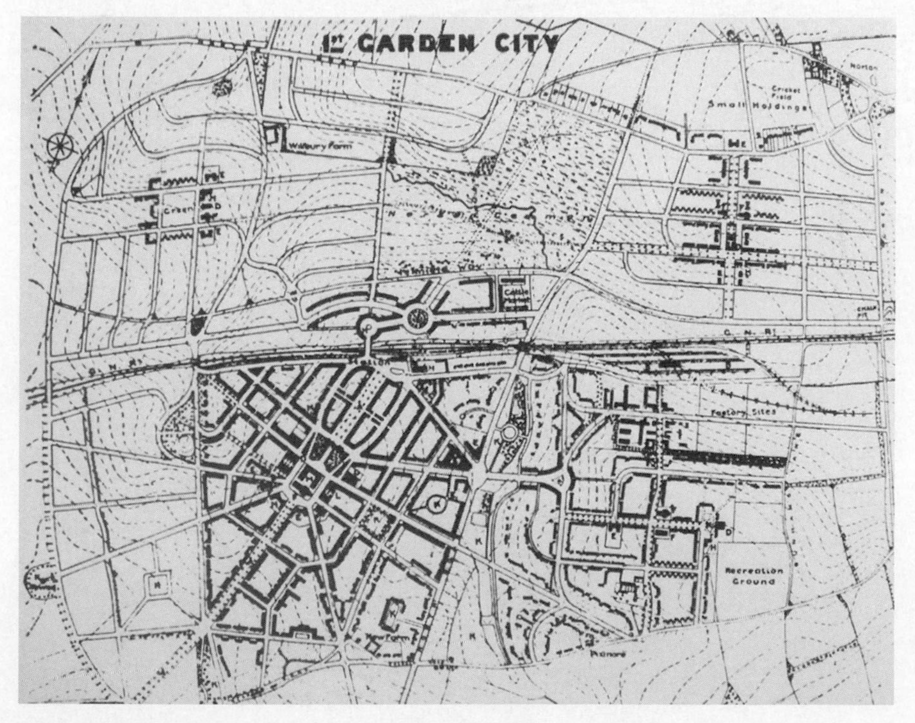

Fuente: Reps, 1965.

tivas. Después de Letchworth diseñó Hampstead a la cual llamó Suburbio Jardinado (Hall, 1996). Howard encargó al arquitecto Louis Soissons la segunda ciudad jardín, Welwyn, planteada ésta sí como cooperativa y en donde Howard vivió y murió.

Existe otro gran referente del que Cuevas no hace especial mención: Olmsted, famoso jardinero desde mediados del siglo XIX por haber ganado el concurso y haber construido Central Park en Nueva York. La fama adquirida le permitió dedicarse a grandes conjuntos residenciales siendo el primero Riverside, en 1869, en las afueras de Chicago (plano 5). ,Para las Lomas de Chapultepec, Cuevas propuso calles onduladas, amplios lotes que permi-

PLANO 5
RIVERSIDE III 1869

Fuente: Kostof, 1991: 74.

tían casas aisladas, avenidas y banquetas anchas, parques y cañadas; ajardinó profusamente logrando un ambiente campestre. Durante la segunda mitad del siglo xix construyó un sinnúmero de conjuntos residenciales, tradición que continuaron sus hijos haciendo notables enclaves como Palos Verdes en los Ángeles (Reps, 1965 y Fogelson, 1967).

Cuevas fue también autor de la colonia Hipódromo Condesa que proyectó casi al mismo tiempo que las Lomas. En su argumentación para fundamentar su diseño señalaba la conveniencia de formas curvas y radiales, y un gran parque central, condición del gobierno para urbanizar el antiguo Hipódromo propiedad del Jockey Club. Argumentaba que la posición central del parque era la mejor para lograr la plusvalía de los lotes de la colonia También hacía referencia a este nuevo trazo como alternativa al "aburrido trazo en retícula":

> Estéticamente hablando, la colocación, forma y dimensiones de la plaza y parque, además de ofrecer una solución de equilibrio, presenta a mi ver, la ventaja de ayudar a resolver las intersecciones provenientes de las direcciones, casi encontradas, de las calles circunvecinas, y sobre todo contribuyen que con el trazo que a las calles se ha dado, con las plazoletas y quiebres interpuestos, a imprimir al plano toda una fisonomía personalísima, porque rompe de cuajo con el desprestigiado sistema del emparrillado que es el único que desgraciadamente ha privado hasta hoy en la Capital y en casi todas las ciudades de la república (Ríos, 1922-1923).

En la Ciudad de México los trazos no reticulares son muy escasos. Algunos ejemplos son: la colonia Federal en forma de telaraña limitada por un cuadrado, proyecto de los años veinte. Fue éste un modelo planteado a mediados del siglo xix en varias ciudades de los Estados Unidos, por ejemplo Kansas; la colonia Campestre Churubusco, con calles paralelas onduladas, proyecto de los años cincuenta; el Pedregal de San Ángel, proyecto de 1949 de grandes manzanas muy alargadas, compuestas de calles paralelas con ligeras ondulaciones, las cuales siguen las difíciles condiciones del terreno. En 1958 se proyectó Ciudad Satélite, usando el concepto de supermanzana y el sistema Herrey para vialidades continuas. Este último fue proyecto del Taller de Urbanismo del arquitecto Pani donde colaboraba el arquitecto Cuevas.

Proceso de configuración del trazo, 1921-1925

Se cuenta con diversos planos que nos conducen a suponer el proceso de diseño del arquitecto Cuevas para las Lomas de Chapultepec. Según la documentación encontrada al respecto más que seguir un modelo preconcebido, fue desarrollando un trazo de acuerdo con los accidentes del terreno. Cuevas dibujó un primer plano promocional, fechado el 12 de noviembre de 1921, que incluye un texto para dar a conocer la colonia (plano 6).

> La compañía posee 8 820 000 m² de la antigua Hacienda de los Morales. Toda la superficie aludida se ha dedicado exclusivamente para urbanización. Dista de diez a quince minutos del Centro de la Ciudad.
>
> Las Lomas de Bella Vista y Las Palmas que colindan con los terrenos del Bosque de Chapultepec son los primeros que ofrece la compañía al público. Ésta es la sección más hermosa de la capital.
>
> Las demás fracciones de la propiedad desde su intersección con la Calzada de Chapultepec a Tacuba serán desarrolladas en turno. Hoy es posible comprar lotes a una fracción del valor que tendrán dentro de pocos años. La compañía está haciendo mejoras para una Colonia residencial de la clase más alta. Ésta es la oportunidad de asegurar una ganancia grande mediante una inversión muy seria. No hay cosa más segura que "Bienes Raíces en la Capital" (MMOB, 1921).

Plano 6

Detalle del plano del arquitecto Cuevas (noviembre de 1921)

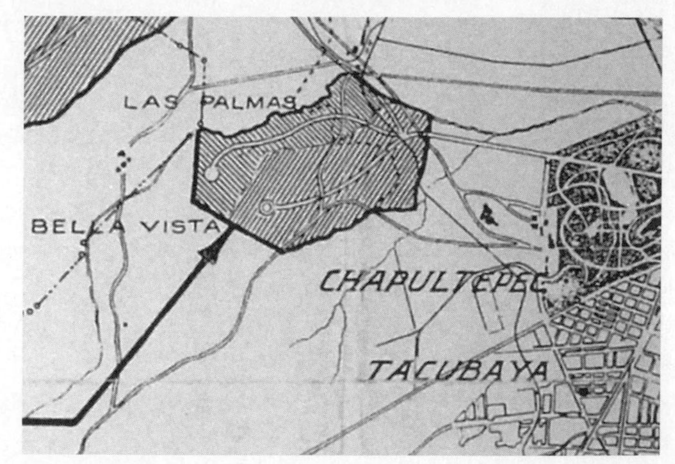

Fuente: Mapoteca Manuel Orozco y Berra.

En el plano 6 se observa que Cuevas propone dos calles que se desprenden de la entrada a la colonia, ubicada al final de la prolongación de la Calzada de la Exposición, hoy Reforma, que suben por los lomos de dos colinas llamadas Bella Vista y Palmas, divididas por la Barranca de Barrilaco para terminar ambas de manera independiente en una rotonda. Como se observa todavía no existía ni de lejos una idea de cómo sería la colonia.

En diciembre de 1921 se publica otro promocional, firmado también por el arquitecto Cuevas, anunciando la venta de los primeros lotes. El documento consta de dos partes. En la parte superior se muestra un esquema de la colonia y en la inferior la lotificación de la primera sección (plano 7, en la pag. siguiente).

En la parte superior de este documento se observa un trazo preliminar del conjunto, mismo que varió al año siguiente. Se planteaba crear un conjunto de calles dentro de un óvalo, con una calle central, ocupando sólo el tramo entre la Barranca de Barrilaco y la Barranca de Dolores. Muestra una primera idea consistente en un trazo orgánico diferente del damero tradicional. La zona de Palmas se deja libre.

En la parte inferior del documento se muestran la forma y la dimensión de los lotes en venta. El trazo está limitado al oriente por el bosque y al poniente por las calles actuales de Prado Norte y Prado Sur, y al centro sólo la calle de Montes Urales. De la entrada partía la Avenida del Castillo, hoy Periférico, que dividió una sección, la cual ahora pertenece a Polanco y es la única modificación al trazo de la colonia.

Intriga que haya salido a la venta esta primera sección apenas un mes después de la primera promoción donde no había proyecto del conjunto, pues el esquema de la parte superior cambiaría en menos de un año a su forma definitiva, según muestran los planos de avance de venta de lotes en enero de 1923 y 1924, publicados en el boletín de la colonia (Blair y Heilman, 1925).

En el documento que se muestra es difícil identificar que las calles de Prado Norte y Prado Sur es curvan por la existencia de un acueducto que cruzaba la colonia. Se trataba de un canal a cielo abierto que llevaba agua desde el río Hondo, regaba las huertas de la Hacienda de los Morales y surtía al Molino del Rey: pertenecía a la hacienda del mismo nombre cuyos terrenos rodeaban los de los Morales por el sur y el poniente (plano 8).

Este canal que, de hecho, era un obstáculo para extender la urbanización hacia el poniente, fue el límite de la primera sección y el tema del trazo definitivo del resto de la colonia. Generalmente se atribuye como origen de

PLANO 7
COLONIA CHAPULTEPEC (DICIEMBRE DE 1921)

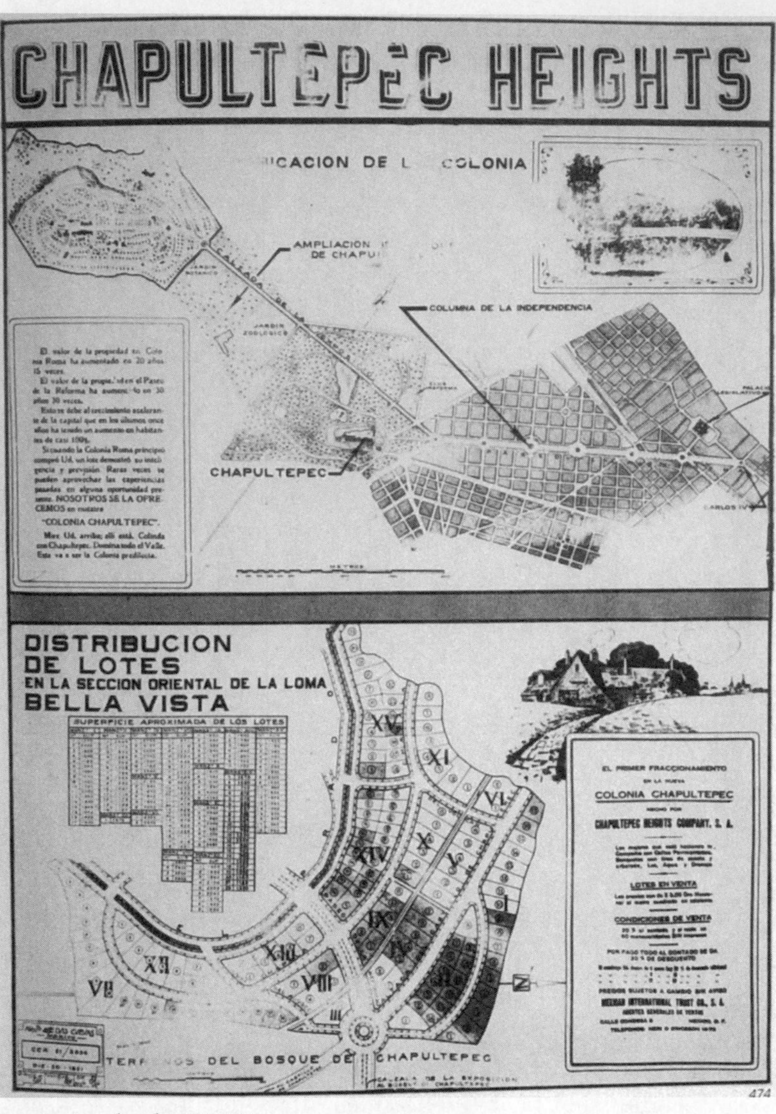

Fuente: Lombardo, 1997: 399.

Plano 8
Detalle del plano Acueducto de Río Hondo

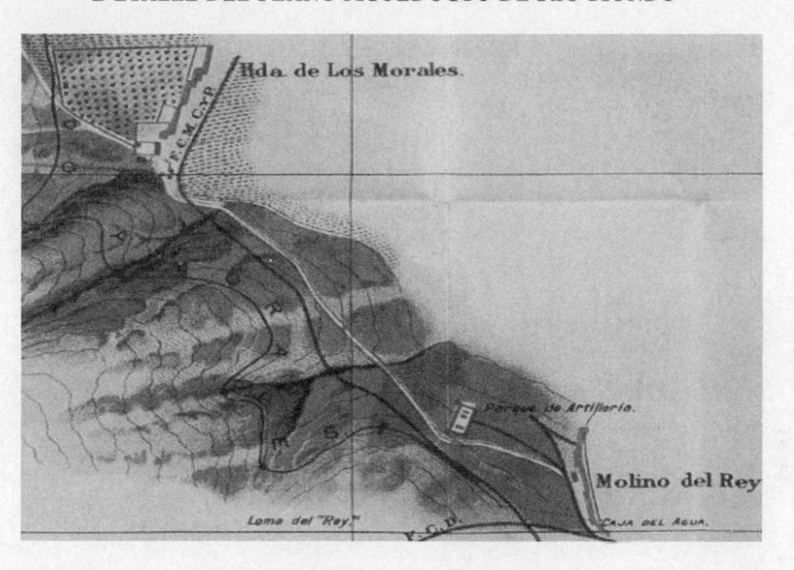

Nota: La colonia se ubica en la loma al centro de la distancia entre el letrero de Hacienda de Los Morales y Molino del Rey. Fuente: Lombardo, 1997: 111.

la forma de las calles transversales de la colonia las curvas de nivel que facilitaron su uso y construcción, lo cual tiene indudablemente sentido, pero no se le había dado peso al argumento del acueducto que —no podía ser de otra forma— seguía curvas de nivel. El acueducto entraba por la actual Monte Altai, torcía a la derecha en Prado Norte, cruzaba el Paseo de la Reforma. De lo anterior consta en el Archivo Histórico de la Ciudad de México un plano del sifón que permitía el paso superior de la avenida. Por Prado Sur llegaba hasta el inicio de Virreyes y de ahí se dirigía al oriente para llegar Dolores y al Molino del Rey.

Un plano que se encuentra en la Mapoteca Orozco y Berra, aproximadamente de 1925, muestra ya un proyecto más elaborado para toda la colonia (plano 9).

El plano de 1925 es el primero de la colonia que plantea el trazo más allá del Parque Loma Linda. Muestra la intención de contener el fraccionamiento con un circuito perimetral cuyo acceso se halla en un solo punto, el remate del Paseo de la Reforma. Este mismo trazo se incorpora al plano de la Ciudad de México y alrededores hecho por la Secretaría de Comunicaciones y Obras Publicas, fechado en 1927.

Plano 9
Plano de la colonia (*ca.* 1925)

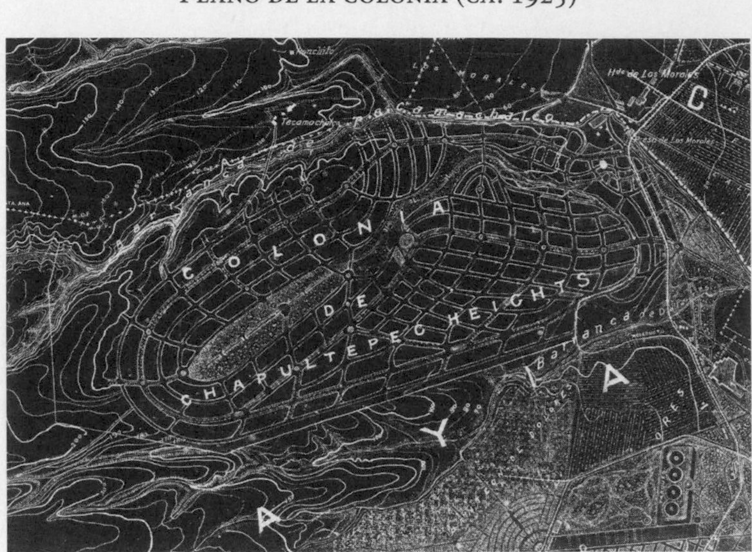

Fuente: Mapoteca Manuel Orozco y Berra.

Equipamiento

En las Lomas los comercios se ubicaban en pequeñas manzanas de uso exclusivamente comercial. A diferencia de otras colonias, desde el inicio aquí se ofrecía equipamiento social y deportivo. En 1923 ya se había construido el Salón La Swastica donde se llevaban a cabo eventos sociales; ahora este predio lo ocupa el restaurante Loma Linda. A un lado se ubicó la escuela primaria pública "Miguel Hidalgo" que todavía existe. De los años iniciales data la Casa de Salud del Periodista, reportada por el boletín, construida en enero de 1925, ahora Hospital de Perinatología. En los primeros años se construyeron dos instalaciones deportivas; el Chapultepec Heights Country Club, a un lado del actual Campo Militar número 1, "a 25 minutos del centro de la ciudad", según el boletín de mayo-junio de 1923, y el Polo Club de México en terrenos que hoy ocupa el Conservatorio Nacional de Música, entre Mazarik y Periférico.

La escuela pública y el salón de fiestas se construyeron en 1923 sobre el Paseo de la Reforma, tema que hasta ahora parece no llamar la atención.

En el plano publicado en la *Revista Planificación* de 1928 se reporta el avance de las obras de la colonia y se observa que todas las manzanas muestran su lotificación, menos la limitada por el Paseo de la Reforma, Monte Líbano, Alpes y la lateral del Parque Loma Linda. Aunque el plano no tiene mayor detalle se observa un trazo de andadores, parques, equipamiento y una plaza a la cual desembocaría una calle que venía de Palmas y que ahora es Aconcagua. Todo hace suponer que se pensó integrar ahí un Centro Cívico que, a su vez, integraría la sección de Palmas dividida por la Barranca de Barrilaco (plano 10).

El proyecto se abandonó por la diferencia de niveles entre el Paseo de la Reforma y Palmas que exigía un puente de gran altura. Poco tiempo después se construyó un puente bajo que servía de dique para contener los escurri-

Plano 10
Detalle manzana "Centro Cívico" (1928)

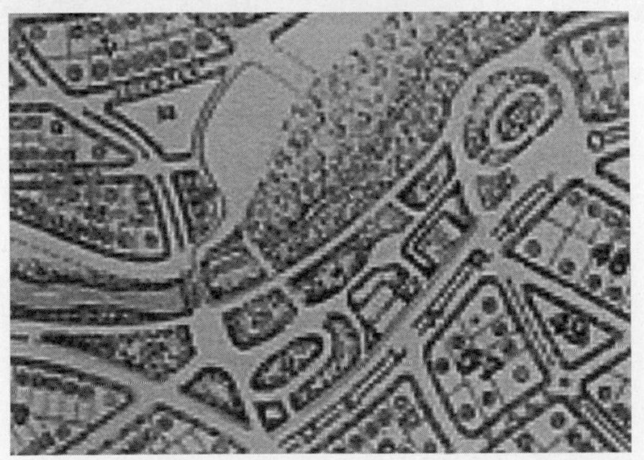

Fuente: Ríos, 2008.

mientos de la barranca, formando un pequeño lago que le dio nombre a esa sección de Palmas. Antes de 1929 ya se había prolongado la calle de Cáucaso, partiendo el área del centro en dos. La parte correspondiente al Paseo de la Reforma se lotificó para residencias con dos frentes, quedando la escuela y el salón intercalados. La parte contigua a la barranca se mantuvo como área verde, entre otras razones por su declive pronunciado. En 1945 se dio paso al proyecto "Gran Manzana Comercial de Lujo" permitiendo el uso comercial y hasta seis pisos de altura. Esta zona no tuvo comercio pero sí se construyeron edificios de departamentos (plano 11).

PLANO 11
ESQUEMA DE ÁREAS VERDES Y COMERCIALES DE LA COLONIA
LOMAS DE CHAPULTEPEC

Fuente: Elaboración de Manuel Sánchez de Carmona.

ESTRUCTURA HIPOTÉTICA DE LA COLONIA

Sobre el plano de 1925 (véase el plano 11) se ha graficado una hipótesis de la estructura en el proyecto inicial de la colonia. Sus elementos principales serían un gran circuito perimetral —idea que desde el principio se buscaba— formado por la avenida Del Castillo, Paseo de Las Palmas y Virreyes. Palmas se encontraba con Virreyes y Reforma, en una glorieta a la altura de Monte Auvernia, una avenida central que era el Paseo de la Reforma, que tenía a la mitad el Centro Cívico y equipamiento el integrado al parque Loma Linda y a la Barranca Barrilaco, conceptualizada como un área verde que se reforestaría y se acondicionaría como parque para paseos y *picnics* como promovía el boletín de la colonia.

Urbanización pendiente

En la segunda mitad de los años cuarenta se concluyó la urbanización de la colonia, pues la parte alta de Reforma y prácticamente toda el área de Palmas se habían quedado sin terminar. Destacan dos hechos importantes, el primero fue la creación de Parque Vía Reforma creando un parque lineal de más de un kilómetro acompañando al Paseo de la Reforma en su último tramo.

Este gran parque no aparece en ningún plano anterior y se desconoce si el arquitecto Cuevas tuvo participación en ello. Por esos años el arquitecto se ocupaba en el mantenimiento de escuelas y en la fundación del Comité Administrador del Programa Federal de Construcción de Escuelas (CAPFCE). Este tipo de avenidas tiene como antecedente los *parkways* que ideó Olmsted desde principios del siglo XX y que después, en sus estudios de 1933 para la ciudad, fueron propuestos por Contreras.

Hay que destacar que, si bien el trazo final varía del mostrado en 1925 (plano 9), el plano mantiene el concepto general conservando gran unidad en su trazo definitivo de los años cincuenta, 30 años después de haber iniciado su construcción.

Conclusión

Las Lomas de Chapultepec fue un proyecto verdaderamente innovador en la ciudad, que aún conserva sus valores formales y ambientales.

Se desarrolló en dos periodos: de 1922 a 1945 y luego de 1945 a los años sesenta, con una serie de modificaciones que no alteraron lo sustancial del proyecto. Probablemente perdió un centro cívico y la tranquilidad de ser un suburbio separado de la ciudad al conectarse primero en 1964 con Tecamachalco; después, en los setenta, con Bosques de Las Lomas y en los ochenta con la carretera de cuota a Toluca y, por tanto, a Santa Fe.

Se destaca la habilidad proyectual del arquitecto José Luis Cuevas Pietrasanta, ejemplificada en el trazo de secciones de calles y banquetas amplias y la normatividad de separar las casas del alineamiento y de sus colindantes, circunstancia que permitió sembrar árboles frondosos en las Lomas cuyo terreno estaba, en su inicio, deforestado; incluso había zonas erosionadas (Puig, 1929).

Es también importante destacar la gran visión empresarial de los iniciadores de la Chapultepec Heights, al adquirir gran cantidad de tierras, e ir desarrollando por secciones para capitalizar plusvalías. Este concepto y su promoción están fuertemente vinculados a los conjuntos residenciales de los suburbios estadounidenses, al construirse desde el inicio salones sociales, escuelas y grandes clubs deportivos.

La colonia ahora está en un proceso de transformación con importantes cambios en el uso de suelo, la mayoría de los cuales no están autorizados en los programas de desarrollo urbano. La vialidad se torna cada día más crítica y no existe un plan integral para atender la zona poniente de la ciudad. A pesar de los inconvenientes las Lomas continúan teniendo los valores de suelo más altos de la ciudad, lo que también precipita su transformación, máxime al estar ubicado al centro del eje inmobiliario más importante de la ciudad.

SIGLAS

CAPFCE Comité Administrador del Programa Federal de Construcción de Escuelas

FUENTES CONSULTADAS

Cartografía

MMOB Mapoteca Manuel Orozco y Berra

Libros y artículos

Blair, Albert E. y Paul Heilman (eds), (1923), *Boletín de Lomas de Chapultepec,* revista mensual, vol. II núm. 11 y 12, diciembre.

_____ (1925), *Boletín de Lomas de Chapultepec*, revista mensual , vol. III núm. 15, enero.

_____ (1921), "Descripción de la colonia Lomas de Chapultepec por el arquitecto José Luis Cuevas, 12 de noviembre.

Collado, María del Carmen (2003), "Chapultepec Heights: un negocio urbano en la Ciudad de México posrevolucionaria", *Boletín Oficial del Instituto Nacional de Antropología e Historia*, núm. 72, octubre-diciembre, pp. 42-51.

Cruz, María Soledad (1994), *Crecimiento urbano y procesos sociales en el Distrito Federal (1920-1928)*, México, UAM Azcapotzalco.

Fogelson, Robert M. (1967), *The Fragmented Metropolis: Los Angeles, 1850-1930*, Berkeley y Los Angeles, University of California Press.

Hall, Peter (1996), *Ciudades del mañana, historia del urbanismo en el siglo* XX, Barcelona, Ediciones del Serbal.

Kostof, Spiro (1991), *The City Shaped*, Londres, Bulfinch Press.

Lombardo, Sonia (1997), *Atlas histórico de la Ciudad de México*, México, Smurfit.

Mancebo, José (1960), *Las Lomas de Chapultepec. El rancho de Coscoacoaco y el Molino del Rey Manuel*, México, Porrúa.

Morales, María Dolores (1978), "La expansión de la Ciudad de México en el siglo XIX: el caso de los fraccionamientos", en Alejandra Moreno Toscano (coord.), *Ciudad de México. Ensayo de construcción de una historia*, seminario de historia urbana, México, INAH.

Puig, José Manuel (1929)[1992], *Atlas geográfico del Distrito Federal*, México, Centro de Estudios de Historia de México/Condumex.

Reps, John W. (1965), *The Making of Urban America A History of City Planning in the United States* , Princeton New Jersey, Princeton University Press.

Ríos Garza, Carlos (2004), *Anuario, 1922-1923*, México, Sociedad de Arquitectos Mexicanos-Facultad de Arquitectura/UNAM, documento en CD-ROM (Raíces digital, 1).

_____ (2008), *Revista Planificación 1927-1936*, México, Sociedad de Arquitectos Mexicanos-Facultad de Arquitectura/UNAM, documento en CD-ROM.

Identidad y mayordomía en dos barrios de la ciudad de Oaxaca

*Olga J. Montes García**
*Néstor Montes García***
*Carlos Sorroza Polo****

* Profesora-investigadora titular. Instituto de Investigaciones Sociológicas de la Universidad Autónoma "Benito Juárez" de Oaxaca. Contacto: olgamontes_2000@yahoo.com

** Profesor-investigador. Instituto de Investigaciones en Humanidades. Universidad Autónoma "Benito Juárez" de Oaxaca. Contacto: nemoga50@yahoo.com

*** Profesor-investigador. Instituto de Investigaciones Sociológicas de la Universidad Autónoma "Benito Juárez" de Oaxaca. Contacto: sorrozac@hotmail.com

Con cariño para Belén Montes C.

Introducción

Cuando se recorre la ciudad de Oaxaca es notoria la diferencia entre el centro novohispano y dos barrios: Xochimilco y Jalatlaco. El primero está ubicado en la parte norte de la ciudad y en su centro se ubican la iglesia católica dedicada a santo Tomás, un parque y el cementerio. Se supone que a un lado del templo se encontraba el Palacio Municipal. Hoy en día en ese lugar se encuentra un jardín de niños. Este barrio está separado de la ciudad por la carretera panamericana. Jalatlaco, por su parte, se ubica al oriente de lo que fue la ciudad de Antequera. Igual que en Xochimilco, al centro se halla la iglesia dedicada a san Matías.

Durante la Colonia ambos barrios fueron pueblos de indios. Con la independencia de México se convirtieron en municipios habitados por indios nahuas para el caso de Xochimilco, y por una diversidad étnica en el caso de Jalatlaco. A principios del siglo xx y ante el crecimiento de la ciudad ambos perdieron su independencia política y ahora dependen del ayuntamiento de Oaxaca de Juárez. El crecimiento urbano los absorbió, convirtiéndose en un barrio más de la ciudad, sin que los habitantes supieran cuáles eran sus límites. A esta situación se sumó la llegada de nuevos habitantes quienes, buscando la tranquilidad que el centro perdía, o tal vez porque allí las rentas o el precio de las casas eran más bajos eligieron estos barrios para vivir.

La integración de estos pueblos a la ciudad condujo a otros procesos: la llegada de nuevos habitantes, la desaparición del sistema de cargos para el gobierno civil, la desaparición de las tierras dedicadas a la agricultura que cedieron su lugar al concreto, la casi extinción de los oficios y, en un caso, a la pérdida temporal de las fiestas vinculadas a las actividades agrícolas y artesanales. Lo anterior puede interpretarse como el triunfo de la urbanización sobre los pueblos originarios y la extinción de su cultura. No obstante, en uno de los barrios se ha mantenido el sistema de cargos religiosos. En otro se ha iniciado la recuperación del ciclo festivo. En este artículo abordamos la identidad y la cultura de dos barrios que fueron pueblos de indios, pero no como si se tratara de una continuidad directa e ininterrumpida de su pasado hasta nuestros días, sino como un proceso creativo de reelaboración cultural que se sustenta en su pasado indio, en su pasado de pueblo originario y en las condiciones de cada momento de su historia. Enfatizamos el papel de la homogeneidad étnica en los procesos identitarios y en la persistencia del sistema de cargos como la institución que aglutina a una comunidad. Tal es el caso del actual barrio de Xochimilco.

El tema de los barrios indios en Oaxaca es importante porque muestra la riqueza cultural de México y su innegable característica como ciudad multicultural en donde lo indio, que se pensaba desaparecido, ha emergido para exigir su reconocimiento como parte de la nación, no como un resabio del pasado o como objeto de museo, sino con vida propia no ajena a las condiciones tecnológicas y económicas en que se vive, pero sí como un proyecto cultural que es viable en la medida en que ha logrado sobrevivir.

Dos formas de mantener la identidad étnica. Xochimilco: sistema de cargos; Jalatlaco: la organización barrial

El barrio de Xochimilco, perteneciente a la ciudad de Oaxaca, expresa la capacidad de los pueblos indios por resistir a las presiones etnocidas pero, sobre todo, para reproducir sus especificidades étnicas y culturales, tomando elementos de la cultura dominante que le permitirán esta reproducción cultural. Uno de estos elementos es la religión católica. Jalatlaco, por su propia historia, no ha mantenido el sistema de cargos; en cambio ha buscado otras formas de organización para mantener viva su cultura y su identidad.

Xochimilco es un pueblo náhuatl fundado, en el siglo xv, por Ahuizótl en las faldas del Cerro del Fortín con la finalidad de vigilar a los mixtecos de Monte Albán. Con la llegada de Pedro de Alvarado a esta región, un grupo de sus soldados de origen náhuatl se asentó en el pueblo de Xochimilco; otros fundaron los pueblos de San Martín Mexicapan, Jalatlaco y Santa María Guajaca, donde se ubicó el marquesado de Hernán Cortés. Estos pueblos rodearon pronto a la recién fundada villa de Antequera que, en 1532, se convirtió en ciudad mediante una cédula real. En 1630 el cabildo de Antequera menciona al pueblo de Jalatlaco al señalar que fue fundado por indios mexicanos cuyas actividades eran la panadería, la zapatería y la sastrería.

Entre 1526 y 1528 llegó a Antequera la primera orden religiosa: para cumplir con su misión se inició, en Antequera, la construcción del primer convento dominico: el monasterio de San Pablo. Los frailes de esta orden tenían bajo su responsabilidad la evangelización de la población india de los pueblos de Santa María Guajaca, Xochimilco, San Martín Mexicapan, además de brindar los servicios religiosos a la población de la ciudad de Antequera. En la capilla de este convento se bautizaba a la población india, que escuchaba la misa y realizaba las fiestas de guardar. En la segunda mitad del siglo xvii, fray Francisco de Burgoa encomendó la labor evangelizante a fray Nicolás de Rojas quien

> obligó que todos (los pueblos de Oaxaca, Xochimilco y Mexicapan) juntos se congregasen los domingos a rezar la doctrina en la iglesia y el Rosario Santísimo. Con este cebo los redujo a que en todos los tres pueblos hubiese en cada uno una imagen mediana de bulto del rosario y con ella saliesen de su pueblo los domingos en procesión y para este efecto compuso el siervo de Dios los quince misterios en quintilla muy tiernas y devotas en la lengua mexicana [...] salían por delante y el resto del pueblo en coros con la imagen y venían por las calles de la ciudad hasta llegar a la iglesia en donde oían misa (Burgoa, citado por Van Doesburg, 2007: 186).

Al concluir la misa los nahuas regresaban de la misma forma a sus pueblos. Es decir, en estos años los indios nahuas se habían convertido al catolicismo y habían hecho suyas las imágenes religiosas, así como las procesiones. Y con ello surgieron las fiestas dedicadas al santo patrón en donde se celebraban grandes banquetes financiados por las cajas de comunidad. Con estos fondos también se adquiría vino de Castilla, manteles de lino, aceite de oliva para la lámpara del santísimo, etcétera.

La importancia de Antequera se debía a que era el centro religioso y administrativo del obispado de Oaxaca, además era el paso obligado para los viajeros que iban a Centroamérica o al Perú, o también podía deberse al comercio con el puerto de Huatulco. Durante el siglo xvi la mayor parte de la producción que concentraba el obispado provenía del tributo de los indígenas. Se comenzó a desarrollar una economía mercantil en esta región, basada en los cultivos que los frailes dominicos habían llevado, como la cebada y el trigo; en la cría del gusano de seda, de gallinas, de puercos y el cuidado de frutales. En este momento la producción estaba en manos de las comunidades indias y una parte de los ingresos por la venta de su producción iba a la caja de la comunidad. Los españoles no participaban de manera relevante en la producción. La tierra se mantenía comunal. El cambio en el régimen de la tierra se inició a finales del siglo xvi. No obstante, antes de esta fecha, algunos españoles mostraban interés en la agricultura y la ganadería.

Estos pueblos indios abastecían a Antequera de alimentos. Por medio del repartimiento proporcionaban mano de obra para la construcción y para el servicio doméstico. La necesidad de mano de obra, producto del apogeo económico que vivió Antequera en el siglo xvi, propició la migración de indios que llegaron a poblar los pueblos de Xochimilco, Mexicapan, Santa María Guajaca y Jalatlaco. Xochimilco estuvo formado por tres barrios: Chiauhtla, Tula y Tecutlachicpan. En 1559 los nahuas, colhuacanos y tlatelolqueños residentes en Jalatlaco se quejaron de la llegada de mixtecos y zapotecos. Para solucionar este problema se creó el barrio de San Juan. Esta presencia india en los pueblos se manifestó en la predominancia del náhuatl, incluso la población zapoteca y mixteca aprendió esta lengua para poder comunicarse con los demás indios. Jalatlaco contaba con un gobierno local compuesto por principales de antecedentes nobles prehispánicos. Van Doesburg plantea que para 1580 se había desarrollado una cultura indígena en estos pueblos (Van Doesburg, 2007: 93)[1]

En el siglo xvii Jalatlaco creció debido a la presencia de inmigrantes mestizos, mulatos libres y negros, que junto con la población india constituían un asentamiento importante.[2] Para esos años las rancherías que dependían de

[1] María de los Ángeles Romero afirma que a mediados del siglo xvi se dieron cambios muy importantes en los pueblos indios de Oaxaca. Se remodeló la organización política indígena de acuerdo con los lineamientos de los consejos municipales españoles, lo que llevó a la fusión de la forma de gobierno indígena con la nueva. En el nuevo modelo, el puesto más importante lo desempeñaba el gobernador, ocupado por los descendientes de los antiguos caciques prehispánicos (1986: 29).

[2] Es importante tener presente las epidemias de 1540, 1575 y 1591 que hicieron descender la población indígena de los valles centrales de Oaxaca. De 350 000 indios que vivían en esta región en 1520, para 1630 sólo quedaban 40 000 o 45 000 indios. Ante la falta de mano de obra, la Corona española mandó esclavos negros a sus colonias, propiciando así un mezcla entre diversos grupos dando origen a las castas. Los negros y los mestizos encontraron en los pueblos de indios un lugar en donde vivir.

este pueblo eran Santa María Ixcotel y Santa Cruz Amilpas. El cabildo municipal se ubicaba en el lado oriente del templo y el panteón, de acuerdo con informantes contemporáneos, detrás del cabildo, donde se encuentra la Preparatoria 6 de la Universidad Autónoma "Benito Juárez" de Oaxaca (UABJO).

Se debe tener presente que la recuperación económica de la Nueva España se da a finales del siglo XVII. En los valles centrales de Oaxaca los españoles se animaron a invertir en la producción y en el comercio, pues las condiciones económicas ofrecían buenas posibilidades de éxito. Fue así como prosperaron las pequeñas haciendas ubicada en los valles de Oaxaca. Estas haciendas se dedicaron al cultivo de cereales y hortalizas. Abastecían a la ciudad. El comercio creció y le dio dinamismo a la ciudad de Antequera, que seguía siendo el paso obligado de los comerciantes en su viaje a Guatemala.

En 1729 Jalatlaco estaba bajo la jurisdicción de Antequera. Don Antonio de Velasco y Moctezuma era el cacique. Legitimaba su posición con base en una cédula real del siglo XVI la que a Juan de Velasco, ancestro suyo, se le otorgaban los derechos al tributo, minas de sal y tierra de algunos. En los barrios del pueblo las autoridades controlaban el acceso a las tierras comunales y a las fiestas religiosas. El mayordomo[3] era el responsable de las propiedades de los barrios, de las tierras comunales y otras posesiones.

En 1777[4] el cura de Jalatlaco denunció que el náhuatl ya no se hablaba en público. Algunas familias lo hacían en la intimidad del hogar (Chance, 1990: 133). Los pobladores habían olvidado que descendían de ese grupo étnico, a pesar de que los nombres de los barrios estaban en náhuatl: Tlaxcala, Tlatelolco, Mexicapan, Mixtlan. Años atrás, en 1729, aparecían en el censo, nombres en dicha lengua. En 1777 habían desaparecido. La presencia

[3] Consideramos importante aclarar el origen y significado de la palabra "mayordomo", puesto que su uso en este trabajo es frecuente. En los primeros años de la Colonia había una práctica concomitante de dar fiestas y patrocinar funciones religiosas. Los misioneros vieron en estas prácticas la continuidad de sus tradiciones precolombinas. Sin embargo, en el transcurso de la época colonial se eliminó a la nobleza como un grupo diferenciado, así como los derechos a organizar y patrocinar las fiestas religiosas. Paralelamente a este proceso surgieron las cofradías, encargadas de administrar los bienes del santo patrón cuyo fin era la celebración de la fiesta. Los mayordomos eran los administradores de una propiedad comunal. Cuando la economía india declinó, a consecuencia de las reformas borbónicas, las cofradías perdieron importancia y las fiestas religiosas fueron patrocinadas por los hombres ricos del pueblo. El término "mayordomo" se comenzó a aplicar a estas personas, hasta hoy en día.

[4] La recuperación económica que se dio en 1742 en Oaxaca se manifestó en el incremento de la producción de la grana. El grupo de los comerciantes de la grana junto con los funcionarios reales, el alto clero y los dueños de las haciendas propiciaron el surgimiento de oficios variados como carpintería, tejido, sastrería, etcétera. Los artesanos buscaron en los pueblos que rodeaban a Antequera un lugar para vivir, entre ellos estaba Jalatlaco. En Xochimilco surgió el oficio de los tejedores.

en el pueblo de otros grupos, como los negros, mulatos o mestizos hizo que la población nahua poco a poco desapareciera.

La desaparición de la lengua y cultura náhuatl de Jalatlaco concluyó a finales del siglo XVIII. Años antes las categorías de nahuas y principal eran casi sinónimas. La estratificación social entre macehuales y pilles se manifestaba en las riñas por la participación en el cabildo de Jalatlaco. Para finales del siglo XVIII estos conflictos habían desaparecido; se había perdido la identidad étnica. En 1765 la presencia mestiza era evidente, reclamaban el estatus de principal. En sí, la misma población descendió. Para 1777 habitaban sólo 303. Sus barrios habían desaparecido.[5]

A pesar de que se perdió la lengua náhuatl en Jalatlaco y que con esto desapareció la identidad como pueblo indio, se gestó una nueva identidad: la del conjunto de habitantes del pueblo, la gran mayoría de ellos descendiente de los indios fundadores del mismo, y que se organizaban en torno a las actividades productivas: la panadería, la curtiduría y la agricultura. Estas actividades estaban vinculadas con la religión católica por medio de las cofradías. La cosmovisión mesoamericana perduró pese a la pérdida de la lengua náhuatl.

Ese mismo siglo XVIII Xochimilco se inició en la producción textil, lo que muestra las relaciones económicas entre los pueblos indios y la ciudad criolla de Antequera, así como el surgimiento de nuevas necesidades. Estos intercambios influyeron en el etos de la ciudad de Antequera que adquirió rasgos indígenas que prevalecen en la actualidad.

La independencia sorprendió a las pequeñas poblaciones del valle de Oaxaca. El marquesado del valle de Oaxaca desapareció, pero no el pueblo de Santa María Oaxaca ni Xochimilco ni Jalatlaco, así como tampoco el fervor religioso que se expresaba en celebraciones como la Ceremonia del Encuentro en Xochimilco, ni la presencia cultural de los indios en el mercado de la ciudad. Jalatlaco y Xochimilco eran pueblos contiguos a la ciudad, pero independientes política y administrativamente. La independencia los benefició, pues entonces les fue otorgada la categoría de municipio.

No se tienen los datos sobre la fecha en que se originó el sistema de cargos en estos dos pueblos. Con los datos que tenemos podemos afirmar hipotéticamente que en Jalatlaco y Xochimilco, el sistema cívico-religioso

[5] A partir de 1700 en España gobierna la casa de Borbón, con Felipe II. Él y su sucesor, Fernando VI, llevan a cabo una reestructuración económica, administrativa y política de España y sus colonias, lo que afecta a la Nueva España y, en particular, a Antequera.

surgió en el siglo xix debido a que la independencia les otorgó la categoría municipal. El sistema de cargos consiste en la participación en el gobierno civil y religioso de todos los habitantes varones de una comunidad. Este sistema ha sido el eje de la reproducción de las identidades étnicas y culturales, y ha permitido la reproducción económica, social, cultural y política de las comunidades indígenas en México.

Medina plantea que este sistema impuesto por los colonizadores españoles y vigilado por el clero regular (como ya se describió en líneas anteriores), se "inscribe fundamentalmente en la matriz comunitaria india" (Medina, 1995: 9) debido a que la vida del campesino indio no se modifica con la conquista: el cultivo del maíz continuó siendo la actividad principal y con ello permanecieron vivos el conocimiento y la cosmovisión generados en torno a esta actividad. Así, el ciclo festivo está relacionado con la agricultura. Los pueblos originarios de Xochimilco y Jalatlaco son muestra de este proceso. Sus festividades estuvieron y siguen estando en función del ciclo agrícola.

Durante el Porfiriato la ciudad de Oaxaca creció debido al auge económico producto del apoyo del presidente Díaz, que permitió el desarrollo de la agricultura de exportación basada en el café y el tabaco. También se desarrollaron la industria textil y la minería, en su mayoría en manos de extranjeros (ingleses, franceses, españoles). Aunque las fincas cafetaleras, las minas o las fábricas textiles se ubicaban fuera de la ciudad de Oaxaca ésta fue el asiento de los dueños, lo que propició el crecimiento del comercio, pues con la llegada de los inversionistas y con el desarrollo de las nuevas actividades, la necesidad de productos manufacturados y de alimentos se incrementó considerablemente. Algunos extranjeros invirtieron sus capitales en el comercio, como el caso de la tienda "La Ciudad de México", propiedad de franceses, en donde se vendían artículos importados de Alemania, Francia, Inglaterra y los Estados Unidos. Además estaba la ferretería "El Gallo", propiedad de A. Philippe y Cía.

Pero no sólo se desarrolló el comercio destinado a la élite, también el destinado a las clases populares se incrementó, pues el mismo desarrollo económico requería mano de obra especializada y sin calificación. Los obreros de las fábricas, anteriormente campesinos, tenían la necesidad de adquirir alimentos e insumos para vivir.

Esta riqueza se manifestó en el crecimiento de la ciudad de Oaxaca hacia la parte norte. Varias familias de la élite construyeron en esa zona sus residencias. El propio Emilio Pimentel, gobernador porfirista, construyó un chalet en lo que eran las afueras de la ciudad, muy cerca del Templo de Guadalupe.

Este crecimiento hizo que la distancia entre la ciudad y los pueblos de Xochimilco y Jalatlaco se acortara. A principios de siglo xx la distancia entre la ciudad y los pueblos era de menos de un kilómetro. No obstante lo anterior, ambos pueblos mantenían sus características culturales propias: continuaban con el sistema de cargos como forma de organización política. En cuanto a la economía eran agricultores y para el caso de Xochimilco, artesanos textiles y de hoja de lata. En Jalatlaco se trabajaba la curtiduría. Sus fiestas religiosas giraban en torno al ciclo agrícola y las actividades económicas.

En 1926 Xochimilco y Jalatlaco perdieron la categoría de municipio. Mediante un decreto pasaron a formar parte de la municipalidad de Oaxaca de Juárez, desaparecieron sus autoridades civiles, no así las religiosas; los sistemas de cargos se modificaron para adecuarse a las nuevas condiciones. Para esos años la ciudad de Oaxaca crecía hacía el norte y el oriente de la ciudad. La Revolución había terminado y se iniciaba un nuevo periodo. A nivel nacional, el Estado enfrentaba la rebelión cristera, reacción a la política anticlerical del Estado posrevolucionario. En Oaxaca gobernaba el Lic. Genaro V. Vásquez cuyo lema "Educación y carreteras" habla de la importancia que le dio a la educación y a las comunicaciones para modernizar al estado. Otro punto importante en su política fue la castellanización de los niños indígenas. Su política educativa fue duramente cuestionada por la Iglesia católica y por quienes se identifican con ella. Las fiestas religiosas fueron combatidas en esos años.

El sistema de cargos religiosos en Xochimilco y Jalatlaco continuó, aunque con adecuaciones a los nuevos tiempos que se vivían. Ambos seguían siendo pueblos de campesinos y de artesanos. Los campos agrícolas de Jalatlaco estaban hacia el oriente del ahora barrio; los de Xochimilco, en la parte norte y norponiente del mismo. Sin embargo, la cercanía con la ciudad de Oaxaca rompió su autonomía no sólo política, sino también laboral. La dependencia del trabajo que la ciudad ofrecía llevó a la transformación de la mayordomía. Dejó de ser la culminación de una carrera de servicio a la comunidad. La elección del mayordomo dependía ahora de la capacidad económica de las personas para desempeñar el puesto.

En 1946 concluyó la construcción de la carretera panamericana que dividió al barrio de Xochimilco y que conectó a la ciudad de Oaxaca con las ciudades de México y Puebla.

El crecimiento de la ciudad de Oaxaca se manifestó en el surgimiento de nuevas colonias; en algunos casos como producto de invasiones y en otros por la venta de tierras ejidales. Para 1970 Xochimilco era un barrio más de la ciudad, aunque se conservaba el trabajo de la mantelería y de la hoja de lata. Sus límites se establecieron a partir de la carretera panamericana hacia el norte y se desconoció que también la zona ubicada al sur de la carretera formaba parte del antiguo pueblo.

Jalatlaco, por su parte, era un barrio claramente delimitado hacia el poniente de la ciudad por el río de Jalatlaco. Al oriente y suroriente del barrio se hallaban los terrenos ejidales del mismo, donde la población sembraba maíz, frijol y calabaza. En las casas de los ejidatarios era usual ver animales de trabajo, así como aves de traspatio. Los ejidatarios convivían con los curtidores provenientes de la villa de Ejutla de Crespo. Había una distribución del espacio motivada por distintas las actividades. Los curtidores vivían cerca de las márgenes del río de Jalatlaco, donde descargaban las aguas negras; los ejidatarios vivían, en la parte oriental del mismo, cerca de sus terrenos. Entre 1952 y 1956 en lo que fue el cementerio del antiguo pueblo de Jalatlaco se construyó el edificio de la preparatoria de la UABJO.

En 1970 las autoridades del estado decidieron entubar el río debido a que en épocas de lluvia inundaba los terrenos de Jalatlaco y Trinidad de las Huertas. El proyecto contemplaba desaparecer la curtiduría, así como introducir los servicios urbanos. A los curtidores se les obligó a cerrar sus negocios o bien a emigrar. Esto afectó el ciclo festivo, como se verá más adelante. Con el desarrollo de estas obras urbanísticas el valor de los terrenos se incrementó. Algunas familias no pudieron pagar los costos de la urbanización y vendieron sus casas para trasladarse a otra zona de la ciudad. Se dio el proceso que los urbanistas denominan gentrificación, pues una vez que el barrio fue transformado las vecindades desaparecieron, así como las curtidurías, y los inmuebles fueron adquiridos por personas de niveles socioeconómicos más altos que los antiguos habitantes del barrio. Muchas familias originarias pudieron financiar los costos de la urbanización y permanecieron en el lugar. También, a partir de esta década, en los terrenos ejidales comenzaron a surgir las colonias Morelos, Postal y José Vasconcelos, y con ello la desaparición de la agricultura. Todos estos acontecimientos afectaron el ciclo festivo del barrio, así como los procesos identitarios del mismo.

Xochimilco, desde la época de la Colonia ha sido habitado por los descendientes de los nahuas, lo cual es evidente con la presencia de familias originarias. Ha conservado su actividad económica colonial, la elaboración de tejidos, aunque son pocos los talleres existentes. Se mantiene vigente el viejo panteón municipal. Las celebraciones de la virgen del Rosario, cuyo origen está en la época colonial, cuando se acudía al monasterio de San Pablo a rezar el rosario, están vivas y constituyen un elemento muy fuerte para la unidad del barrio. Se mantiene vigente la mayordomía para la celebración de las fiestas religiosas. Esta celebración no es la única: tiene todo un ciclo festivo que expresa la matriz comunitaria india, la cultura de raíz mesoamericana.

Pese a lo que podría pensarse, el crecimiento de la ciudad y la absorción territorial de los antiguos pueblos originarios de la ciudad[6] no han logrado eliminar la cultura propia de ellos, por el contrario, la presencia de nuevas personas dentro de sus territorios y la cercanía con los habitantes de la ciudad ha revitalizado la cultura de estos dos pueblos, aunque es necesario señalar que cada pueblo originario ha tenido procesos diferentes.

Xochimilco también ha experimentado el proceso de gentrificación, aunque ha sido menos evidente que en el caso de Jalatlaco. Las dos actividades económicas que le dieron su identidad aún permanecen y son la mantelería y el trabajo de la hoja de lata.

FIESTAS E IDENTIDAD EN XOCHIMILCO Y JALATLACO

Jalatlaco

En el antiguo pueblo de Jalatlaco (plano 1) se rendía culto a dos santos: san Matías, el patrono del pueblo, era venerado por los ejidatarios. A través de

[6] De acuerdo con Andrés Medina (2007) el nombre "pueblos originarios" fue otorgado por los propios habitantes de los pueblos que componen el Distrito Federal para diferenciarse de los demás habitantes y exigir el reconocimiento a sus formas propias de organización y gobierno. De éstas la que distingue a los pueblos originarios de las poblaciones de origen mesoamericano es, precisamente, que conviven en un ambiente urbano, además de la complejidad política y cultural de la ciudad. Los pueblos originarios poseen las siguientes características: *1)* surgieron como comunidades agrícolas corporativas, *2)* poseen un patrón de asentamientos en el que uno de sus ejes de referencia es la plaza central, rodeada por los edificios comunitarios; *3)* poseen nombres, tanto en la lengua de origen mesoamericano como en castellano, en este caso el nombre se refiere a algún santo católico; *4)* estos pueblos fueron agrícolas y mantuvieron el conocimiento milenario de la tradición mesoamericana de la agricultura basada en el maíz, la calabaza y el chile, así como los rituales agrícolas; *5)* existe entre estos pueblos un núcleo de familias troncales emparentadas entre sí, que son las responsables de la organización del ciclo ritual; *6)* mantienen la organización comunitaria a pesar de que son parte de la ciudad; esta organización suele expresarse, dependiendo de los casos, en la mayordomía, en la existencia de comisariados ejidales o comunales, en las asambleas o bien en las comisiones de festejos. Para el caso que abordamos es útil el término "pueblos originarios".

la mayordomía se organizaba el festejo que se celebra el 14 de mayo, pero en este pueblo se llevaba a cabo el 24 de febrero. El ejidatario que deseara ser mayordomo solicitaba ante el párroco ser nombrado. Este cargo implicaba un gran gasto, pero, como decía un informante, en ese tiempo "había mucho ganado, a vender ganado, valía la pena gastar lo que fuera tanto para san Matías como para la virgen del Rosario".[7] De acuerdo con el informante el mayordomo se responsabilizaba de la fiesta religiosa, así como de dar de

Plano 1
Ubicación de los barrios de Jalatlaco y Xochimilco

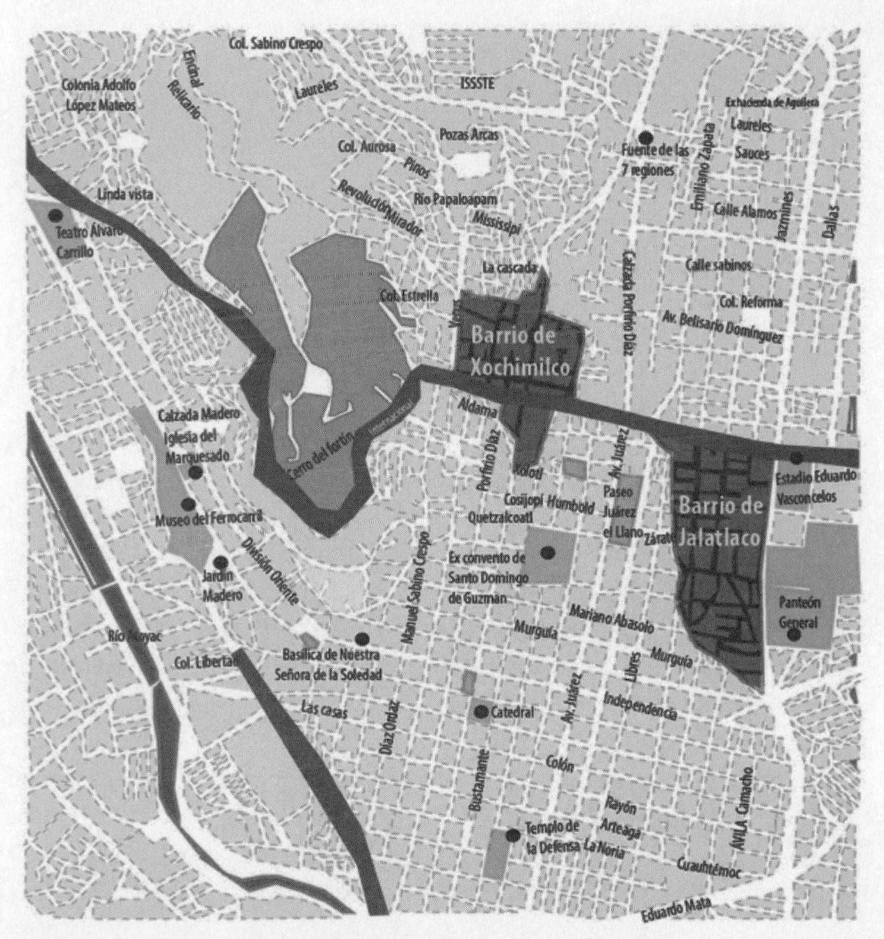

Fuente: Elaboración de Martha Quiroz con base en un mapa de Google.

[7] Entrevista realizada al Sr. Hipólito López, 8 de octubre de 2009, barrio de Jalatlaco, Oaxaca, Oaxaca.

comer a todos los asistentes al festejo, el pago de la misa, la compra de las flores y la cuetería del día de la fiesta patronal. La comida de fiesta eran el mole o el estofado. Para financiarla el ejidatario vendía una yunta, o dos o tres vacas, dependiendo de su precio. Después del almuerzo en casa del mayordomo la banda de música recogía en sus casas a los padrinos para asistir a la misa de las 12 del día. Después se realizaba la comida en casa del mayordomo. Éste recibía la ayuda de su familia y de las personas más cercanas a él para atender a la población. Un dato importante es que la fiesta se efectuaba el día indicado en el calendario católico,[8] era la celebración de los ejidatarios y éstos no tenían la obligación de cumplir con un horario. Para la celebración del novenario se buscaban padrinos quienes pagaban la misa, las flores y la cuetería.

La fiesta del Señor de Tepeaca se llevaba a cabo el 22 de mayo. Era la fiesta de los curtidores. De ese grupo salía el mayordomo. Durante muchos años el mayordomo era un curtidor originario de una población cercana a Oaxaca y que llevara mucho tiempo viviendo en el barrio. Seguramente esta fiesta tiene su origen en la época colonial cuando surgieron los gremios artesanales y éstos se hicieron devotos de un santo.

Ambas celebraciones se extinguieron como consecuencia de los cambios ocurridos en la ciudad y que reflejaban la situación económica, social y política del estado de Oaxaca y del país. La mayordomía de san Matías desapareció alrededor de 1970 debido a la extinción de la agricultura, los terrenos ejidales se vendieron ante la presión de los inmigrantes que necesitaban espacios donde vivir. Fue la urbanización de los surcos. Los antiguos ejidatarios tuvieron que buscar otras actividades económicas. En cuanto a la mayordomía del Señor de Tepeaca, como ya se mencionó, el entubamiento del río de Jalatlaco y el saneamiento del barrio llevaron a que las autoridades municipales prohibieran la curtiduría. Algunos curtidores cambiaron de oficio; otros, los menos, se cambiaron de lugar para seguir con la misma actividad económica.

Al barrio, ya reconstruido y embellecido, llegaron nuevos habitantes con alto poder adquisitivo. Se pensó que el proceso de urbanización había absorbido este pueblo originario, que la "modernización" había llegado para quedarse pues las fiestas religiosas habían perdido el esplendor, pero no

[8] Hoy en día las celebraciones religiosas se realizan el domingo siguiente a la fecha del festejo. Pensamos que esto se debe a que la población económicamente activa trabaja durante la semana o estudia, en el caso de los jóvenes.

desaparecieron. Los ejidatarios dejaron de realizar la mayordomía a san Matías, pero no abandonaron el barrio. La festividad del Señor de Tepeaca casi desapareció cuando los curtidores abandonaron el barrio.

A partir de 1990 hubo un resurgimiento de las festividades. Las principales familias de ejidatarios que habitan el barrio —Navarro, López, Alderete, Ramírez— se organizaron para celebrar al santo patrón, como antaño. Recibieron la ayuda del sacerdote de la parroquia. Acudieron a los descendientes de los ejidatarios, que vivían en lo que fueron los terrenos ejidales del barrio, para que ayudaran en la organización. Todos cooperaron. La fiesta a san Matías se ha convertido en un elemento que identifica al barrio, aunque ya no se realiza a través de la mayordomía, sino con la ayuda económica voluntaria y tampoco se ofrece de comer a todo el barrio. Ocasionalmente se ofrece alguna botana o bien, en el novenario, si la propietaria de la casa donde se lleva a cabo lo desea, se comparte algún refrigerio. Hay un comité formado por un médico originario del barrio y otras personas. En la realización del festejo participa gente que no es originaria del barrio, pero que ha llegado a vivir ahí atraída por su belleza; algunos, incluso, tienen negocios en Jalatlaco.

El ciclo festivo de Jalatlaco inicia con la celebración de los Reyes, aunque es una fiesta familiar. Continúa con el festejo de la Candelaria, también de tipo familiar, que alude al inicio del ciclo agrícola. Entre las festividades más importantes, porque involucran al barrio, está la Semana Santa, sobre todo el Viernes Santo; durante la procesión se llevan cuatro imágenes religiosas: el Señor de Tepeaca, la Dolorosa, Magdalena y san Juan. Al terminar la procesión y las imágenes se colocan en el atrio del templo para que sean veneradas por la población católica. Para darle originalidad a esta fiesta desde hace años se colocan grandes cruces en las casas en donde se ubican las estaciones del recorrido. La siguiente fiesta importante está dedicada al santo patrón. Como ya se mencionó, ésta decayó al desaparecer la agricultura, pero ha sido recuperada por un grupo de habitantes del barrio. Se ha convertido en la fiesta principal, la patronal. En seguida está la fiesta del Señor de Tepeaca, que era el santo patrón de los curtidores. La mayordomía desapareció. Ahora se buscan nueve padrinos, uno para cada día del novenario. Ellos deben ofrecer su casa para el rezo y la cena. Durante el novenario la imagen del Señor de Tepeaca hace un recorrido del templo a la casa del padrino. Los días 13, 14 y 15 de agosto se celebra el tránsito de María. Una persona del barrio es la responsable de esta fiesta que conmemora la muerte y el ascenso de María al cielo. El día 15, cuando María asciende, en el atrio de la iglesia se realiza la fiesta popular. En octubre se festeja a la virgen del Rosario. La población de Jalatlaco fue evangelizada por los dominicos, así que a fines de octubre se celebra a la virgen del Rosario. Es una celebración pequeña que, como las otras, había decaído y ahora se pretende su resurgimiento. Esta fiesta es importante porque a ella llegan los estandartes de Santo Domingo, donde también se festeja a la virgen del Rosario; y los de Jalatlaco visitan a la virgen del Rosario de Santo Domingo cuando es su fiesta. Después llega la fiesta de Todos Santos que más bien es un festejo familiar, sin embargo desde hace unos 40 años se acostumbra que la noche del 1º de noviembre salga una comparsa que recorre las calles del barrio. Esta fiesta fue iniciada por un señor originario de Vistahermosa Etla, y es una tradición que se ha arraigado en el barrio. En 2007 un grupo de jóvenes organizó otra comparsa: "la de arriba", le denominan. Ambas comparsas son motivo de orgullo para el pueblo. Y son de muy reciente creación. El ciclo festivo termina con la celebración de las posadas y la Navidad. Si bien las primeras son organizadas por la Iglesia, ambas son de carácter más familiar.

Aunque no forma parte del ciclo religioso debemos mencionar un suceso importante. En 2006 se dio en Oaxaca una sublevación popular por parte de la Asamblea Popular de los Pueblos de Oaxaca (APPO). El barrio de Jalatlaco participó en ella cuando se anunció que se ampliaría la terminal de los autobuses de primera clase, que se ubica en su territorio. Gran parte de los vecinos estaba en desacuerdo, pues no habían sido tomados en cuenta, por esta razón, en las noches cerraban con barricadas los accesos al mismo.

Xochimilco

Ante el avance de la ciudad, Xochimilco (plano 1) ha respondido de manera un tanto diferente y su ciclo festivo sigue vigente. La mayordomía de la virgen del Rosario es la principal, a pesar de que el santo patrón es santo Tomás. Al perder la categoría de municipio, mantuvo y mantiene vivo el sistema de cargos religiosos, aunque con modificaciones producto de la nueva situación.

Hoy en día los mayordomos no son elegidos por la comunidad, sino que ellos mismos se proponen. Hay tres mayordomías: *1)* la de la virgen del Rosario grande (de las mujeres), *2)* la de la virgen del Rosario chiquita (de los hombres) y *3)* la del relicario. Las principales son las dos primeras. Las festividades se llevan a cabo en la segunda quincena del mes de octubre. Ambos mayordomos deben realizar en su casa el novenario, que implica, aparte del rezo, dar de cenar durante nueve días. En la víspera de la celebración se organiza la calenda, que por la noche recorre lo que fue el antiguo pueblo de Xochimilco. Cada mayordomo toma un camino y hay un lugar en donde se encuentran para trasladarse a la iglesia. Justo antes de llegar al templo la calenda se detiene frente a una casa, pues es ya tradición que sus dueños donen un "castillo" pirotécnico. Después la marcha se reanuda para llegar a misa a la medianoche. El domingo un mayordomo es el responsable de los actos religiosos y de la comida que se ofrece a los nativos del barrio y a los visitantes. Una de las actividades consiste en acudir por cada ex mayordomo a su casa. Luego se hace una visita al panteón para rendir un homenaje a los mayordomos ya fallecidos. Al día siguiente el segundo mayordomo debe hacer lo mismo. El tercer mayordomo, el del relicario, es responsable de la organización de la calenda del Día de Muertos, que también recorre el territorio de lo que fue el pueblo de Xochimilco. La fiesta de la virgen del Rosario es tan importante para los habitantes del barrio que no se suspendió en 2006 pese al conflicto que vivía la ciudad de Oaxaca. En esa ocasión los mayordomos acudieron con los dirigentes de la APPO para solicitarles su autorización para llevar a cabo la celebración. Se comprometieron a limitar el recorrido de las calendas a lo que hoy constituye el barrio y a no lanzar cuetes para evitar confusiones.

Lo interesante es que esta fiesta está en manos de las familias originarias del antiguo pueblo. Incluso algunos mayordomos no viven en la ciudad ni en el país, pues han emigrado a los Estados Unidos para trabajar, pero regresan a cumplir con el cargo solicitado. En el caso de la familia que, durante la calenda, dona un castillo ya se ha convertido en una tradición que pasa de padres a hijos. Por su parte, los avecindados no pueden ser mayordomos, tampoco parte de la organización; sólo pueden participar en los rituales como asistentes.

El ciclo festivo inicia el 6 de enero con la celebración de los Reyes, es un festejo igualmente familiar. Continúa con la fiesta de la Candelaria. Esta fiesta es importante porque la mayordomía de la virgen del Rosario de las mujeres inicia este día con la celebración de una misa, en donde los mayordomos se comprometen con el Niño Dios. Hay que recordar que con la festividad de la Candelaria se inicia el ciclo agrícola y que Xochimilco fue un pueblo agrícola. En seguida viene la Semana Santa. Aquí se desarrolla con mucha devoción. El martes correspondiente a la cuarta semana de la Cuaresma se ofrecen aguas frescas y nieve a los visitantes y habitantes del barrio. La ceremonia de la crucifixión de Cristo es famosa en la ciudad de Oaxaca debido al fervor religioso. De ahí la siguiente fiesta importante es la Asunción de María, que inicia el 13 de agosto y termina el 15 del mismo mes, y es organizada por los mayordomos de la virgen del Rosario de las mujeres. Se tiende a la virgen, durante los tres días, a mitad del templo, rodeada de flores y alimentos, sobre todo frutas. El día 15, cuando se levanta a la virgen, los mayordomos ofrecen en el atrio del templo una cena para los asistentes a la misa. En relación con las ofrendas, y tomando en cuenta que éste es un pueblo de origen mesoamericano, retomo a López Austin quien señala que "Una característica más de los dioses mesoamericanos fue su apetencia. Reclamaban de los hombres reconocimiento, ofrendas, obediencia y culto" (López, 2008: 50). Aquí las ofrendas a la divinidad continúan.

Después de la Asunción de María siguen las fiestas de la virgen del Rosario, que ya fueron reseñadas brevemente. Todos Santos es organizada por el mayordomo del relicario. Ese día llegan a visitarlo al barrio los estandartes de varias iglesias y él debe organizar una comparsa que recorre parte de lo que fue el antiguo barrio, así como contratar a una banda de música. Es importante decir que Xochimilco conserva su panteón y se debe dar cumplimiento a éste. En diciembre se festeja al santo patrón del barrio, santo Tomás, pero esta fiesta no tiene la importancia de la de la virgen del Rosario. De acuerdo con un informante, santo Tomás era el santo patrón de los manteleros: "[ahora] quedan muy pocos manteleros, y no hay tanta unión como había antes, antes haz de cuenta que todo el barrio éramos familia".[9] En los últimos años se ha tratado de recuperar la celebración del santo patrón. El ciclo festivo concluye con las festividades de Navidad, que son más familiares.

Para la realización de las mayordomías se acude a la familia extensa y a la familia simbólica (compadrazgo). La familia es la base de apoyo principal para llevar a buen término este compromiso. En las fiestas presenciadas la familia extensa se encargaba de elaborar la comida, organizar la procesión, entregar los alimentos y obsequios. Es importante remarcar que la ayuda mutua es una característica de las comunidades corporativas.[10] En Oaxaca

[9] Entrevista realizada al Sr. Miguel Agüero, Santo Tomás, Xochimilco, Oaxaca, Oaxaca, noviembre 2009.

[10] N. del ed.: se entiende por comunidad corporativa aquella unidad organizacional que se encuentra entre la frontera autoorganizacional y los rendimientos decrecientes de la administración por el Estado; se

está presente en los pueblos indios, incluso en la misma ciudad entre los emigrantes de origen mesoamericano. En relación con la ayuda mutua, López Austin plantea que "las necesidades divinas constituían uno de los pilares de la religión. Los mesoamericanos habían proyectado uno de los pilares básicos de la cohesión social en sus relaciones con las divinidades: la reciprocidad" (López, 2008: 51). En Xochimilco está presente la reciprocidad de origen mesoamericano.

Lo que nos dicen la etnografía y la historia

Al escribir este artículo teníamos en mente la pregunta ¿cuál ha sido el impacto y la transformación de los pueblos indios de la ciudad de Oaxaca a consecuencia de la expansión urbana? Tomamos dos ex pueblos porque tienen historias diferentes, aunque los dos fueron asiento de poblaciones indígenas. La intuición nos llevó a plantear, hipotéticamente, que la identidad étnica tuvo un papel importante en la preservación de algunas características culturales de origen mesoamericano, o bien, en la desaparición de éstas. Es decir que la identidad étnica es muy importante para responder ante la expansión urbana.

Xochimilco es un pueblo fundado por un solo grupo étnico: el nahua. Y siguió siendo nahua desde la Colonia hasta los siglos xix y xx. Esta identidad les ha permitido mantener su organización política religiosa pese a los cambios económicos, sociales y políticos sufridos, sobre todo a partir del siglo xx. Se rompió su independencia política al quitarle el estatus de municipio; lo mismo sucedió con la independencia económica, cuando dejaron de trabajar el campo y casi desaparecieron los oficios artesanales lo cual obligó a sus habitantes a buscar trabajo "abajo", es decir en la ciudad de Oaxaca. También con el crecimiento urbano y la nueva economía han llegado nuevos habitantes al barrio: los avecindados que han visto en él un lugar típico en donde vivir. Y esta presencia es un poder exterior que ha vulnerado la intimidad de los nativos. Ahora existen nuevas formas de relaciones sociales: junto al artesano o al nativo del barrio viven personas ajenas a éste que se encierran en sus casas sin participar en las festividades,

---

asiste principalmente de su gran capacidad de organización al interior y del derecho consuetudinario al mantener la perpetuidad de derechos y la membresía destinadas a los miembros, al tiempo que desaprueba las relaciones sociales con la sociedad mayor a la que pertenece [véase Wolf, 1957: 181].

que han adquirido los terrenos que fueron habitados por los antiguos nahuas e introducen reglas diferentes, valores civiles.

Pese a estos cambios y a los sufridos durante toda su historia, Xochimilco ha logrado negociar exitosamente su territorio y su identidad social y cultural a partir de estrategias de adaptación a las nuevas condiciones de vida. Como menciona Andrés Medina respecto a los pueblos originarios de la cuenca de México:

> Se abandonan gradualmente aquellos rasgos que los identifican como portadores de esta tradición cultural, tales como la lengua e indumentaria, así como realizan una transformación de su cultura material a partir de su articulación gradual al sistema de servicios urbanos, educativos y sanitarios ofrecidos por la ciudad. Pero mantienen una identidad y una cultura comunitaria sostenida por una estructura político-religiosa de raíz colonial y mesoamericana [que, en este caso, es la mayordomía] (Medina, 2006: 85)

Xochimilco no es un espacio al margen de la globalización. Algunos de sus miembros trabajan en los Estados Unidos. La mayoría de los habitantes originarios lo hace en las dependencias del gobierno del estado de Oaxaca o en empresas privadas. En su territorio viven extranjeros y personas de fuera como expresión de la fuerza del capital globalizado. Las redes comerciales, sobre todo del capital inmobiliario, se muestran con las personas que han llegado al barrio debido a su belleza y a su riqueza cultural. No obstante lo anterior, los habitantes originarios han respondido con creatividad, sin perder las concepciones cosmológicas mesoamericanas, como ya se mostró en líneas anteriores, para preservar su proyecto de reproducción social.

Jalatlaco, por su parte, ha tenido una historia muy diferente de la de Xochimilco a pesar de ser también un pueblo originario. Como ya se ha mencionado, Jalatlaco fue fundado por los soldados indios —nahuas, tlaxcaltecas— que formaron parte de los ejércitos de Alvarado y Cortés en la conquista de los nuevos territorios. Si bien el náhuatl fue, durante mucho tiempo, la lengua franca, este pueblo fue habitado por personas de diferentes grupos étnicos mesoamericanos por lo cual, hipotéticamente, no se forjó una identidad étnica, como sí sucedió en Xochimilco. Los habitantes de este pueblo pronto perdieron sus especificidades étnicas más visibles: lengua, vestido, pero no así la cultura más genérica que se gestó producto de la cosmovisión mesoamericana y de la tradición católica que introdujeron los dominicos. El pueblo dejó de considerarse indio y se autodefinió como mestizo.

En estos dos casos observamos el papel que desempeñan las diferencias étnicas en la organización política y religiosa de los pueblos indios de México. En el caso de Jalatlaco es notorio lo anterior, pues no pudieron preservar la mayordomía de las fiestas religiosas ante los cambios ocurridos en la ciudad de Oaxaca y que afectaron al barrio. La respuesta al crecimiento de la mancha urbana que absorbió al barrio fue, en un inicio, la aceptación de las nuevas condiciones que llevaron a la pérdida de las mayordomías del Señor de Tepeaca y de san Matías. Sin embargo, en lo más profundo de su ser colectivo se encuentra la cultura del pueblo, que emergió años después ante la amenaza de la pérdida total de su cultura. En 2006, cuando vieron amenazado su territorio, dieron muestras de que el sentido de pertenencia a un pueblo permanece vivo.

Ahora también es interesante preguntarnos: ¿qué hay detrás de la reactivación de algunas tradiciones o de la invención de otras? ¿Qué es lo que expresan los rituales religiosos en este momento en el que se supone que la "modernidad" ha alcanzado a todo el planeta? Consideramos que son reveladores de la realidad social, tanto por lo que reflejan como por lo que ocultan, como podría ser el conflicto entre los antiguos y los nuevos residentes, entre visiones del mundo distintas y la desigualdad existente entre los habitantes de los barrios independientemente de su origen.

Una de las realidades que refleja es la continuidad de la cultura mesoamericana. Otra realidad es el tipo específico de "modernidad" que se pretende imponer en Oaxaca. Es una modernidad que rechaza la tradición, que quiere imponer la idea de que en Oaxaca ya se dejó atrás lo primitivo, lo rural. Al interior de los barrios se observan las casas. Las de los avecindados son modernas, reflejan el alto poder adquisitivo de sus dueños. En cambio, la mayoría de los originarios habita casas antiguas, sencillas; en algunas de ellas, pocas, están instalados los telares donde se fabrican los textiles, o bien, en sus patios se elabora la hoja de lata. En el imaginario social se hallan dos tipos de habitantes: los nativos y los avecindados. Mantener y reforzar las fiestas religiosas por parte de los nativos, para el caso de Xochimilco, es refrendar que son diferentes, pero también es la forma en que los "originarios" se hacen visibles ante los avecindados y ante los cambios que se dan. Estos últimos poco conviven con los nativos del barrio.

Los avecindados representan al mundo moderno, el individualismo —por ello no conviven con los nativos—, en donde dominan las prácticas mercantiles, los contratos de trabajo y los reglamentos legales. Los nativos asumen las relaciones primordiales que reflejan un mundo "no moderno" cuya función es servir a la comunidad, aceptar un cargo por el interés de todos, donde la vecindad y el parentesco son importantes. Estos dos mundos conviven en los pueblos originarios.

Pero a pesar de lo anterior, para el caso de Xochimilco, el sistema de cargos no ha desaparecido, al contrario: la festividad de la virgen del Rosario cobra más relevancia cada año. Hay una reorientación significativa del sentido de la fiesta: la hacen explícita a "los otros", que bien pueden ser los avecindados o a la "aristocracia oaxaqueña", que celebran la misma imagen, pero en el templo de Santo Domingo de Guzmán y sin la majestuosidad de la celebración en Xochimilco, o también como una forma de marcar la diferencia con la organización que promueve el municipio: el convive. Esta forma de marcar las diferencias, tal vez hasta politiza las festividades, pues se celebran no sólo para la comunidad, también para hacerse visibles ante los grupos sociales ubicados jerárquicamente por encima de ellos.

Para el caso de Jalatlaco el resurgimiento de las festividades religiosas muestra la necesidad de diferenciarse de las demás colonias y barrios de la ciudad, es encontrar su identidad, es una forma de buscar un lugar en el mundo urbano de Oaxaca y en los procesos capitalistas que buscan homogeneizar a la población. Es una forma de construir una malla de poder que proteja su identidad frente a las amenazas de los nuevos habitantes del barrio. Pero esta malla no es construida por Jalatlaco, involucra también a los otros barrios que fueron pueblos, como Xochimilco y Trinidad de las Huertas. Y se expresa en la unión de ellos a través de los desplazamientos de los estandartes de la virgen del Rosario.

Finalmente, las historias de estos dos pueblos muestran formas diferentes de respuesta ante los procesos de urbanización: Xochimilco fortalece su unidad interna, conserva para sí las celebraciones religiosas y mantiene viva la mayordomía; Jalatlaco, en un primer momento acepta la invasión, la absorción, pero después encuentra formas creativas para conservar su identidad cultural, ya sea recuperando los rituales, inventándolos y, en especial, aceptando a los nuevos habitantes en las celebraciones religiosas. Lo que ambos pueblos muestran, independientemente de sus historias particulares, es que las culturas indígenas contemporáneas no son una continuidad ininterrumpida del pasado prehispánico, tampoco son culturas fosilizadas, sino más bien el resultado de procesos creativos, de reelaboraciones constantes y adaptaciones a las circunstancias, pero que tienen sus raíces en las diversas culturas mesoamericanas.

Siglas

APPO Asamblea Popular de los Pueblos de Oaxaca
UABJO Universidad Autónoma Benito Juárez de Oaxaca

Bibliografía

Chance, John (1990), "Los indios urbanos", en Margarita Dalton, *Oaxaca, textos de su historia*, t. I, México, Gobierno del Estado de Oaxaca-Instituto Mora.

Dalton, Margarita (1990), *Oaxaca. Una historia comparada*, México, Gobierno del Estado de Oaxaca-Instituto Mora.

López Austin Alfredo y Luis Millones (2008), *Dioses del norte, dioses del sur*, México, Era.

Medina, Andrés (1995), "Los sistemas de cargos en la Cuenca de México: una primera aproximación a su trasfondo histórico", *Revista Alteridades*, año 5, núm. 9, UAM-I, pp. 7-23.

Medina, Andrés (2006), "Las fronteras simbólicas de un 'pueblo originario': una mirada etnográfica a las comunidades de Tláhuac, Distrito Federal", *Liminar, estudios sociales y humanísticos,* Chiapas, Universidad de Ciencias y Artes de Chiapas.

_____ (2007), "Pueblos antiguos: ciudad diversa. Una definición etnográfica de los pueblos originarios de la Ciudad de México", *Anales de Antropología. Revista del Instituto de Investigaciones Antropológicas,* México, UNAM, vol. 41, núm. 2, pp. 9-52.

Romero Frizzi, María de los Ángeles (1986) ,"Oaxaca y su historia de 1519 a 1821", en María de los Ángeles Romero Frizzi (comp.), *Lecturas históricas del estado de Oaxaca,* vol. II, Época colonial, México, INAH-Gobierno del estado de Oaxaca (Regiones de México).

Van Doesburg, Sebastián (2007), "La fundación de Oaxaca. Antecedentes y contexto del título de ciudad de 1532", *475 años de la fundación de Oaxaca*, t. I.,

Oaxaca, Ayuntamiento de la Ciudad de Oaxaca-Fundación Harp Helú, Casa de la Ciudad de Oaxaca, Proveedora Escolar.

Wolf, Eric (1957), "Closed Corporate Peasant Communities in Mesoamerica and Central Java", *Southwestern Journal of Anthropology*, vol. 13, núm. 1, University of New Mexico, pp.1-18.

Mezquitán, las oscilaciones de un barrio de Guadalajara

*Isabel Eugenia Méndez Fausto**

* Profesora del Departamento de Historia. Centro Universitario de Ciencias Sociales y Humanidades, Universidad de Guadalajara. Contacto: isemefaust@yahoo.com

La transformación de Mezquitán, en Guadalajara, Jalisco de pueblo indígena a barrio se resolvió gradualmente y en un lento desarrollo; para dar cuenta del mismo, aplicamos la metodología de la historia cultural, que entiende los procesos históricos de muy larga duración, como son precisamente los cambios en las costumbres y en la mentalidad social, indudablemente implicados en el proceso experimentado en esta localidad.

Retomo, por tanto, la propuesta de Lillian Fessler de utilizar la metodología histórica para el estudio de los barrios.[1] Esta autora aplaude la caída de los paradigmas teóricos porque entiende que con ese vacío teórico "se recuperan las dimensiones cultural, morfológica y local [perdidas]" (Fressler, 1998: 125) lo cual permite abordar desde una perspectiva histórica al barrio, que es, por excelencia, una "forma de fragmentación de la ciudad" (Fressler, 1998: 126).

Para acercarme a la conformación de la identidad del barrio de Mezquitán tomo en cuenta al menos cuatro factores: el cementerio y la iglesia locales, las reformas administrativas y jurídicas en torno al territorio eclesiástico, es decir, la parroquia y por último, la población; todos éstos remiten a un proceso cultural de larga duración acorde con la formación de un concepto de identidad barrial.

[1] Braudel ha defendido el papel de los historiadores como investigadores pioneros en el estudio de las ciudades. Ya que la atención de Braudel y de la escuela de los Annales no sólo se dirigió a la morfología urbana y al urbanismo, sino que se interesó por "la evolución histórica de las ciudades, las instituciones, la población y la sociedad urbana en general, las relaciones campo-ciudad, y las monografías urbanas", tarea que, afirma Capel, después han retomado, geógrafos y arquitectos (Capel, 2002: 42).

EL CEMENTERIO Y LA IGLESIA

Las hambrunas y epidemias de fines del siglo XVIII en Guadalajara (Méndez, 2008: 44 y Calvo, 1982: 52), colocaron a los cementerios en la mira de las reformas borbónicas, al señalarlos como causantes principales de la multiplicación de los contagios. La acusación se debía a lo céntrico de su ubicación, por lo que a partir de entonces la normatividad borbónica se encargó de disponer su traslado hacia la periferia, multiplicándose así los cementerios urbanos y formalizándose con ello los espacios funerarios de Nueva Galicia.

En Guadalajara, entre 1770 y 1800, se llevó a cabo la reconstitución de los cementerios, la habilitación periódica de cementerios provisionales periféricos y la inauguración simultánea de un nuevo sistema funerario, al integrar 28 nuevos camposantos anexos a los conventos tapatíos vigentes. El nuevo sistema funerario tapatío, que fue representado en el plano de Guadalajara correspondiente a 1800, fue dedicado al obispo Cabañas, impulsor del mismo.[2]

Sin embargo, estas disposiciones borbónicas que desde 1789 demandaron la habilitación de cementerios periféricos en las ciudades, no se acataron inmediatamente en Guadalajara. Esos mandatos llamaban a situar por lo menos un cementerio en cada cuartel para prevenir la diseminación de contagios con el traslado de los cadáveres a través del centro hasta el extremo urbano donde estuvieran ubicados los cementerios extramuros. Asimismo, la disposición de 1805 exigía que los cementerios improvisados formalizaran sus estructuras para dar solemnidad a los recintos cementeriales desde la entrada. El retardo de esas disposiciones en Guadalajara fue justificada por las autoridades virreinales —tanto civiles como eclesiásticas— por la falta de recursos económicos para su construcción.

Ese proceso —denominado de secularización de los cementerios por los propios eclesiásticos desde el siglo XIX—, que proponía la separación de los cementerios del atrio de las iglesias, con el pretexto de cuidar la higiene pública (Benoit, 1888: 226), fue concluido por las autoridades independentistas mexicanas a cuyo cargo quedó la realización de los dos objetivos incumplidos por la sociedad colonial: la multiplicación y la formalización de los cementerios urbanos. La multiplicación de cementerios, lograda hasta

[2] AHAG, "Plan de la ciudad de Guadalajara, capital del Reino de la Nueva Galicia. Dedicado al Ilmo. Señor Doctor. Don Juan Cruz Ruiz de Cabañas del Consejo de Su Majestad Dignísimo Obispo de esta Diócesis. Año de 1800".

1830, completó el esquema cementerial cuartelario que décadas atrás había sido propuesto por la reglamentación borbónica en 1789 (Fernández y Mantilla, 2003: 321-325). Así, los cementerios extramuros de la periferia norte tapatía, Belén y el Santuario, que habían sido inaugurados 50 años antes, se complementaron con los cementerios del extremo sur, situados en los antiguos pueblos indígenas de Mexicaltzingo y Analco, promovidos por sujetos particulares (Méndez, 2008: 238-244). Desde 1667 ambos pueblos indígenas estuvieron sujetos a los alcaldes ordinarios de la ciudad y mediante un decreto de 1821 fueron declarados barrios de Guadalajara, quedando integrados al recinto urbano (Iguiniz, 1989: 47).

La formalización de los cementerios civiles sólo puede afirmarse a partir de la década de 1840, ya que en 1842 se instruyó, mediante un decreto del Congreso estatal (Pérez, 1982),[3] la realización de un modelo arquitectónico de cementerio que destacaba la importancia de un muro perimetral del recinto, alto y fuerte, una portada solemne de acceso y el uso de gavetas o columbarios de material que complementara la protección del amurallado para resguardo de los cadáveres ahí depositados (Méndez, 2008: 253). Dos objetivos propios de la secularización mexicana fueron emprendidos conscientemente por el Estado reformista decimonónico: *1)* la liquidación del proceso moral de selección de entierros que imponía la Iglesia en los cementerios que administraba, y cuyo control había adquirido integralmente por la cesión perpetua o "espiritualización" de los terrenos donados por el Estado, que resistió en lo subsecuente esa donación; y *2)* la construcción exclusiva de cementerios civiles, prohibiendo toda intervención de las autoridades eclesiásticas en éstos.[4] Ambos objetivos se encaminaban a que el gobierno civil tuviera necrópolis, panteones laicos o campos mortuorios para uso de los habitantes. Como el propio gobierno decía: "A tales lugares deberán ir o irán todas aquellas personas a quienes el clero niega la sepultura eclesiástica, a veces por buenos motivos, a veces también por rastreras y viles pasiones".

Esos últimos objetivos secularizadores solamente se concretaron en la construcción y administración del primer cementerio civil de la ciudad de Guadalajara, cuya ubicación, desde fines de 1896, fue en las cercanías de la localidad indígena de Mezquitán. Se ha señalado que la importancia, la di-

[3] "Circular del 30 de agosto de 1842, consignada en el decreto del 29 de mayo de 1843, 'Reglamento de Cementerios'", p. 424.

[4] AHAG. SGob, SOC Circular del Gobierno Eclesiástico de Guadalajara, Obispo Pedro Espinosa, 23 de septiembre de 1859, p. 5.

namización y la identidad de ese barrio, se consolidó sólo a partir de la fundación del panteón municipal en su zona, tratando al barrio de Mezquitán como apéndice del Panteón tapatío del mismo nombre.

El cementerio funcionó aproximadamente durante el periodo 1831- 1887 por obra de dos decretos que marcaron tanto su fundación como su clausura, respectivamente. En particular, la aplicación del decreto estatal número 195, que obligaba a las localidades a habilitar cementerios extramuros —en la circunstancia concreta de una manifestación de viruela en 1830—, se complicó por la reciente anexión barrial a la ciudad, declarada apenas en 1821, y dio lugar a que se emitiera una medida especial, ya que se estimó que muchas localidades estarían en una circunstancia semejante. Esta medida especial apareció en el decreto estatal número 362 el cual indicaba que este tipo de barrios, recientemente anexados a localidades mayores, se considerarían excepcionalmente como municipalidades autónomas,[5] para la aplicación de la ley de habilitación del cementerio extramuros.

La interpretación particular del párroco sobre el decreto estatal número 195, que en su concepto lo obligaba a enviar los cadáveres al cementerio del Hospital de Belén, negándoles la sepultura en el cementerio del pueblo, desencadenó la controversia sobre la situación especial de Mezquitán, ya que los vecinos, en aras de aclarar la certeza de su interpretación, le dirigieron una consulta sobre el particular al gobierno político del estado de Jalisco. En ésta manifestaron los graves inconvenientes que les acarrearía esa modificación: determinaría una traslación costosa de los cadáveres a la distancia de cerca de una legua, aplazaría las inhumaciones por tres o cuatro días por falta de conductores, los animaría a dirigirse a un camposanto insalubre como era el caso del camposanto de Belén. Por todos los inconvenientes anteriores experimentados, "en medio de la desesperación de su población [que] se aniquilaba en proporción de la epidemia y la falta de recursos",[6] determinaron al gobierno político a decretar la fundación del cementerio de Mezquitán en su propia localidad.

El cementerio es el elemento más directamente ligado al funcionamiento de la iglesia barrial. El cementerio de Mezquitán se ubicó finalmente a un costado de la iglesia de San Miguel, al parecer desde 1830, en atención a la aclaración solicitada en el decreto correspondiente, y no se clausuró ni

[5] AHJ, Ben-Legis, leg. 35-62, 1830-1831, 3 ff. "Decreto 362 sobre cementerios, del 16 de febrero de 1831".

[6] *Idem.*

siquiera cuando se ratificó, en 1885, el decreto 122 del 3 de marzo que suprimía la Comisaría Municipal de Mezquitán, formalizándolo como barrio de Guadalajara (Dalorme, 1983: 198), no obstante su reconocida insalubridad. Sin embargo, la estricta vigilancia de la higiene, convenientemente organizada con inspectores zonales según las demarcaciones existentes, puestos a su vez bajo la dirección de un inspector general de la salubridad pública tapatía, denunció el riesgo del uso del cementerio ubicado en la Iglesia del barrio de Mezquitán. En efecto, el inspector de la décima demarcación, José García, reportó al inspector general de salubridad pública la peligrosidad de dicho cementerio, advirtiendo que "los miasmas que se desprenden causan a estos vecinos enfermedades contagiosas; pues parte de la noche no se soporta la fetidez que despiden los cuerpos que están en descomposición".[7] En atención al alto riesgo higiénico representado por el cementerio de Mezquitán, el oficial segundo Pablo R. Carrillo elevó al gobernador la propuesta de su clausura y el envío de los cadáveres de la décima demarcación al cementerio de Belén, recibiendo su proposición una respuesta afirmativa e inmediata.

Esta determinación gubernamental no sólo clausuró el servicio funerario del cementerio de Mezquitán revirtiendo el efecto del decreto número 195 que en la práctica reconocía la autonomía política de Mezquitán y lo identificaba como una localidad independiente de Guadalajara, sino que marcó también el cambio de identidad del antiguo pueblo indígena y lo identificó como un barrio de la ciudad de Guadalajara cancelando sus prerrogativas anteriores y sometiéndolo a los intereses y proyectos urbanos en ciernes.

El libro de catastro elaborado en 1884, que nos ha permitido conocer la ubicación del cementerio de Mezquitán dentro de la manzana 10, al costado de la iglesia,[8] es una muestra de ese dominio, ya que integra por primera vez la zona de Mezquitán al plano urbano, sobrepone una traza de damero o cuadrícula sobre el espacio todavía agrícola de la zona, consigna la ubicación de 52 manzanas iniciales entre las cuales señala la ruta del tranvía eléctrico en trámite, sujeta a los habitantes del nuevo barrio al pago del impuesto predial y anticipa el proyecto de ubicación del primer cementerio municipal de Guadalajara en la zona de Mezquitán integrando, de hecho, al nuevo barrio con esa amplia intervención. Los historiadores de Mezquitán ya han

[7] AHJ, Ben-Legis, leg. 35- 62, 1830- 1831, 3 ff.

[8] MAHJ, "Catastro de la ciudad de Guadalajara. Cuartel 10, 1884". Referencia del plano individual: plano, clasificación 7.3, año 1884, lugar Mezquitán, número del plano 633, localización o planero inv pl 34.

reconocido y puesto de relieve ese proceso de integración urbana; no obstante, se han confundido al adjudicar a su tradición rural los callejones retorcidos, porque en el caso de la introducción del tranvía esa irregularidad obedecía al principio moderno de transportar a los obreros desde el interior de la ciudad, directamente a las puertas de la fábrica en Atemajac, que era su lugar cotidiano de trabajo. Así, las manzanas pequeñas obedecieron a la demanda de una clase modesta deseosa de contar con casa propia, demanda que pulverizó las 52 manzanas originales, convirtiéndolas en 135 en menos de 30 años,[9] e igualmente atomizó los extensos predios rurales anteriores en lotes minúsculos, siguiendo el esquema de la colonia vecina de los Artesanos, situada al otro lado del cementerio, definiendo las características actuales del barrio de Mezquitán como un barrio obrero.

La iglesia

A falta de otros puntos adecuados para realizar reuniones públicas, el templo concentró al grueso de los feligreses del barrio o los alrededores inmediatos, principalmente rurales, mediante el recurso de hacerlos participar dentro de cofradías, asociaciones, festejos patronales y devociones cotidianas como las misas dominicales y los sacramentos anuales o periódicos. Menciono los datos de la fundación de la Iglesia de San Miguel de Mezquitán. El templo

> comenzó a edificarse en 1645 según consta en la inscripción que aparece en la cruz del atrio. Dos hornacinas y sus santos en el cuerpo superior desproporcionadamente pequeños, que corresponden a la virgen del Rosario y san Isidro Labrador, muy propios de una encomienda agrícola, revelan la presencia de un templo anterior, de dimensiones más reducidas. En el atrio actual quedan los restos de dos capillas posas que debieron formar parte de la doctrina primitiva atendida por franciscanos (Casasola, 2007: 28).

Igualmente agrícola fue el carácter del patrono de la nueva fábrica de la iglesia (concluida en 1733), el arcángel San Miguel, que da nombre al barrio. Ya que "la gran personalidad de San Miguel, sus características telúricas, y sobre todo el gran poder que despliega [...] asociándolo al nahual-rayo que

[9] LC-CUCSH, 1921- 1922, Catastro de Guadalajara, atlas de las manzanas del cuartel 10.

es tremendo pero protege las cosechas [...] haciendo brotar manantiales caudalosos" (Casasola, 2007: 19). De ahí la ubicación central que se le concede sobre la clave del arco, entre alas que se confunden y sólo dejan ver su rostro, "su expresión es majestuosa y extática, con los grandes ojos abiertos, que encontramos también en otras figuras angélicas, en eterna contemplación de la presencia inefable de Dios soberano" (Casasola, 2007: 49). La iglesia actual fue arruinada en 1846, cuando el general Pacheco defendió Guadalajara, y fueron afectados sus techos. El obispo Orozco y Jiménez restauró esta iglesia a inicios del siglo xx (Casasola, 2007: 30).

Como lo mencioné al inicio, otros dos factores contribuyeron para crear la identidad comunitaria mezquitense: el territorio y la población, los cuales remiten a un proceso cultural de larga duración acorde con la formación de un concepto o identidad barriales, aun cuando no se puede negar que los intereses y los propósitos de una gran ciudad como Guadalajara podrían imponerse sobre una localidad vecina que, comparada con la metrópoli, se percibía como una entidad débil.

Las reformas administrativas y jurídico-territoriales

El barrio de Mezquitán se mantuvo como un pueblo indígena en la periferia de la ciudad de Guadalajara y sobre él recayó una serie de reformas administrativas y jurídico-territoriales que lo llevaron a convertirse formalmente en una parroquia urbana hasta la segunda mitad del siglo xx.

En una primera etapa la localidad de Mezquitán se desmembró de la parroquia rural de Zapopan, en 1785, para integrarse a la parroquia urbana del Santuario de Guadalupe como iglesia auxiliar. Cuando el crecimiento constante de Guadalajara se expandió más allá de las murallas defensivas "en razón de la extensión que de muchos años a esta parte ha tomado su población" se conformaron nuevos asentamientos como San Diego, Mexiquito y algunos otros en el camino a Zapopan;[10] Mezquitán perdió la oportunidad de convertirse en la cabeza de una nueva parroquia urbana en 1815 al ser vencido en esa competencia por la Parroquia de Jesús; por tanto, continuó siendo solamente una iglesia auxiliar, aunque ahora dependiente

[10] AHAG, SGob, SP, SG, c. 1, carp., 1801- 1839, exp. 21, "Expediente firmado sobre división", años 1739-1864, p. 1.

de esa nueva parroquia.[11] De este modo, Mezquitán permaneció 30 años (1785 a 1815) como ayuda de parroquia del Santuario, y pasó otros 15 años (1815 a 1830) como ayuda de la Parroquia de Jesús —circunstancia que sumó en total 45 años, pero conservó por más de 57 años (1785-1842) la iglesia, el camposanto y el cementerio propios dentro de su comunidad para el servicio irrestricto de todos, convirtiéndolos en un sitio de convivencia obligada, tanto para las ceremonias festivas como para las más solemnes.

Desde el momento en que se fundó la Parroquia del Santuario, en 1782, crecieron las ambiciones sobre Mezquitán y los planes para extenderse hacia sus tierras. En ese proceso, representado en los planos de la época, no se reclamó el dominio sobre sus feligreses, pero sí se demarcaron los alrededores de la Parroquia del Santuario incluyéndose la parroquia limítrofe de Zapopan, dibujada en el espacio correspondiente a Mezquitán. En uno de esos planos se estableció una oposición gráfica entre los dos barrios, identificando al Santuario como un espacio urbano en contraste con el ambiente de Mezquitán caracterizado como un espacio rural. Por ese motivo, en el plano de 1782, podemos ver que más que representar al pueblo de Mezquitán, se representó a su iglesia en medio de un espacio natural desolado. El templo de Mezquitán aparece aislado en medio de un ambiente rural, encuadrado entre la Barranca de Belén al sur, y los ríos Grande o de Zapopan, con sus correspondientes tres puentes, al poniente, y por el río de San Juan de Dios al oriente, afluentes que al mismo tiempo funcionaron como límites naturales de la nueva parroquia.

Un documento elaborado a principios del siglo xviii por la comunidad mezquiteca completa su descripción como zona rural. Elaborado con la finalidad de reclamar la dotación de nuevas tierras que fueran suficientes para sufragar sus necesidades, el plano informa que el terreno de Mezquitán "estaba compuesto de muchas lomas pedregosas y arroyos secos constreñidos al sur por la propia ciudad, y al norte por los linderos del pueblo de Atemajac y río que corría por mitad entre dichos pueblos" (Curley, 2000: 88).

Con el documento que marca su adscripción a la Parroquia del Santuario, realizada en 1785,[12] se completa la descripción dieciochesca del espacio y el entorno mezquiteco. En este documento consta que se sustrajeron de la jurisdicción de Zapopan no sólo importantes unidades productivas, sino también los pobladores: el pueblo del Batán, el de Mezquitán y los dos mo-

[11] ahag, sGob, sp, sg, c.1, carp., 1801-1839, exp. 21, "Expediente firmado sobre división", años 1739-1864, p. 35.

[12] ahag, sGob, sp, s, c. 1, carp. 1651-1785, leg. 1785.

Plano 1

Jurisdicción de la Parroquia del Santuario, contrastando el área urbana del Santuario y la zona rural de Mezquitán

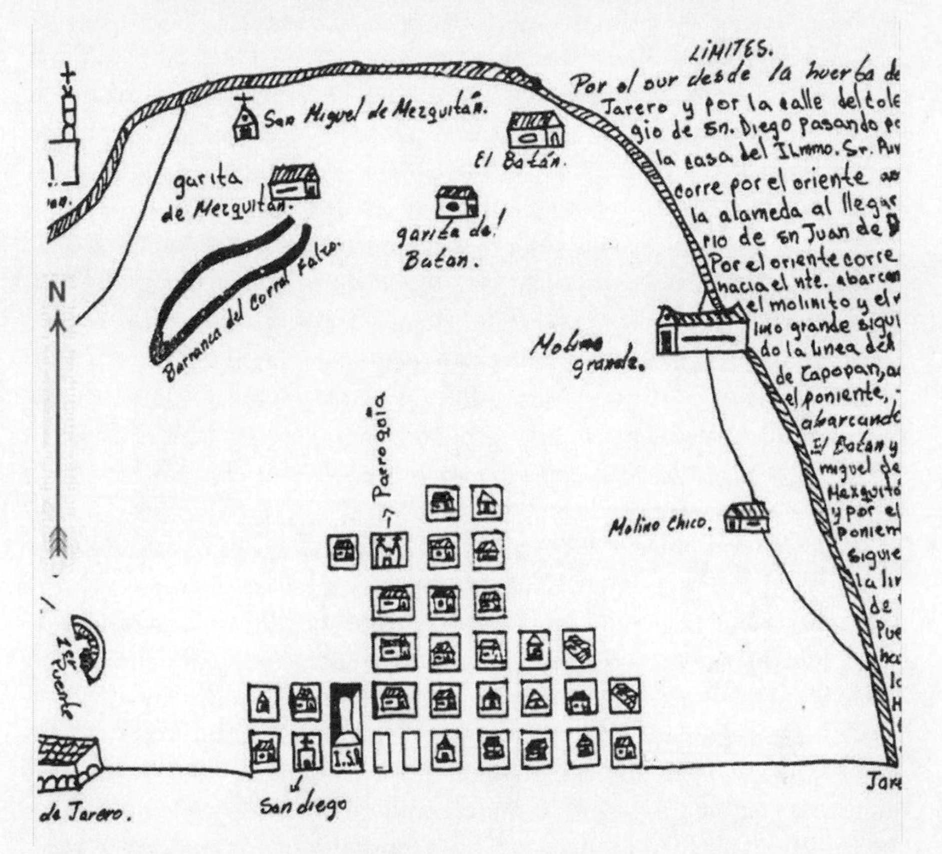

Fuente: *Voz Parroquial*, 1982.

linos del Colegio de Niñas de San Diego que fueron agregados a la nueva parroquia y beneficio de Guadalupe.

Este documento también proporciona el conocimiento de otra sección, hasta el momento no mencionada de Mezquitán, aparte del área ya urbanizada. Zona que fue nombrada la Mesa de Santiago, pues desde esa fecha quedó entendido que las tierras y ranchos de la Mesa de Santiago al norte y al poniente de la casa de la pólvora, seguían perteneciendo al curato de Zapopan, una vez que fueron revisados concienzudamente los mapas correspondientes, tanto en 1781 como en 1785.[13] Es importante mencionar que el quebrantamiento de la identidad comunal indígena fue potenciado por la integración de Mezquitán a la parroquia del Santuario en 1785, la cual se dio en cumplimiento precisamente de las disposiciones del Concilio Provincial Mexicano IV de 1770, que ordenaba la disolución de las parroquias exclusivas de indios o de españoles, y que buscó la mezcla de etnias en todas éstas.[14] No solamente se sustrajo Mezquitán de su pertenencia al Santuario de la virgen de Zapopan, sino que se suplantó con éste la capital regional anterior, Atemajac, que por su importancia le había dado nombre al valle en que se asentó Guadalajara, y se logró una recomposición total de los alrededores de la ciudad (Orozco, 1980: 232). El Concilio disolvió por derecho las comunidades indígenas inmediatas a Guadalajara y, de hecho, las obligó a integrarse al área urbana, debilitando su identidad y sus anteriores alianzas. Principalmente, a los ex pueblos indígenas de Mezquitán y Mexicaltzingo, fundando dos nuevas parroquias de población mixta en los extremos norte y sur urbanos. La participación en las ceremonias y los sacramentos en la lejanía de la parroquia, tal como lo mandaba el derecho canónico, cuando así tuvo que cumplirse, sólo fue accesible para una capa mínima mezquiteca con los mayores recursos. Ellos si podían pagar los aranceles en la parroquia y en la ciudad, y todos los traslados y gastos que fueran necesarios. De ahí que los mezquitecos se resistieran de modo generalizado a la cancelación de los recintos funerarios propios, argumentando la falta de cargadores, la poca higiene del panteón de Belén, y la falta de recursos, o la pérdida de horas de trabajo para poder cumplimentar esa orden. En cuanto a los ritos funerarios tendremos que decir que el sepulcro se solicitó preferentemente en la misma vecindad de ubicación de la morada,[15] que los indígenas prefirieron el acompañamiento funeral dirigido por músicos y cantores[16] y que los deudos pasaron por la iglesia las procesiones funerales con cohetes y música, aún cuando rehusaran el pago de aranceles (Méndez, 2008: 261).

[13] AHAG, SGob, SP, S, c. 1, carp. 1651-1785, leg. 1785.

[14] El rey había recomendado para la celebración del IV Concilio Provincial Mexicano que "se dividan las parroquias donde su distancia o número lo pida para la mejor asistencia y administración de los sacramentos de los fieles [...] prefiriendo en esta división y cómoda distribución de parroquias el bien espiritual de éstos al interés de los actuales párrocos" (Pescador, 1992: 20).

[15] *Cfr.* Méndez, 2008: 138, 140 y 152-154. Muestra tablas de comparación de los domicilios y los lugares de sepultura de los testadores de las parroquias del Santuario y Sagrario.

[16] Prohibiciones declaradas en la visita de 1808 del obispo Juan Cruz Ruiz de Cabañas a la Parroquia de Mexicaltzingo. Segunda Visita a la Parroquia de Mexicaltzingo.

Ya en el siglo XIX, diversos decretos afectaron el territorio propiedad de la comunidad indígena de Mezquitán ubicado en la periferia de la ciudad de Guadalajara. El decreto del 30 de marzo de 1833 declaró a los cabildos constitucionales dueños de las propiedades que antes correspondían a las comunidades indígenas, exceptuando las propiedades que fueran ya de dominio particular, y dispuso que los indígenas poseedores de títulos acudieran ante las autoridades municipales a refrendarlos (Muriá, Olveda y Rendón, 2004: 59).

La ley del 17 de abril de 1849 reconoció los derechos de los indígenas sobre los bienes de comunidad e indicó también la forma de repartirlos (Muriá, Olveda y Rendón, 2004: 68). "Los indios de San Miguel de Mezquitán, no padecieron ninguna de esas expropiaciones y siguieron administrando sus tierras de forma comunal. Al instaurarse una nueva modalidad de propiedad, cuando culminó la Revolución Mexicana, encontrarían muchos obstáculos para definir el tipo de propiedad que sustentaban [exclusivamente en la Mesa de Santiago]" (Sánchez, 2003: 53). Entre vaivenes y disputas por los territorios parroquiales, los cuales afectaron directamente a Mezquitán, este pueblo indígena cambió de categoría en 1901 al convertirse en vicaría, aunque siguió dependiendo de la Parroquia de Jesús. Luego, en el periodo 1920-1931 fue declarada temporalmente parroquia. Categoría que perdió casi inmediatamente, en 1935, ante la nueva iglesia de la Sagrada Familia, por haber quedado incongrua y haber sido despojada del local destinado como iglesia.[17] La iglesia de San Miguel de Mezquitán fue rehabilitada como lugar de culto católico por el obispo Orozco y Jiménez en el primer tercio del siglo XX, hasta que una generación después Mezquitán pudo desmembrarse de la Sagrada Familia, el 27 de enero de 1961, fecha en que fue erigida parroquia por el cardenal José Garibi Rivera, siendo su primer párroco el cura Francisco Pilar Flores (Casasola, 2007: 30).

La debilidad demográfica

El nuevo vecindario parroquial del Santuario de Guadalupe reportó un total de 4 546 personas, según los respectivos padrones formados por cédula de 1779; la misma cantidad de feligreses que se manifestó desde la fundación

[17] AHAG. SGob, SP, PJ, "Comunicación del arzobispo Francisco Orozco y Jiménez dirigida al cura de la Parroquia de Jesús, Eduardo Huerta", 19 de junio de 1920.

de la Parroquia del Santuario, en la que ya se habían tomado en cuenta a los pobladores de Mezquitán. Por esta razón el primer padrón de la zona parroquial del Santuario de Guadalupe había registrado también 4 546 habitantes en 1782, año de su creación,[18] agregándose apenas en 1785 a la nueva Parroquia del Santuario el terreno del pueblo íntegro de Mezquitán, así como su población.[19] La baja cifra de la población en la Parroquia del Santuario entre 1779 y 1782 da pie para pasar al segundo aspecto característico del barrio de Mezquitán: la debilidad demográfica que lo aquejó permanentemente y que se expresa en los diversos padrones eclesiásticos. Los feligreses del pueblo de Mezquitán contabilizados dentro de la Parroquia de Zapopan en 1770 fueron alrededor de 483.[20] Agregados a la Parroquia del Santuario de Guadalupe ascendieron en 1782 a "705 personas inclusive doce del Batán".[21] En 1814, estando ya en vías de anexarse a la nueva Parroquia de Jesús, arrojaron una cantidad total de "693 personas de sólo el pueblo"[22] de Mezquitán, sin contar arrabales, ranchos ni molinos. En 1819, mediante el padrón de cumplimiento de iglesia, apenas llegaron a 459 los feligreses correspondientes a Mezquitán.Los censos correspondientes al siglo xx identificaron también tasas muy bajas de población. El de 1939 consigna apenas 193 cabezas de familia (Sánchez, 2003: 71) y el de 1964, un total de 420 miembros y 208 cabezas de familia (Sánchez, 2003: 71); el censo de 1968 registra un extraordinario número de 1 187 habitantes y 333 comuneros cabeza de familia, aunque entre ellos se afirma la incorporación de personas ajenas a la comunidad, situación que provocó el descontento y la división de la comunidad indígena mezquiteca (Sánchez, 2003, 74).

Conclusión

Concluimos que, no obstante su larga historia, Mezquitán no pudo consolidarse como parroquia ante las autoridades eclesiásticas por no poder

[18] AHAG, "Expediente armado sobre la fábrica y edificación del templo de Nuestra Señora de Guadalupe, y creación de nueva Parroquia, y beneficio curado en ella y en la Iglesia del Divinísimo Cristo de la Penitencia del Barrio de Mexicaltzingo", 1782, s/f. Contiene el Padrón del Pueblo de Mezquitán de 1782.

[19] AHAG, SGob, SP, S, c. 1, leg. 1785, carp. 1651-1785.

[20] AHAG, SGob, SP, Z. c. 1, carpeta 1770. Padrón parroquial 1770.

[21] AHAG, "Expediente armado sobre la fábrica y edificación del templo de Nuestra Señora de Guadalupe, y creación de nueva Parroquia, y beneficio curado en ella y en la Iglesia del Divinísimo Cristo de la Penitencia del Barrio de Mexicaltzingo", 1782 , s/f. Contiene el Padrón del Pueblo de Mezquitán de 1782.

[22] AHAG, SGob, SP, SMM, c. 1, exps. 20, 1814-1960, "Padrón del Pueblo de Mezquitán, 1814".

defender su territorio propio, por la falta de población y de recursos económicos. Tuvo, sin embargo, la oportunidad de satisfacer sus necesidades espirituales y funerarias en la inmediatez de su iglesia y su cementerio propios desde 1830, gracias a una decisión del gobierno civil, que, en la práctica, determinó los cambios que la transformaron funcionalmente en una verdadera parroquia con iglesia, camposanto y cementerio propios.

La identidad barrial de la población asentada en Mezquitán pudo modelarse, entonces, en torno de su iglesia, cementerio y camposanto donde la población pudo disfrutar de una autonomía legal y cultural, civilmente permitida, y celebrar sus tradiciones funerarias ya aculturadas pero de fuerte arraigo popular.

Listado de siglas y acrónimos

AHAG Archivo Histórico de la Arquidiócesis de Guadalajara
AHJ Archivo Histórico de Jalisco

Fuentes consultadas

Archivos

AHAG Archivo Histórico de la Arquidiócesis de Guadalajara
SGob Sección Gobierno
SOC Serie Órdenes y Circulares
SP Serie Parroquias
PJ Parroquia de Jesús
SG Santuario de Guadalupe
S Sagrario
Z Zapopan
SMM San Miguel Mezquitán
AHJ Archivo Histórico de Jalisco
Ben. Beneficencia
Legis. Legislación

Cartografía

LC-CUCSH Laboratorio de Cartografía, Centro Universitario de Ciencias Sociales y Humanidades, Guadalajara, Jalisco.

MAHJ Mapoteca del Archivo Histórico de Jalisco

Libros y artículos

Benoit, Paul (1888), *La ciudad anticristiana en el siglo XIX*, Francisco de P. Ribas y Servet (trad.), Barcelona, Librería y Tipografía Católica.

Calvo, Thomas (1982), "Familia y registro parroquial, el caso tapatío en el siglo XVII", *Relaciones*, núm. 10, Zamora, El Colegio de Michoacán, primavera.

Capel, Horacio (2002), *La morfología de las ciudades,* t.1, España, Ediciones del Serbal.

Casasola, Antonio (2007), *El templo de San Miguel de Mezquitán*, México, s/e.

Curley, Robert (2000), "Los que suscribimos indígenas de Mezquitán... comunidad y autoridad eclesiástica 1894-1907", en Susana Pacheco Jiménez (coord.), *Vida y muerte entre la ciudad y sus barrios. El panteón de Mezquitán en su centenario (1896-1996)*, Guadalajara, H. Ayuntamiento de Guadalajara/Ágata Editores.

Delorme, Jorge (1983), *Disposiciones de observancia general en Jalisco, índice de leyes, circulares, disposiciones, etcétera, publicadas en el* Periódico Oficial del Estado de Jalisco *en el periodo 1857- 1979,* vol. I (1857- 1919), Guadalajara, UNED.

Fernández, Rafael Diego y Marina Mantilla (2003), *La Nueva Galicia en el ocaso del imperio español. Los papeles de derecho de la Audiencia de la Nueva Galicia del licenciado Juan José Ruiz Moscoso su agente fiscal y regidor del Ayuntamiento de Guadalajara, 1780- 1810*, vol. II, México, El Colegio de Michoacán-Universidad de Guadalajara.

Fessler, Lillian (1998), "Identidad barrial. Apuntes para una historia de barrios de la ciudad de Río de Janeiro", en Luis Felipe Cabrales Barajas y Eduardo López Moreno (comp.), *La ciudad en retrospectiva*, Wilder Ferrer Tenicela (trad.), México, Universidad de Guadalajara Centro Universitario de Ciencias Sociales y Humanidades-Centro Universitario de Arte Arquitectura y Diseño.

Iguiniz, Juan B. (1989), *Guadalajara a través de los tiempos. Relatos de escritores y viajeros desde los primeros tiempos hasta nuestros días,* t. I, .Guadalajara, Ayuntamiento de Guadalajara.

Méndez, Isabel Eugenia (2008), *Guardián del sueño eterno. El Estado ante las necesidades funerarias de Guadalajara, siglos XVIII y XIX*, Guadalajara, Amate Editorial.

Muriá, José María, Jaime Olveda y Mario Aldana Rendón (2004), *Historia de Zapopan*, México, Ayuntamiento de Zapopan.

Orozco, Luis Enrique (1980), "El antiguo cacicazgo de Atemaxaque", en Ramón Mata Torres, *Iglesias y edificios antiguos de Guadalajara,* Guadalajara, Ayuntamiento de Guadalajara-Cámara de Comercio de Guadalajara.

Pérez, Manuel (comp.), *Colección de los decretos, circulares y órdenes de los poderes legislativo y ejecutivo del Estado de Jalisco,* vol., VIII, Guadalajara, México, Congreso del Estado de Jalisco, 1982.

Pescador, Juan Javier (1992), *De bautizados a fieles difuntos. Familia y mentalidades en una parroquia urbana: Santa Catarina de México, 1568- 1820,* México, El Colegio de México.

Sánchez Macías, Martha (2003), *El proceso de cambio de uso y tenencia del suelo en la comunidad indígena de Mezquitán en Zapopan*, tesis inédita de maestría, Jalisco, El Colegio de Jalisco.

Voz Parroquial. Publicación de la Parroquia del Santuario, núm. 1595, Guadalajara, 29 de julio de 1982.

Juntos, pero no revueltos. Distribución socioespacial en el barrio de Tequisquiapan de la Ciudad de México

*Ernesto Flores Martínez**

* Docente tutor investigador "C" en el Instituto de Educación Media Superior del Distrito Federal. Candidato a doctor por la Universidad Autónoma Metropolitana, unidad Iztapalapa. Sus áreas de investigación son el crédito y el estudio del espacio de los barrios indígenas de la Ciudad de México durante el periodo virreinal. Contacto: efloresm73@yahoo.com.mx

La Ciudad de México del periodo virreinal ha llamado el interés de numerosos investigadores. Existe una extensa historiografía en la cual se analizan temas como su fundación, cambios demográficos, rebeliones sociales, organización política, sistemas económicos, periodos de hambrunas, migraciones, conflictos laborales, relaciones comerciales y diversos aspectos relacionados con la vida cotidiana. En conjunto, las investigaciones realizadas hasta hoy nos proporcionan una visión de lo que ha sido la historia de la Ciudad de México hasta nuestros días.

A pesar de estos avances historiográficos existen aspectos que aún requieren análisis más amplios y profundos. Uno de ellos es el relacionado con las parcialidades de Santiago Tlatelolco y San Juan Tenochtitlan, administradas por la Ciudad de México y compuestas por una buena cantidad de pequeños barrios ubicados alrededor de la capital novohispana. El poco interés mostrado hasta hoy se debe a varias razones, pero las que comúnmente se mencionan son la falta de información sobre estos lugares y la dispersión de las fuentes y, por consiguiente, lo complejo que resulta reconstruir su historia.

El presente trabajo tiene como principal propósito explicar la ocupación y distribución de los habitantes no indios que se introdujeron y habitaron Tequisquiapan. Señalo los mecanismos usados para introducirse en él y, tomando como puntos de referencia la ciénega de San Antonio Abad, la calle, el convento y la acequia de Monserrate, ubico los lugares que habitaron en el interior del barrio según su calidad étnica y ocupación laboral. La elección del barrio de Tequisquiapan como espacio y la temporalidad que abarca el presente estudio (1570-1776) están directamente relacionadas con las fuentes documentales localizadas sobre el mismo, pues me proporcionaron información sobre la población no india que vivió en el barrio, los métodos que utilizaron para establecerse en él y la organización de sus habitantes en su interior.[1]

El espacio de estudio

Tequisquiapan perteneció a la parcialidad de San Juan Tenochtitlan, de la Ciudad de México (plano 1).

Al norte de Tequisquiapan se localiza la calle que iba del Salto del Agua al Colegio de San Pablo, conocida también como Calle Real de San Pablo o Calle de San Juan; avenida que marcó el límite entre la república de españoles y los barrios indígenas del sur de la ciudad.[2] El sur se dividía por una acequia que salía de la llamada "Acequia Real que va de Xochimilco a Chapultepec"; más al sur, pasando Xihuitongo, se encontraban amplias zonas poco habitadas cubiertas de matorrales y árboles, pero sobre todo existía una gran porción de áreas anegadas que formaban parte de la Ciénega de San Antonio Abad. Por el este se hallaba la calle de Necatitlán y, finalmente, al oeste se ubicaba la calle conocida como Calle de Monserrate o Calle del Chapitel de Monserrate (plano 2, pág. 232).

En la esquina noroeste de Tequisquiapan se localizó la ermita de Monserrate (hoy Museo de la Charrería, ubicado entre las calles de José María Izazaga e Isabel la Católica). De este convento hacia el sur se llegaba hasta la acequia de Chapultepec (hoy calle de Chimalpopoca), a la altura de San Salvador El Verde, del barrio de Xihuitongo. Algunas zonas al interior de Tequisquiapan, sobre todo las áreas contiguas al monasterio, empezaron a conocerse como Barrio de Monserrate. Sus habitantes dejaron de llamarlo por su antiguo nombre indígena e hicieron referencia a él considerando el nombre del convento.

[1] Algunas investigaciones que analizan los barrios indígenas están basadas en la información extraída de padrones correspondientes al siglo xviii. Hasta hoy no he localizado dicha información para el periodo que estudio. Por tal motivo, echo mano de diversas fuentes que no se han empleado para avanzar en el conocimiento de los barrios indígenas de la Ciudad de México.

[2] En algunos documentos del siglo xviii esta calle, a la altura Tequisquiapan y Necaltitlán, se menciona como Calle Verde.

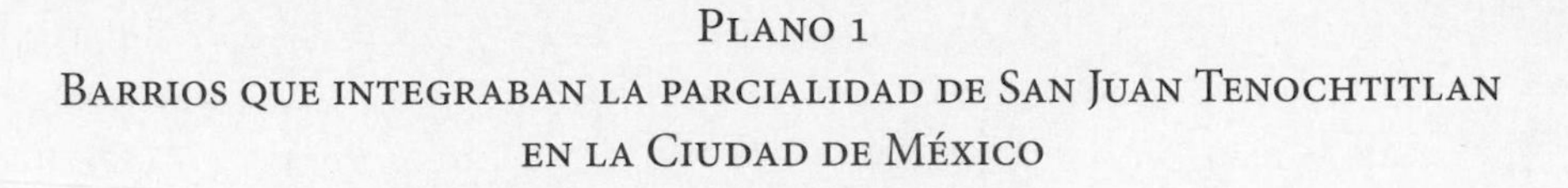

Plano 1
Barrios que integraban la parcialidad de San Juan Tenochtitlan en la Ciudad de México

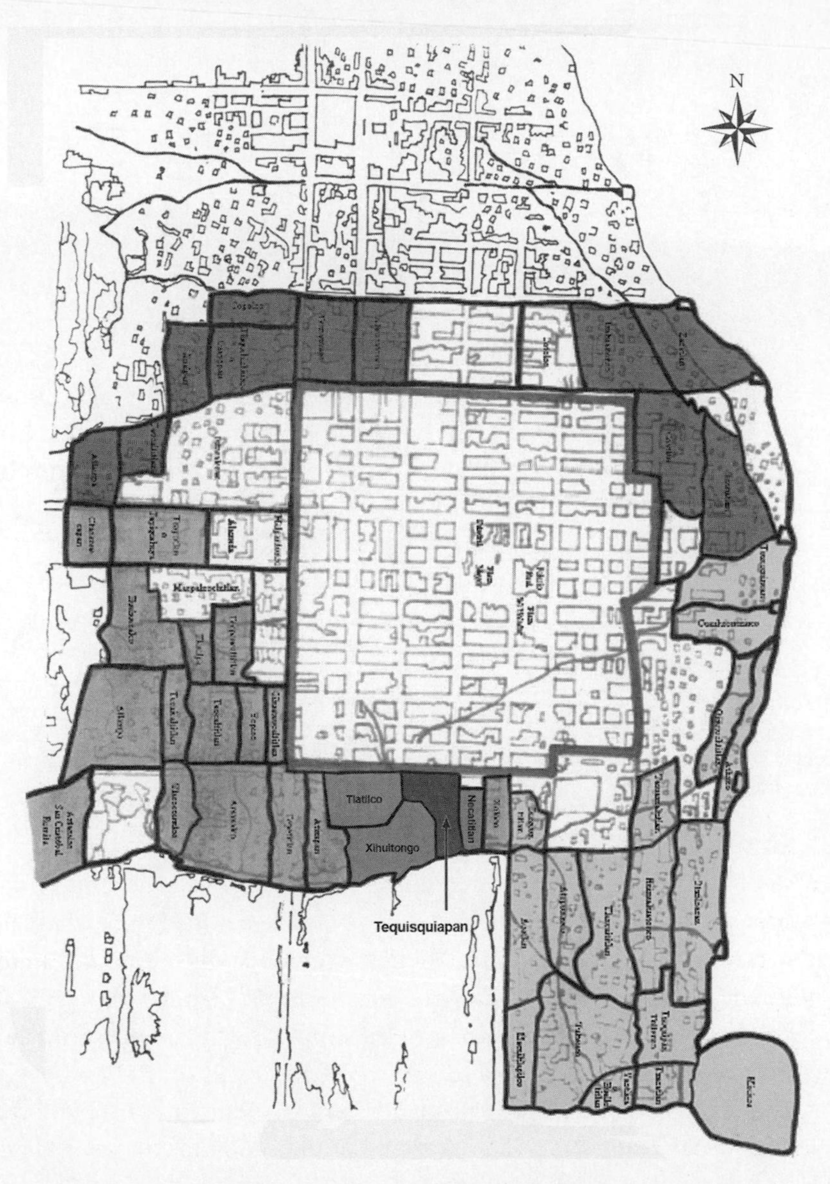

Tequisquiapan, estuvo ubicado al sur de la traza urbana y colindaba con otros barrios, como Necatitlan, Tlatilco y Xihuitongo.
Fuente: Elaborado a partir de Lira, 1983; Lombardo, 1996 y Rojas, 1995.

Plano 2
Barrio y alrededores de Tequisquiapan

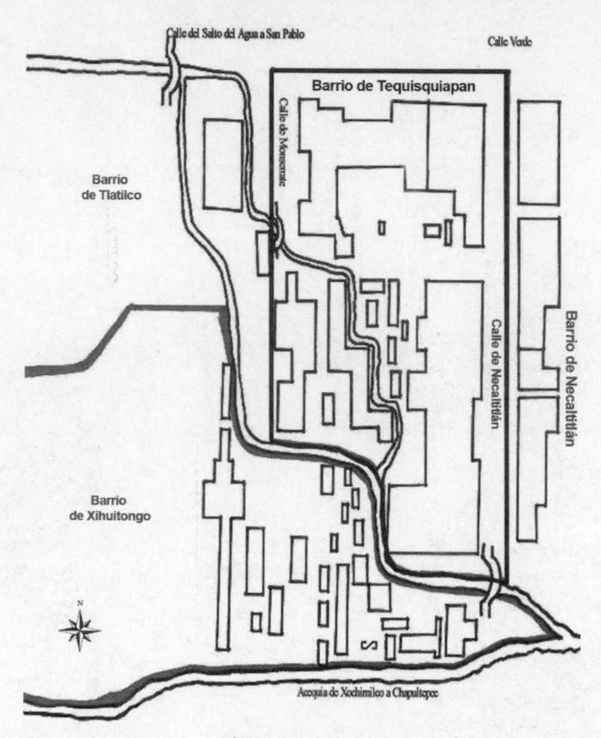

Fuente: Reconstruido a partir del plano que elaboró Pedro de Arrieta en 1737. Lombardo, 1996: plano 3.

La introducción de no indios al Barrio de Tequisquiapan

Como es sabido, en la Ciudad de México se marcaron los límites de la llamada "traza española" o república de españoles, en la que se asentó la gran mayoría de la población no india y que comprendió el espacio de la ciudad, es decir, del común.[3] Por otro lado, se diseñaron las medidas necesarias para crear lo que se llamó "república de indios" (Estrada, 2000: 61) compuesta por la parcialidad de Santiago Tlatelolco y San Juan Tenochtitlan. A diferencia de las zonas ocupadas por la "traza española", en la mayor parte de los barrios indígenas que integraron las parcialidades, no existieron calles rec-

[3] Para conocer varias propuestas sobre los límites de la traza urbana, véase Porras, 1982: 21. Este autor cita las propuestas de autores como Toussaint, Álvarez y Gasca, y Orozco y Berra.

tas ni ordenadas. En dicha área los indígenas levantaron sus habitaciones que, en la mayoría de los casos, fueron jacales; edificios muy sencillos y humildes, constituidos por lo general por un solo aposento en el que se realizaba la mayoría de las labores y necesidades domésticas. Las "casillas" de los indios, como se les llamó comúnmente, fueron construidas con adobe —una mezcla de barro, agua y en ocasiones paja— carentes de orden, ubicadas en un gran número de callejones que servían como medio de comunicación y transporte. En algunos de esos espacios había sitios anegados y próximos a los lagos. Los habitantes de mejor posición económica y social edificaron sus casas combinando el adobe con material de mayor duración como piedra, cal y canto.[4]

Las autoridades virreinales constantemente emitieron leyes que establecieron la separación de indios y no indios. En 1550 se prohibió que españoles, mestizos, negros y mulatos se establecieran en las parcialidades indígenas porque se consideraba que eran mal ejemplo para los naturales; además, maltrataban, robaban y abusaban de las mujeres de los naturales (Castillo, 2001: 36). En 1578 y 1580 se volvieron a dar órdenes precisas a los corregidores para impedir que mestizos, mulatos y negros permanecieran en compañía o cerca de los indios. Las razones que justifican esta separación estaban relacionadas con su mal comportamiento, pues mestizos, mulatos y negros eran "universalmente ociosos y mal inclinados" y, por tanto, "enseñaban vicios a los indios" (Castillo, 2001: 40). A lo largo del siglo XVII se volvieron a emitir cédulas que estipulaban la separación residencial entre indios y españoles, negros, mestizos y mulatos; pero estas prohibiciones en buena medida sólo quedaron estampadas en el papel, ya que los españoles se metieron a las tierras de indios, así como los naturales vivían en casas de los hispanos al interior de la traza. En algunas ocasiones, incluso los naturales construyeron sus propias viviendas dentro de la traza urbana (Muriel, 1985: 267).

La penetración de no indios en barrios indígenas se vio favorecida por varios factores. Uno de los más antiguos fue la donación de terrenos que hicieron las autoridades hispanas a españoles fuera de la traza. Posteriormente se implantaron prácticas religiosas, económicas y sociales traídas de Europa, tales como la fundación de obras pías y la imposición de censos,

[4] Como ejemplo véanse varios documentos de las actas de cabildo. AHDF, AC vol. 644ª y 645ª, años 1599 y 1604.

hipotecas, depósitos, reconocimientos y traspasos de deudas.[5] Asimismo, los propios indígenas permitieron que los no indios se asentaran en los barrios mediante la institución de contratos de compra-venta de solares y casas. También tuvieron un papel fundamental los arrendamientos de cuartos, accesorias y viviendas completas.

La introducción de no indios en Tequisquiapan fue favorecida por la edificación de la Ermita y el Convento de Monserrate. No se sabe con claridad el año en que empezaron las obras de construcción, algunos historiadores señalan que su edificación se inició en 1580, otros aseguran que fue en 1590; incluso llegan a mencionar 1628 (Orozco, 1973: 235). El interés por precisar la fecha de fundación del convento es porque en 1590 esta institución compró y recibió en donación casas y solares de indios, propiedades que posteriormente las autoridades del convento arrendaron y otorgaron a censo a no indios.[6] Al igual que en la mayor parte de la ciudad, los no indios que obtuvieron solares en el barrio de Tequisquiapan echaron mano de las compras, arrendamientos y reconocimientos de deudas para avecindarse en ese espacio.

Situé la presencia de "no indios" en Tequisquiapan hacia el año de 1570 y principalmente después de 1590. Esto no quiere decir que haya sido hasta este periodo cuando los españoles, mestizos, mulatos, moriscos y castizos se establecieron en este lugar. Sin embargo, hasta ahora no he localizado referencias anteriores a estos años. La consulta de los protocolos notariales me permitió observar que algunos contratos de compra-venta de solares en barrios situados en la parte sur de la traza urbana se firmaron desde la segunda mitad del siglo XVI. Echando mano de la información anterior percibí que algunos españoles habían comprado propiedades en Tequisquiapan a partir de 1571 y, posteriormente, en los años de 1582, 1590, 1592, 1593, 1596, 1598, 1600, 1618 y 1621. Los documentos se escrituraron ante los notarios Pedro Sánchez, Francisco de Arceo y Diego de Aguilar.[7]

[5] Para observar cómo se utilizó el crédito en la introducción de no indios a los barrios indígenas de la ciudad se puede consultar Flores y Castro, 2000. Sobre el crédito en la Nueva España véanse las obras de Martínez, 1995 y Wobeser, 1994.

[6] AGN, BN, leg. 644, exp. 46.

[7] Las referencias se han encontrado en los notarios Nicolás de Orbea, notaría 471, vol. 3238, año de 1653 y 1661; Bernabé Sarmiento de Vera, notaría 632, vol. 4371, año de 1670, Juan de Oviedo Valdivieso, notaría 169, año de 1650 y Pedro Deza y Ulloa, notaría 196, vol. 1256, 1257 y 1263, años de 1677, 1678, 1690 y 1693. Puede verse también la venta de solares que hacen los naturales del barrio de San Juan "frente a la ermita de Monserrate" en AGN, Tierras, vol. 6, exp. 875, ff. 235, 1594.

Además de la información notarial fueron importantes los datos contenidos en 131 enlaces matrimoniales que hacen referencia a personas no indias que vivieron en Tequisquiapan y sus alrededores.[8] La información incluye la calidad étnica, el lugar de residencia, el oficio, el nombre y el año en el que diversas personas participaron como testigos en los casamientos.

De los 131 matrimonios, 85 corresponden al siglo XVII y 46 al XVIII. Considerando como referencia la calidad étnica, el grupo sobresaliente es el español con 28, le siguen los mestizos con 19, los mulatos con 12 y los castizos con 10 (cuadro 1).

En relación con el siglo XVIII, nuevamente el grupo español es el más numeroso, con 29 casos, le siguen los mestizos y los castizos (cuadro 2).

En ambas cuadros puede observarse que los grupos no indios más numerosos que habitaron al interior de Tequisquiapan fueron españoles (57), mestizos (30) y castizos (14). Es interesante observar que desde principios del siglo XVII, Tequisquiapan y Monserrate fueron lugares habitados por personas de diversa calidad étnica,[9] entre ellos españoles, mestizos, castizos,

Cuadro 1

Calidades étnicas en Tequisquiapan en el siglo XVII

Calidad étnica	*Número de casos*	*Porcentaje*
Español	28	32.94
Mestizo	19	22.35
Mulato	12	14.11
Castizo	10	11.76
Sin dato	7	8.23
Morisco	3	3.52
Mulato libre	3	3.52
Indio ladino	2	2.35
Morisco libre	1	1.17
Total	85	99.92

Fuente: AGN, Matrimonios, varios volúmenes. AHNCM, notarios: Bernabé Sarmiento de Vera, notaría 632, vol. 4371, año de 1670, Juan de Oviedo Valdivieso, notaría 169, año de 1650 y Pedro Deza y Ulloa, notaría 196, volúmenes 1256, 1257 y 1263, años de 1677, 1678, 1690 y 1693.

[8] Información localizada en varios expedientes de Matrimonios del AGN.

[9] El concepto de "calidad" es utilizado por diversos autores para identificar a cada uno de los individuos pertenecientes a uno u otro grupo sociorracial. Este término engloba aspectos como raza, dinero, ocupación y prestigio (Gonzalbo, 1998 y Castillo, 2001).

CUADRO 2
CALIDADES ÉTNICAS EN TEQUISQUIAPAN DURANTE EL SIGLO XVIII

Calidad étnica	Número de casos	%
Español	29	63.03
Mestizo	11	23.91
Castizo	4	8.69
Morisco libre	1	2.17
Sin dato	1	2.17
Total	46	99.85

Fuente: Elaboración basada en los datos del cuadro 1.

indios ladinos, mulatos libres y moriscos.[10] Sin embargo, conviene tomar con cautela la información relativa a la calidad étnica de las personas, ya que existen investigaciones que demuestran cómo mestizos, indios e incluso negros declararon ser de distinta calidad étnica a la que les correspondía (Castillo, 2001). En los mismos testimonios matrimoniales encontramos frases como "parece español".[11]

Por ahora es difícil calcular la cantidad de personas "no indias" que se introdujeron a los barrios indígenas desde el siglo XVI y hasta el XVIII. Sin embargo, no fueron pocas: a finales del siglo XVII, a causa del motín de 1692, las autoridades pedían que se sacara a todos los indios de la traza para que se avecindaran en sus barrios. Asimismo se decía que "... eran muchos los que se habían pasado a los barrios y ocupado las casas [de los indios]".[12]

Desde el siglo XVI y durante todo el periodo virreinal, el barrio de Tequisquiapan se caracterizó porque llegó a vivir gente de diversos lugares y calidades étnicas y era común entonces que esos individuos tuviesen también diferentes ocupaciones. En este espacio vivieron personas que desempeñaron oficios de gran prestigio y otras que trabajaban en actividades más sencillas (Pérez, 1996: 57); habitaban ahí desde peones de albañilería hasta maestros especializados en el trabajo de finas telas como el terciopelo y la seda. Si tomamos los datos referentes a los oficios de los habitantes del barrio de Tequisquiapan durante el siglo XVII veremos que 39 de ellos se dedicaron a distintas actividades relacionadas con el trabajo textil; de tal manera que la

[10] Esta información se corrobora al consultar el padrón levantado en el año de 1800. En este documento se enlistan los residentes del barrio de Tequisquiapan y se mencionan estas mismas calidades étnicas. AGN, Padrones.

[11] AGN, Matrimonios, vol. 61, exp. 75, ff. 294 v.

[12] AGN, Indios, vol. 32, exp. 56, ff. 60, 1692.

cantidad de pasamaneros, sastres, trabajadores de la seda, tejedores y tiradores de oro representa 45.88% del total. Otros grupos que sobresalen en número eran los de plateros, carpinteros y zapateros (cuadro 3).

Para el siglo xviii nuevamente sobresalen las actividades relacionadas con el trabajo textil: hiladores, sastres, trabajadores de seda, tiradores de oro y tejedores suman en total 26 artesanos (cuadro 4, pág. siguiente).

Los habitantes de Tequisquiapan practicaron diversos oficios, de los que el más importante fue el textil (65). Del conjunto de artesanos que se dedicaban al trabajo de las telas los más numerosos fueron los sastres con un total de 38 individuos (cuadro 5, pág. siguiente).

Si echamos un vistazo a los datos relacionados con el grado de especialización se observa que algunos individuos ocupaban distintos niveles al

Cuadro 3
Actividades laborales desempeñadas en Monserrate y Tequisquiapan en el siglo xvii

Oficios	*Número de casos*	%
Albañil	3	3.52
Arriero	1	1.17
Carpintero	7	8.23
Colero	3	3.52
Curador	1	1.17
Dorador	1	1.17
Ebanista	1	1.17
Herrero	1	1.17
Locero	1	1.17
Panadero	2	2.35
Pasamanero	5	5.88
Peón	1	1.17
Pintor	2	2.35
Platero	10	11.76
Sastre	20	23.52
Trabajador de seda	6	7.05
Sombrerero	3	3.52
Tejedor	7	8.23
Tirador de oro	1	1.17
Zapatero	6	7.05
Sin dato	3	3.52
Total	85	99.81

Fuente: Elaboración basada en los datos del cuadro 1.

CUADRO 4
ACTIVIDADES LABORALES DESEMPEÑADAS EN MONSERRATE Y TEQUISQUIAPAN EN EL SIGLO XVIII

Oficios	*Número de casos*	*%*
Albañil	2	4.34
Carpintero	3	6.52
Carrocero	1	2.17
Educación, maestro	1	2.17
Empedrador	1	2.17
Espadero	1	2.17
Herrero	2	4.34
Hilador	1	2.17
Músico	1	2.17
Pasamanero	2	4.34
Pintor	3	6.52
Platero	2	4.34
Sastre	18	39.13
Trabajador de seda	2	4.34
Sillero	1	2.17
Sombrerero	2	4.34
Tejedor	2	4.34
Tirador de oro	1	2.17
Total	46	99.91

Fuente: Elaboración basada en los datos del cuadro 1.

CUADRO 5
ACTIVIDADES EN TEQUISQUIAPAN (1607- 1773)

Rama textil		
Oficio	*Número de casos*	*%*
Personas que trabajaban la seda	8	12.30
Tejedores o hiladores	12	18.46
Sastres	38	58.45
Pasamaneros	7	10.76
total	65	99.97

Fuente: Elaboración basada en los datos del cuadro 1.

interior de los talleres artesanales en los que desempeñaban sus actividades. Esto es muy importante, ya que durante el periodo virreinal existió una reglamentación precisa para la apertura de talleres, la cual contemplaba obtener el grado de maestro mediante la examinación y los pagos correspondientes. Sin embargo, como se mencionará más adelante, estos requisitos no siempre se cumplieron en lugares como Tequisquiapan.

Durante el periodo virreinal existió una división del trabajo marcada por el grado de aprendizaje y especialización de cada trabajador. En el nivel más bajo estaban los aprendices; en el escalafón intermedio se localizaban los oficiales y en la cúspide, los maestros.[13] Ninguno de nuestros personajes se declaró como aprendiz; sin embargo, 28 artesanos no señalaron el grado que poseían. Los maestros fueron ocho y los oficiales 31. Entre maestros y oficiales tenemos en total 39 casos (cuadro 6).

En el barrio existieron trabajadores independientes como los artesanos que instalaron talleres y emplearon ayudantes.[14] Otros más fueron trabajadores dependientes que alquilaban sus servicios tanto en el interior del barrio como en otras zonas de la ciudad. Dentro del grupo de artesanos que trabajaron por cuenta propia tenemos a Ignacio Morales (sombrerero), Juan de Dios Rodríguez (pintor), Lázaro Ortiz (oficial de sastre), Nicolás de Nava (sastre), Juan de Dios de Molina (maestro carpintero)[15] y Francisco Rico (oficial tirador de oro). Todos declararon que tenían un taller propio en casa.

Cuadro 6

Grados de aprendizaje relacionados con la actividad textil

Oficios	Maestros	Oficiales	Aprendices	Sin dato
Pasamaneros	1	3	0	3
Sastres	5	19	0	13
Hiladores de seda y oro	1	6	0	4
Tejedor	1	0	0	8
TOTAL	8	31	0	28

Fuente: Elaboración basada en los datos del cuadro 1.
En esta cuadro no incluyo a los artesanos de áreas distintas de la actividad textil. Si los considerara, las cantidades serían las siguientes: maestros 17, oficiales 37, aprendices 0 y sin dato 77.

[13] Cada una de estas personas, de acuerdo con su grado, tenía derechos y obligaciones determinadas. Estos derechos y obligaciones los ha señalado Sonia Pérez, tomando como punto de partida algunas investigaciones basadas en las ordenanzas emitidas por las autoridades virreinales (Pérez, 1996: 59).

[14] Algunos investigadores han utilizado el término "artesano" como sinónimo de trabajador manual urbano independiente (Mentz, 1999: 112).

[15] AGN, Matrimonios, vol. 76, exp. 83, ff. 287 v.

Esto es sumamente interesante porque si relacionamos el grado de aprendizaje que alcanzaron estas personas con los requisitos que debían cumplirse para abrir un taller público, podemos suponer que en el barrio hubo personas que violaban las leyes para establecer locales de esta naturaleza. La legislación de la época señalaba claramente que sólo podía abrir un taller aquel que, después de someterse al examen correspondiente, contara con el grado de maestro. Sin embargo, en Tequisquiapan hubo oficiales con talleres, lo que contravenía claramente la normatividad establecida (Pérez, 1996: 61). Los investigadores dedicados al análisis del artesanado de la Ciudad de México han señalado que algunos oficiales, ante la imposibilidad de alcanzar el grado de maestro por diversas razones, entre ellas la económica, "violaban los lineamientos establecidos por la legislación de los gremios" al abrir talleres y volverse intrusos ante quienes sí cumplían con los requisitos establecidos en las ordenanzas (Pérez, 1996: 62). Esteban Sánchez de Tagle ha señalado que, en materia urbana, la enorme burocracia existente en el sistema político virreinal provocó que los barrios indígenas quedaran fuera de la jurisdicción del ayuntamiento y al margen de una policía urbana eficiente (Sánchez, 1997: 76). Tal vez esto repercutió también en el aspecto económico y fue poca o nula la supervisión en los talleres ubicados en los barrios periféricos de la ciudad.[16]

En algunos talleres artesanales, aparte de que el dueño trabajaba con sus familiares, se empleaban personas residentes en el interior del mismo barrio. Un ejemplo es el de Francisco López Cristino, pasamanero, que vivió en el barrio de Monserrate, a un lado del convento, en una casa propiedad del licenciado Medina Vargas. En este inmueble había unos telares del dueño, en los cuales trabajaba Francisco López.[17] Otro caso es el del mestizo Juan de Jara (oficial de sastre) que vivió en el barrio de Tequisquiapan, en Monserrate, en una propiedad de Francisco Hernández en la que trabajó desarrollando su propio oficio.[18]

Otro conjunto de habitantes de Monserrate lo conformaron aquellos que se dedicaban a realizar actividades por su cuenta. Estas personas consiguieron, prestados o alquilados, los medios necesarios para efectuar la actividad en la que se especializaron. Joseph Monzón, español de 34 años, se desempeñó como

[16] Entre el Ayuntamiento y los gremios existía una relación muy estrecha, ya que aquél se encargaba de vigilar y asegurar el abasto de la ciudad (Pérez, 1996: 57).

[17] AGN, Matrimonios, vol. 28, exp. 25, ff. 335 v.

[18] AGN, Matrimonios, vol. 113, exp. 75, ff. 193 v.

oficial de carrocero y trabajaba con "el que le presta el carro".[19] Los españoles Joseph Montero (oficial de sastre)[20] y Nicolás de Avellaneda (pintor)[21] también fueron vecinos del barrio de Tequisquiapan y "trabajaban por sí".

En relación con los trabajadores dependientes hay que recordar que los talleres de la capital virreinal eran unidades productivas pequeñas y con un número reducido de trabajadores (Pérez, 1996: 53). Esta situación obligó a que varios individuos salieran de Tequisquiapan a buscar un lugar en donde emplearse. Juan Cabello (oficial de sastre) arrendaba un cuarto en Monserrate y trabajada en la calle del Empedradillo.[22] Otra persona que se ocupó fuera del barrio fue Clemente Joseph Altamirano, esposo de María Ramírez y oficial de sastre que alquiló parte de las casas de una persona conocida como "Nájera", ubicada en el barrio de Monserrate. Salía de su casa para dirigirse a su área de trabajo ubicada en la calle de La Acequia.[23] En este lugar se localizó la casa en la que vivió el maestro Aldama, personaje que había acondicionado parte de su propiedad como taller artesanal y en el cual trabajó Joseph Altamirano.[24] Hacia 1630 vivió en Tequisquiapan un indio ladino llamado Bernardino Antonio del Castillo, esposo de María Alejandra. Para llegar a su centro de trabajo recorría algunas calles de la traza, hasta llegar a la parte central de la ciudad, a unas casas identificadas con el número 12 de la calle Cruz del Factor. En este lugar, Bernardino Antonio trabajaba como panadero.[25]

En otros casos son confusos los datos del lugar donde desempeñaban sus actividades los residentes del barrio. En 1644 Nicolás Ortiz, español y oficial de sastre, declaró que vivía en Monserrate y trabajaba en un lugar que denominaban como "la callejuela".[26] Desconozco si la llamada "callejuela" formaba parte del barrio; sin embargo, con este nombre se conocía a la calle que salía de la Plaza Mayor (a un costado del Portal de las Flores) hacia el Convento de San Bernardo y que hoy en día forma parte de la calle 20 de Noviembre. Tal vez a este lugar se refería Ortiz al mencionar su sitio de trabajo (González, 1976: 73). Juan Ignacio Guiza, mestizo, oficial de sastre,

[19] AGN, Matrimonios, vol. 76, exp. 40, ff. 165 v.

[20] AGN, Matrimonios, vol. 76, exp. 83, ff. 288 v

[21] AGN, Matrimonios, vol. 118, exp. 98, ff. 222 v.

[22] AGN, Matrimonios, vol. 28, exp. 100, ff. 270 v.

[23] Se conocía como calle de La Acequia a una parte por donde atravesaba la "Acequia Real", a la altura de la alcaicería (González, 1976: 66).

[24] AGN, Matrimonios, vol. 32, exp. 5, ff. 24.

[25] AGN, Matrimonios, vol. 83, exp. 20, ff. 160.

[26] AGN, Matrimonios, vol. 98, exp. 115, ff. 333 v.

vivía en el barrio de Monserrate, pero trabajaba en "casas" de Juan de Conchas.[27] Un caso similar es el de Joseph Ureña, de oficio carpintero. Hacia 1694 Ureña residió en el bario de Monserrate y alquilaba un cuarto en las casas de Joseph Domínguez; sin embargo, el lugar donde laboraba era en "unas casas propiedad de Agustín de Cepeda, maestro carrocero".[28] Es interesante este caso porque López se declaró como trabajador textil, no obstante, también se dedicaba a la actividad ganadera.

Sobre el origen de las personas que vivieron en Tequisquiapan, las referencias también son escasas. Además de los que vivieron durante toda su vida en la Ciudad de México, otros llegaron de diversas partes de la Nueva España o de la metrópoli. Miguel Márquez, mestizo, vivió en casas ubicadas en el barrio de Monserrate, propiedad del "poblano".[29] El poblano fue Diego de Uribe, avecindado en Tequisquiapan, detrás de Monserrate.[30] José de Santoyo, castizo, fue vecino de "María de Zaragoza" y llegó al barrio a vivir en casas propiedad de don Sámano.[31] El oficial de pasamanero, Francisco López Cristino, declaró que era natural de Ubeda, en Castilla.[32] Personas como éstas seguramente se avecindaron en Tequisquiapan ante la imposibilidad de encontrar un lugar para habitar en el interior de la traza; otros más se establecieron allí en calidad de inquilinos.

Lo anterior muestra que para el periodo de estudio se registraron procesos de inmigración en la Nueva España y que en las ciudades los desplazamientos de los individuos de una zona a otra eran frecuentes y estaban condicionados, entre otros aspectos, por las oportunidades o expectativas de trabajo. En la Ciudad de México, a pesar de la política de separación de grupos sociales, este movimiento no sólo se originó de los barrios indígenas hacia el interior de la traza urbana o a otras partes del virreinato,[33] sino que también ocurrió lo contrario; es decir, varios "no indios" aprovecharon la oportunidad para ocupar espacios destinados para la habitación de los naturales. Hay que pensar entonces que Tequisquiapan no sólo suministraba

[27] AGN, Matrimonios, vol. 120, exp. 33, ff. 165 v.

[28] AGN, Matrimonios, vol. 90, exp. 110, ff. 250 v.

[29] AGN, Matrimonios, vol. 79, exp. 32, ff. 268.

[30] AGN, Tributos vol. 10, exp. 6, ff. 83.

[31] AGN, Tributos, vol. 80, exp. 11, ff. 98 v.

[32] AGN, Tributos, vol. 28, exp. 125, ff. 335 v.

[33] Una de las áreas más afectadas por la inundación de 1629 fue la del Tianguis de San Juan y sus alrededores. Ante esta situación, en 1634, el virrey y el cabildo de la ciudad expidieron permisos a indígenas para que pudieran vender en la Plaza Mayor y continuar cobrando los reales tributos. En 1690 se pide que, ante la total baja del agua en la zona del tianguis, que los indios vuelvan a su lugar de residencia y "vuelvan a ser tianguis como de costumbre". AGN, Indios, vol. 3, exp. 176, ff. 199.

trabajadores a los talleres localizados en la traza, sino que también ofrecía oportunidades de trabajo, en los negocios y establecimientos instalados en el barrio, a personas provenientes de otros sitios de la ciudad. Así, en este espacio confluían diversos individuos para llevar a cabo actividades laborales que formaban parte sustancial de su vida cotidiana.[34]

Distribución de los habitantes en el barrio

Para hacer algunas observaciones sobre la distribución de las personas en el interior del barrio tomaré como variables la ocupación, la calidad étnica y los datos relacionados con el lugar que habitaban. El análisis de estas variables permite observar que moriscos, castizos y mulatos mencionaron a Tequisquiapan como lugar de habitación. En total 16 de ellos declararon vivir en Tequisquiapan, 14 en Monserrate y cinco mencionaron ambos sitios (cuadro 7, pág. siguiente).

Nótese que algunos de los personajes anteriores señalaron una "acequia" para ubicar la propiedad en la que habitaban. Felipe Casimiro, castizo, vivió en las proximidades de la "acequia"; Manuel de Villegas, morisco, dijo vivir hacia Tequisquiapan, "al lado de la acequia"; Ciprián de Acosta, mulato, de oficio ebanista, señaló vivir en "el barrio de Monserrate del otro lado de la acequia" y Felipe Domínguez, mulato, de oficio colero, habitó en un inmueble que se localizó en "Monserrate, de este lado de la acequia". Al parecer, hacían referencia a la "Acequia de Monserrate", por lo que este lugar fue considerado como un punto de referencia que separó las zonas "más cercanas" a la traza urbana de aquellas que prácticamente ya eran los confines de los barrios indígenas. En este sentido, la acequia no sólo fue un límite territorial, sino que además se puede considerar como un referente espacial que nos explica cómo los miembros más bajos en la escala social novohispana lentamente fueron desplazados hacia el sur por españoles y mestizos, a los lugares más alejados de la traza. Sin duda, esta misma suerte corrieron los indígenas que habitaron el barrio. El hecho de indicar el "otro lado de la acequia" era para señalar las áreas denominadas como "muladares y malos parajes", caracterizadas por la proximidad a la ciénega de San Antonio Abad.

[34] Con la intención de conocer un poco más sobre la actividad comercial en Tequisquiapan, he tratado de localizar información sobre los negocios establecidos en este sitio, sin embargo, hasta ahora no lo he logrado.

CUADRO 7
LUGAR DE HABITACIÓN DE INDIOS, MORISCOS, CASTIZOS Y MULATOS

Residencia	*Calidad étnica*	*Oficio*	*Nombre*
Monserrate, barrio de San Juan	Indio, ladino	Panadero	Fabián García
Tequisquiapan	Indio, ladino	Panadero	Bernardino Antonio del Castillo
Tequisquiapan, barrio de	Castizo	Albañil	Juan Morales
Monserrate, en la acequia de	Castizo	Albañil, peón de	Juan Ignacio Guiza
Tequisquiapan	Castizo	Colero	Antonio Flores
Tequisquiapan	Castizo	Curador	Antonio Palomino
Monserrate, barrio	Castizo	Platero	Juan Arriaga
Tequisquiapan	Castizo	Platero	Agustín de Castro
Tequisquiapan	Castizo	Sastre	Santiago Arrieta
Monserrate, calle de	Castizo	Sastre	José Santoyo
Monserrate	Castizo	Tejedor	Joseph Morales
Monserrate, hacia Tequisquiapan	Castizo	Zapatero	Francisco Cervantes
Tequisquiapan, barrio de	Castizo	Albañil	Juan Morales
Monserrate, barrio de	Castizo	Albañil, oficial de	Juan Esteban Moreno
Barrio de Tequisquiapan, hacia Monserrate	Castizo	Pintor, maestro	Juan de Dios Rodríguez Leonardo
Monserrate, barrio de	Castizo	Sastre, oficial	José de Santoyo
Monserrate	Castizo	Sombrerero, oficial	Ignacio Morales
Tequisquiapan, al lado de la acequia	Morisco	Colero	Manuel Villegas
Tequisquiapan	Morisco	Herrero	Lucas Ontiveros
Tequisquiapan	Morisco	Tejedor	Marcelo Tapia
Tequisquiapan	Morisco libre	Carpintero	Nicolás de Ulloa

Residencia	*Calidad étnica*	*Oficio*	*Nombre*
Monserrate	Morisco libre	Pasamanero	Tomás Antonio Díaz
Tequisquiapan	Mulato	Albañil	Joseph Martínez
Tequisquiapan	Mulato	Carpintero	Juan Manuel
Monserrate, del lado de la acequia	Mulato	Colero	Felipe Domínguez
Tequisquiapan	Mulato	Platero	Francisco Esteban
Monserrate, plaza	Mulato	Sastre	Miguel Morales
Monserrate, hacia Tequisquiapan	Mulato	Sastre	Francisco Álvarez
Monserrate, Tequisquiapan	Mulato	Sin dato	Nicolás de la Torre
Tequisquiapan, hacia Monserrate	Mulato	Sombrerero	Antonio Rubio
Monserrate, en la plaza	Mulato	Sombrerero	Hilario Arroyo
Tequisquiapan	Mulato	Zapatero	Joseph Bravo
Tequisquiapan	Mulato	Zapatero	Manuel Vicente
Tequisquiapan	Mulato	Zapatero	José Santiago
Monserrate, calle de	Mulato, libre	Carpintero	Bernabé López
Monserrate, del otro lado de la acequia	Mulato, libre	Ebanista	Ciprián de Acosta
Monserrate	Mulato, libre	Sastre, oficial	Juan de la Cruz

Fuente: elaboración basada en los datos del cuadro 1.

Los sitios señalados con esta referencia fueron los que estuvieron después de la acequia de Monserrate, próximos a aquélla.

En contraste, los grupos que gozaban de mayor prestigio en la sociedad prácticamente no hicieron referencia a Tequisquiapan. Entre españoles y mestizos sumaron 70 los que dijeron vivir en Monserrate, sólo 10 dijeron vivir en Tequisquiapan y siete hicieron referencia a ambos sitios. Si se considera que el punto de referencia para ubicar las propiedades en el barrio era el convento, sin duda, los individuos que he agrupado como españoles y mestizos se localizaron en la proximidad de la traza urbana y en los alrededores de la plaza de Monserrate. Esto se refuerza gracias a sus declaraciones en las cuales sobresalen datos que refieren a lugares como "casas del convento", "la calle de San Juan", "plaza de Monserrate", "esquina de Monserrate" y "a un lado del convento", zonas del barrio consideradas como "buenos parajes", pues estaban cerca de la traza urbana (véase el cuadro 8).

Considerando las características físicas del barrio y la importancia del "prestigio" en la sociedad novohispana, tanto "españoles" como "mestizos" lentamente se fueron apropiando de los lugares ubicados en los alrededores del convento, sobre todo de la parte este, debido a que en esa área existieron propiedades con cuartos disponibles para el arrendamiento. Otros lugares habitados fueron aquellos que circundaban la plaza de Monserrate, entre ellos las calles conocidas como Verde, Risco y Retana (véase el plano 3, en la pág. 251).

Por otra parte, una buena cantidad de los artesanos que aparecen como españoles y que se dedicaban a la actividad textil, entre ellos los que trabajaban la seda y los hilos de oro, se ubicaron en las inmediaciones del convento y en la plaza de Monserrate. Prácticamente todos los sastres también se instalaron en este sitio. De este modo, la principal actividad que se realizó en el espacio central del barrio fue la textil.

En las zonas más alejadas del barrio se establecieron artesanos y trabajadores de diversos oficios. Mulatos, castizos y moriscos trabajaron en actividades textiles y de albañilería. En este grupo también se mencionaron oficios como los de sombrereros, peones y panaderos. Los mestizos fueron un grupo caracterizado por la diversidad de oficios que desempeñaron. La gran mayoría de moriscos, mulatos y castizos no mencionaron el grado de su oficio, en tanto que mestizos y españoles aparecen como oficiales y maestros principalmente (véase el cuadro 9 en la pág. 252). Se puede concluir entonces que las personas que habitaron cerca de la traza urbana dijeron ser

Cuadro 8

Lugar de habitación de mestizos y españoles

Residencia	*Calidad étnica*	*Oficio*	*Nombre*
Tequisquiapan	Mestizo	Carpintero	Domingo Jiménez
Monserrate, convento de	Mestizo	Carpintero, oficial mozo	Juan de Alvarado
Monserrate, en la acequia	Mestizo	Dorador	José Ramón
Monserrate, en Tequisquiapan	Mestizo	Locero	Joseph Navarro
Tequisquiapan	Mestizo	Pasamanero	Mariano Rincón
Tequisquiapan	Mestizo	Pasamanero	Joseph de Ávila
Monserrate, al lado de la acequia	Mestizo	Peón	Rafael Granados
Tequisquiapan	Mestizo	Platero	Teodoro Antonio
Monserrate, casas al lado del convento	Mestizo	Platero, de oro	Juan de Villagómez
Tequisquiapan	Mestizo	Sastre	Juan Hernández
Monserrate	Mestizo	Sastre, maestro	Antonio Rosales
Monserrate	Mestizo	Sastre, oficial	Diego de los Santos
Tequisquiapan. Vive junto a Monserrate	Mestizo	Sastre, oficial	Lázaro Ortiz
Monserrate, barrio	Mestizo	Sastre, oficial	Juan de Jara
Monserrate, atrás de	Mestizo	Sin dato	Diego Bravo
Monserrate, en la plaza de	Mestizo	Sombrerero	Pedro Zorrilla
Monserrate	Mestizo	Tejedor	Miguel Márquez
Tequisquiapan, al barrio	Mestizo	Tejedor	José de la Luz
Tequisquiapan	Mestizo	Zapatero	Antonio Rosas
Monserrate, calle de. Casas del convento	Mestizo	Albañil	Joseph Valentín Gómez
Monserrate, barrio de	Mestizo	Herrero, oficial de	Juan Diego Carranza
Monserrate	Mestizo	Hilador, oficial de telas de oro	Juan Crisóstomo Rodríguez
Monserrate, casas del convento	Mestizo	Sastre	Nicolás de Guadalupe
Monserrate, casas del convento	Mestizo	Sastre	Nicolás de Guadalupe

Residencia	*Calidad étnica*	*Oficio*	*Nombre*
Monserrate, barrio de	Mestizo	Sastre, oficial	Juan Ortiz
Monserrate	Mestizo	Sastre, oficial	Juan Ignacio Guiza
Monserrate, barrio	Mestizo	Sastre, oficial	Clemente Joseph Altamirano
Monserrate	Mestizo	Sombrerero	Pedro Regalado
Monserrate	Mestizo	Tejedor	Miguel Márquez
Monserrate. En la calle Verde y casa del Olivo	Mestizo	Tirador de oro, oficial	Francisco Rico
Tequisquiapan, "como quien va a Monserrate"	Español	Arriero, acarreo de ganado	Gabriel López
Monserrate	Español	Carpintero	Joseph Ureña
Monserrate, plaza	Español	Pasamanero, maestro	Lucas Vázquez
Monserrate, a un lado del convento	Español	Pasamanero, oficial	Francisco López Cristino
Monserrate	Español	Pasamanero, oficial	Anastasio Joseph Hurtado
Monserrate, detrás del convento	Español	Pintor	Juan de Dios Rodríguez
Monserrate	Español	Platero	Francisco Castelán
Monserrate	Español	Platero, de oro	Manuel de Olmedo
Monserrate	Español	Platero, maestro	Diego Sánchez de Chavarría
Monserrate	Español	Platero, maestro	Juan de Ábrego
Monserrate, barrio de	Español	Sastre	Nicolás de Nava
Monserrate	Español	Sastre	Juan Lobato
Monserrate	Español	Sastre	Miguel Pérez
Calle real de San Juan Monserrate	Español	Sastre, maestro	Luis de los Reyes
Tequisquiapan a Monserrate	Español	Sastre, oficial	Antonio de Olalde
Monserrate	Español	Sastre, oficial	Nicolás Ortiz
Monserrate	Español	Sastre, oficial	Tomás de Ocampo
Monserrate, atrás	Español	Sastre, oficial	Juan Cabello
Monserrate, casas al lado del convento	Español	Seda, hilador	Diego de Zapata
Monserrate	Español	Seda, maestro en el arte de	Lucas de Castro
Monserrate, barrio de	Español	Seda, oficial	Luis de Alvarado

Residencia	*Calidad étnica*	*Oficio*	*Nombre*
Monserrate, barrio	Español	Seda, tejedor	Joseph de Almodóvar
Monserrate	Español	Seda, tejedor de	Francisco del Río
Monserrate, Tequisquiapan	Español	Sedero, oficial	Pedro Martínez
Monserrate, vecino de	Español	Sin dato	Domingo de Tovar
Monserrate	Español	Tejedor, de tocas	Domingo de Tovar
Tequisquiapan	Español	Tejedor, telas de oro	Cristóbal Vigil
Monserrate, Tequisquiapan	Español	Zapatero, oficial	Antonio Mendoza
Monserrate	Español	Carpintero	Nicolás Ortiz
Monserrate, barrio	Español	Carpintero, maestro	Juan de Dios y Molina
Monserrate	Español	Carpintero, oficial	Miguel Antonio Velásquez
Tequisquiapan, barrio de	Español	Carrocero, oficial	Joseph Monzón
Monserrate	Español	Educación, maestro en el arte de leer y escribir	Agustín de Orellan
Monserrate, barrio de	Español	Empedrador, maestro	Vicente García de la Vega
Monserrate, Chapitel	Español	Espadero	Joseph Caballero
Tequisquiapan, al barrio de Monserrate	Español	Herrero, maestro de	Luis Montero
Monserrate, vecino al barrio de	Español	Músico, maestro	Vicente Avilés y Rioja
Monserrate	Español	Pasamanero, oficial	Anastasio Joseph Hurtado
Monserrate, detrás del convento	Español	Pintor	Juan de Dios Rodríguez
Monserrate, barrio de	Español	Pintor	Nicolás de Avellaneda
Monserrate, casas del convento	Español	Platero, oficial	Francisco Antonio de la Gama
Monserrate, barrio	Español	Platero, oficial	Gabriel de Rojas
Monserrate, casas de la virgen de	Español	Sastre	Juan José Aguilar
Monserrate, barrio. Viven en casas del convento	Español	Sastre	Mauricio Antonio Urrutia
Tequisquiapan	Español	Sastre	Diego Montero
Monserrate	Español	Sastre, maestro	Juan Antonio de la Peña
Monserrate	Español	Sastre, oficial	Joseph Gregorio Sánchez

Residencia	*Calidad étnica*	*Oficio*	*Nombre*
Monserrate, barrio	Español	Sastre, oficial	Tomás de la Barrera
Monserrate, en casas del	Español	Sastre, oficial	Blas José de Salazar
Monserrate, barrio de	Español	Sastre, oficial	Joseph Montero
Monserrate	Español	Sastre, oficial	Antonio de Corte
Monserrate. Vive en casas del Olivo	Español	Sastre, oficial	Juan Joseph Díaz Barrera
Monserrate, vive en casas del convento de	Español	Sastre, oficial	Joseph de Melo
Monserrate	Español	Seda, oficial hilador	Domingo Antonio Roldán
Barrio de Monserrate	Español	Seda, tejedor	Luciano Monterrey
Monserrate, barrio	Español	Sillero	Domingo Antonio Gutiérrez
Monserrate	Español	Tejedor, maestro	Bernardo Alfaro

Fuente: elaboración basada en los datos del cuadro 1.

Plano 3

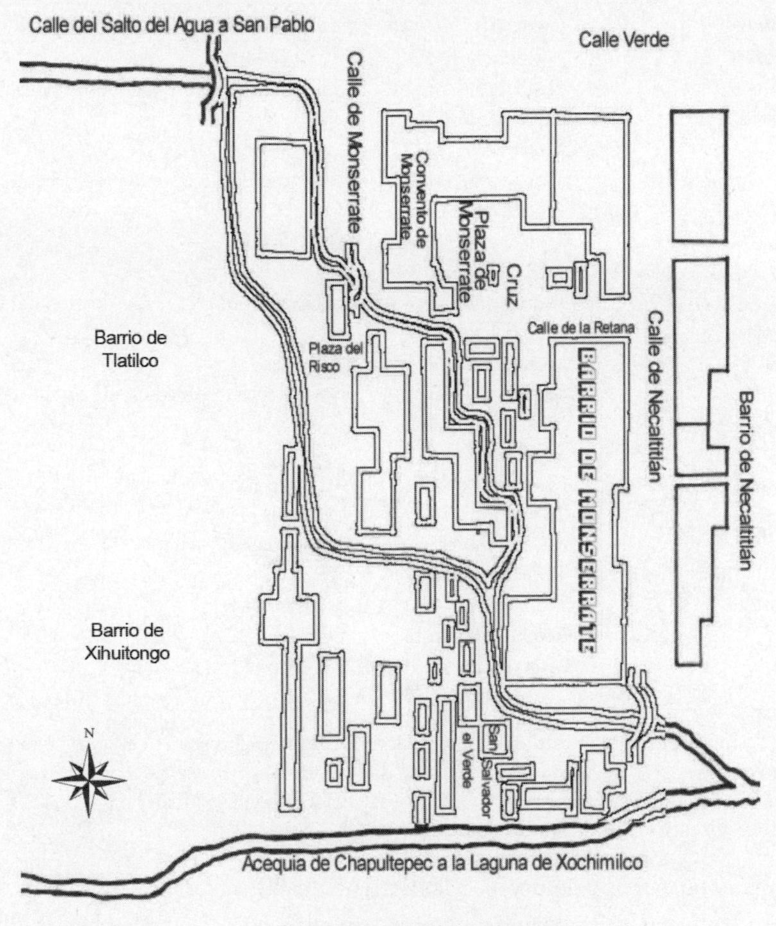

Se ubican las principales áreas del barrio en las cuales se localizaron españoles, mestizos, mulatos, castizos, moriscos e indios ladinos.
Fuente: plano 2.

CUADRO 9

CALIDADES ÉTNICAS, LUGARES DE RESIDENCIA Y GRADOS DE OFICIOS

Calidad étnica	*Total*	*Lugar de residencia*	*Grado del oficio que desempeñaban*
Étnica		Residencia	
Indios		Tequisquiapan (1)	Sólo mencionaron que fueron panaderos
Ladinos	2	Barrio de San Juan, Monserrate (1)	
Moriscos	5	Monserrate (1)	Ninguno mencionó su grado de oficio
		Tequisquiapan (4)	
Castizos	15	Monserrate (7)	Oficiales (3)
		Tequisquiapan (6)	Maestro (1)
		Tequisquiapan y Monserrate (2)	No mencionaron grado de oficio (11)
Mulatos	14	Monserrate (6)	Oficiales (1)
		Tequisquiapan (5)	No mencionaron grado de oficio (13)
		Monserrate y Tequisquiapan (3)	
Mestizos	30	Monserrate (21)	Maestro (1)
		Tequisquiapan (7)	Oficiales (10)
		Monserrate y Tequisquiapan (2)	Sin dato (19)
Españoles	57	Monserrate (49)	Maestro (13)
		Tequisquiapan (3)	Oficiales (22)
		Monserrate y Tequisquiapan (5)	Sin dato (22)

Nota: Es necesario señalar que en el cuadro anterior no se incluyeron ocho personajes, porque no mencionaron su calidad étnica. Cinco dijeron vivir en Monserrate, dos mencionaron que en ambos lugares (Monserrate y Tequisquiapan) y uno en Tequisquiapan.
Fuente: elaboración basada en los datos del cuadro 1

oficiales y maestros y dedicarse a las actividades de mayor prestigio, mientras que en las zonas más alejadas vivieron aquellos que se emplearon en diversos talleres en calidad de aprendices.

Los individuos y familias propietarios de talleres en Tequisquiapan y Monserrate estuvieron avecindados en los alrededores del convento. En sus declaraciones dijeron que vivían en "casas del convento" y "en la calle de Monserrate junto al convento". Algunos especificaron que habitaban en casas propias y otros en inmuebles propiedad del monasterio, por lo que en las cercanías de esta institución religiosa se realizaban actividades comerciales que se veían reflejadas en las relaciones y los intercambios establecidos entre los habitantes del barrio.[35] Los religiosos del Convento de Monserrate arrendaron varias accesorias que se acondicionaron como talleres artesanales, por lo cual la misma fundación del monasterio promovió un dinamismo comercial del barrio y a la vez benefició a diversos barrios tanto indígenas como españoles.

El barrio, que originalmente se conoció como Tequisquiapan, lentamente fue dividido y se caracterizó por una marcada jerarquización, por la cual sus habitantes ocuparon el lugar que les correspondió de acuerdo con sus posibilidades económicas y características sociales. No está de más señalar que esta división no fue tajante y que tanto en los lugares próximos a la traza urbana, como en aquellos más alejados de la misma, existieron miembros de diversas calidades étnicas y niveles económicos que habitaron en jacales o en propiedades de piedra, cal y canto; es decir, "vivieron juntos pero no revueltos".

Asimismo, en el interior de Tequisquiapan existió una fuerte presencia de artesanos, sobre todo aquellos relacionados con la actividad textil, lo que seguramente proporcionó a estos lugares una considerable actividad comercial. Algunos de ellos tuvieron la oportunidad de trabajar en el mismo sitio donde habitaron; muchos más se vieron en la necesidad de salir de ahí para emplearse en talleres ubicados en la ciudad. En este sentido, no hay que perder de vista que la ciudad es un todo: un sistema en el cual las partes no pueden explicarse si no se estudian en su conjunto, pero que a la vez sólo puede explicarse mediante el análisis de las partes y siempre vinculando el estudio del espacio en relación con sus habitantes.

Fuentes consultadas

Archivos

AGN Archivo General de la Nación
BN Bienes Nacionales
Indios
Matrimonios

[35] AGN, Matrimonios, vol. 98, exp. 78, ff. 207 v; vol. 103, exp. 62, ff. 279 v; vol. 93, exp. 8, ff. 51; vol. 93, exp. 39, f. 220 v; vol. 97, exp. 13, ff. 66 v. En todos estos expedientes se mencionan personas que tenían algún tipo de negocio en los alrededores inmediatos del Convento de Monserrate.

Padrones
Templos y conventos
Tierras
Tributos

AHDF Archivo Histórico del Distrito Federal

AC Actas de Cabildo

AHNCM Archivo Histórico de Notarías de la Ciudad de México

Notario Nicolás de Orbea

Notario Bernabé Sarmiento de Vera

Notario Juan de Oviedo Valdivieso

Notario Pedro Deza y Ulloa

Bibliografía

Castillo, Norma Angélica (2001), *Cholula. Sociedad mestiza en ciudad india*, México, Universidad Autónoma Metropolitana y Plaza y Valdés Editores.

Estrada, María Isabel (2000), "Fronteras imaginarias en la Ciudad de México: parcialidades indígenas y traza española en el siglo XVII", en Sonia Pérez Toledo *et al.*, *Las ciudades y sus estructuras. Población, espacio y cultura en México*, México, Universidad Autónoma de Tlaxcala y Universidad Autónoma Metropolitana Iztapalapa.

Flores, Ernesto y Heladio Castro González (2000), *Crédito, propiedad y espacio urbano. Una aproximación al uso del "censo" como instrumento de crédito en la Ciudad de México durante el periodo 1677-1693*, tesis de licenciatura, México, Universidad Autónoma Metropolitana Iztapalapa.

González, Jorge (1976), "La alcaicería, un ejemplo de remodelación urbana y sustitución de población", *Investigaciones sobre la historia de la Ciudad de México*, México, Instituto Nacional de Antropología e Historia.

Gonzalbo, Pilar (1998), *Familia y orden colonial*, México, El Colegio de México.

Lira, Andrés (1983), *Comunidades indígenas frente a la Ciudad de México: Tenochtitlan y Tlatelolco, sus pueblos y barrios, 1812-1919*, México, El Colegio de México/El Colegio de Michoacán.

Lombardo de Ruiz, Sonia *et al.* (1996), *Atlas histórico de la Ciudad de México*, t. I, México, Smurfit Cartón y Papel de México-Conaculta/INAH.

Martínez, María del Pilar (1995), *El crédito a largo plazo en el siglo XVI*, México, Universidad Nacional Autónoma de México.

Mentz, Brígida von (1999), *Trabajo, sujeción y libertad en el centro de la Nueva España*, México, Centro de Investigaciones y Estudios Superiores en Antropología Social.

Muriel, Josefina (1985), "La habitación plurifamiliar en la Ciudad de México", *Memoria de la VII Reunión de historiadores mexicanos y norteamericanos*, t. 1, Oaxaca, México, Universidad Nacional Autónoma de México.

Pérez, Sonia (1996), *Los hijos del trabajo. Los artesanos de la Ciudad de México, 1780-1853*, México, El Colegio de México.

Porras, Guillermo (1982), *El gobierno de la Ciudad de México en el siglo xvi*, México, Universidad Nacional Autónoma de México.

Orozco y Berra, Manuel (1973), *Historia de la Ciudad de México, desde su fundación hasta 1854*, México, Secretaría de Educación Pública (Sep/Setentas, 112).

Rojas, José Luis de (1995), *México Tenochtitlan. Economía y sociedad en el siglo xvi*, México, Fondo de Cultura Económica.

Sánchez de Tagle, Esteban (1997), *Los dueños de la calle. Una historia de la vía pública en la época colonial*, México, Instituto Nacional de Antropología e Historia, Departamento del Distrito Federal.

Wobeser, Gisela von (1994), *El crédito eclesiástico en la Nueva España. Siglo xviii*, México, Universidad Nacional Autónoma de México.

Habitación, barrios e itinerarios urbanos en los márgenes de Aguascalientes a principios del siglo XX: ciudad invisible y espacios complejos*

*Gerardo Martínez Delgado***

* Una versión de este texto fue publicada en *Ágora. Boletín del Archivo General Municipal de Aguascalientes*, 2ª época, núm. 3, julio-septiembre de 2011, pp. 26-52.

** Contacto: gerardo.mexcol@gmail.com

En el campo de la historia, hasta ahora, los estudios sobre las ciudades han privilegiado los proyectos, acciones y transformaciones urbanas dirigidas o visibles en los espacios de las élites. Ha sido así, fundamentalmente, porque los testimonios documentales, los informes e incluso la literatura casi siempre desconocieron áreas extensas, marginadas físicamente de los centros de actividad económica, comercial y de habitación de las familias de mayores ingresos. La vida en éstas, las zonas más pobres de las ciudades, no sólo se mantenía estigmatizada o invisible para sus contemporáneos, sino que su conocimiento histórico se hace ahora oscuro, menos accesible.

Este trabajo se propone explorar algunos aspectos de lo que con el tiempo, y con todos sus matices, se ha llamado periferia,[1] como un ejercicio para comprender las ciudades más integralmente en su complejidad. Más que un barrio en su sentido histórico, las historias que aquí se tejen descubren barrios en el sentido físico, por sus formas de sociabilidad y movilidad.[2] Más que contornos apartados lo que se descubre son ámbitos estrechamente vincu-

[1] Las periferias urbanas, como una "expresión de la urbanización popular", han sido estudiadas como un fenómeno fundamental del siglo XX en ciudades grandes y generalmente de América Latina y los llamados países de producción primaria. Aunque normalmente se trata de zonas de vivienda en suelos apropiados ilegalmente (característica principal y que las hace, en buena medida, distintas de las periferias de momentos anteriores) y en los "márgenes" del "área urbana oficialmente reconocida", algunos autores han hecho notar la dificultad de hablar de espacios periurbanos de pobreza cuando puede haber pobres en los centros y "grupos sociales de renta alta" y fraccionamientos legales en las periferias (véase Duhau, 1994: 46-61; Capel, 2012).

[2] En los linderos de la villa de Aguascalientes sólo hubo un pueblo de indios, el de San Marcos, integrado a ésta, prácticamente desde su origen hasta su desaparición y consecuente "conversión" en barrio, en la primera mitad del siglo XIX. Ya en el siglo XX una invención romántica describió cuatro barrios en la ciudad (San Marcos, Guadalupe, El Encino y La Salud), un reflejo elocuente del desconocimiento de los barrios que la gente identificaba y que en la práctica existían; en 1870, a título de ejemplo, circundaban el área central, entre otros, el del río de los Pirules, el de Cholula, el del Hueso, el de las alfarerías, el

lados con el conjunto de la ciudad, "lazos entre circuitos formales e informales"[3] que llevan mano de obra, flujos de bienes, satisfacción de necesidades, esparcimiento, etcétera, en una ciudad cuyas dimensiones de suyo facilitaban el contacto.

A partir de documentos judiciales —en busca de "fragmentos de vida" (Farge, 1994: 7)[4] de acusados, testigos e involucrados en procesos—, y también de notas de prensa, estadísticas, reglamentos y diferentes tipos de imágenes, se propone un camino para introducirse y dar seguimiento a la vida de barrio, a las formas de habitación, a los itinerarios de la gente en la ciudad y a las estrategias implementadas por un amplio sector social para enfrentar y vivir una urbe como la de Aguascalientes a finales del Porfiriato.

En un primer momento el capítulo caracteriza, contabiliza y ubica las vecindades en la ciudad, como una forma de habitación para sectores populares que adquirió gran notoriedad a principios del siglo, siguiendo experiencias y formas de vida de sus habitantes (el tejido de amistades, relaciones sentimentales, chismes, solidaridades o enfrentamientos). Además, explorará itinerarios seguidos en esa ciudad poco visible, construidos a partir de referencias básicas como el lugar de trabajo de las personas, el punto donde se abastecían, el sitio donde vendían o empeñaban sus modestas pertenencias o el fruto de su oficio, el templo, la cantina o la estación del ferrocarril. Finalmente, el texto estudia las formas de movimiento por la urbe, modificadas por ejemplo con la instalación de tranvías que integraron la otrora ciudad aislada y fragmentada, y ampliaron la visión y las posibilidades de la gente, así como las estrategias de conducción, basadas casi siempre en referencias visuales que daban sentido a un mundo donde no hacía falta memorizar nomenclaturas de héroes patrios o números de casas.

Detrás de las imágenes y los retratos personales y colectivos que se cruzan en el texto subyacen al menos dos líneas metodológicas para desvelar esa ciudad invisible: una espacial, que identifica lugares clave, y otra de aprovechamiento de indicios urbanos en las declaraciones judiciales, notas de prensa o fotografías; al mismo tiempo, se procura no sólo acceder a zonas

de la garita de Zacatecas, el del Tacuche, el del Estanque, el de la Indita, el del Obraje, el del Olvido, el del Pueblo, o Pueblito, como en realidad se le conocía al de San Marcos (Martínez, 2009a: 19-33).

[3] Para la Ciudad de México en las décadas de 1980 y 1990 Daniel Hiernaux evidencia esos mismos lazos necesarios entre el "centro" y la "periferia", con todo y la creciente segregación vivida (Hiernaux y Tomas, 1994: 40-41).

[4] El método de acercamiento al expediente judicial está en buena medida inspirado por este libro.

poco conocidas, sino avanzar en el análisis de su significado en el conjunto de la ciudad y su funcionamiento.

Habitación y vecindades

Uno de los fenómenos de cambio más interesantes ocurrido en muchas ciudades latinoamericanas durante el siglo xix —especialmente durante su segunda mitad— fue el de las vecindades. En la Ciudad de México las hubo desde épocas tan tempranas como el siglo xvii y en cantidad tal que hacia 1813 se contaban más de 5 000.[5] No obstante, parece que el de la capital mexicana fue un caso excepcional.[6]

La vecindad es por excelencia expresión de algún grado de pobreza económica de la población y de otro grado de concentración demográfica, pero en la Ciudad de México, durante la época colonial, funcionaron además como un tipo de vivienda adecuado a necesidades de gremios de artesanos, con cuartos que cumplían la doble función de casa y taller, brindando "vecindad", "intercambio de ideas, la ayuda mutua y la unidad familiar", según el pensamiento de las congregaciones religiosas, sus principales propietarias.

Las vecindades de Aguascalientes y de muchas otras ciudades corresponden a otro momento y otras circunstancias, cuando a finales del siglo xix una fuerte corriente migratoria demandó viviendas baratas en arrendamiento. En esta etapa la vecindad nació, en muchas ciudades, como una de las más genuinas expresiones del embate del sistema capitalista que conjuga, según la vieja fórmula de Marx y Engels, la rápida acumulación de capital, el desarrollo de la industria y la afluencia de fuerza de trabajo a las ciudades, todo lo cual produce especulación y amontonamiento de los obreros en barrios alejados.[7] En realidad el fenómeno no está necesariamente ligado a la aparición de industrias y puede ocurrir en cualquier época en ciudades con "aureola" de

[5] Véase el artículo de Rodríguez, 2006: 36-63, el cual recoge las autorizadas opiniones de José Antonio Rojas Loa y Enrique Ayala sobre las vecindades de la Ciudad de México. También puede verse Fernández, 2005: 47-80.

[6] Una ciudad capital de país como Bogotá, atractiva casi todo el tiempo para los pobres de las regiones vecinas, tenía "tiendas" (vecindades) ya hacia 1801, pero a finales de ese siglo, tras grandes flujos migratorios —sobre todo en los años setenta del siglo xix— cerca de 40% de su población vivía en tiendas de habitación (Mejía, 2000: 376-382).

[7] Citado en Bettin, 1982: 53-59.

atracción,[8] pero en todo caso, siempre se trata de una expresión de crecimiento poblacional desmedido y de marginación (imagen 1).

En el Aguascalientes de finales del siglo xix tomaron asiento dos grandes industrias del giro metalmecánico las cuales se constituyeron automáticamente en uno de los imanes principales que atrajeron fuerza de trabajo, moviendo a las élites locales a especular con la tierra, algunas veces ofertando lotes para edificar casas y otras, construyendo cuartos o habilitándolos en viejas construcciones que carecían de las más elementales comodidades.

No se exagera si se afirma que de un día para otro llegaban decenas o cientos de personas a buscar habitación en Aguascalientes, sobre todo en momentos clave, como cuando empezaron a funcionar las mencionadas factorías. Algunos podrían improvisar una choza en los arrabales, otros se podían amparar bajo el techo de un pariente o un amigo, varios más tomaban en alquiler una casa, los menos se hacían de un terreno e iban fincando poco a poco, pero muchos más se tenían que amontonar en la que se ofreció como mejor opción para las ambiciones de algunos propietarios: las vecindades.

A diferencia de algunas grandes ciudades en las que las familias acomodadas se mudaron del centro a los suburbios (construyendo vistosas y modernas colonias) y dividieron sus viejas casas en decenas o cientos de cuartos "de vecindad" que alquilaban a familias pobres que no tenían otro sitio donde vivir, en una ciudad mediana y de menores recursos como

Imagen 1. Una vecindad en Aguascalientes. Fuente: agm (Archivo Gerardo Martínez).

[8] Romero, 1999: 393.

Aguascalientes el traslado de la élite hacia las afueras de la ciudad fue mucho más lento y las vecindades no se formaron en las viejas casas del centro, sino en los arrabales o calles inmediatas a las ocupadas por los propietarios ricos, ubicándolas en terrenos que antes habían sido huertas o, más bien, casas que antes arrendaban como una unidad y que al calor de las oleadas migratorias subdividieron para darles cabida y abultar su cartera. Desde este momento las vecindades de Aguascalientes siguieron las dos modalidades básicas: la de construcción ex profeso y la de adaptación de cuartos en una vieja casa, mesón u hotel.

En 1900 la traza de la ciudad de Aguascalientes estaba compuesta por poco más de 210 manzanas, divididas administrativamente en cuatro demarcaciones. Al norte y al sur la urbe estaba limitada por fronteras naturales (arroyos), al poniente por parcelas y ranchos particulares, y al oriente por la hacienda de Ojocaliente, en cuyos terrenos brotaban los manantiales de agua que le daban vida y nombre a la ciudad, y por la zona en la que recientemente se había instalado un molino de harina y donde se empezaban a construir los talleres del Ferrocarril Central Mexicano.

De acuerdo con un análisis elaborado en otro lugar, las familias de mejor posición económica concentraban el lugar de sus viviendas en 20 de las manzanas más céntricas (plano 1, pág. siguiente).

Las vecindades, por otro lado, estaban ubicadas principalmente más allá de estos límites (plano 2, pág. 267). La mención más antigua que hemos localizado data de 1874 y es la de los "Cuartos de don José Morán", situados en el Callejón del Burro. Ya casi a finales del siglo aparece otra referencia que tampoco lleva aún el nombre de vecindad: "El Mesón del Ángel" que, no obstante la categoría contenida en su título, cumplía la función de un hospedaje más fijo que el de un mesón.

A partir de 1900 los nombres, direcciones y referencias se multiplican: la vecindad de San Pedro, la del Relámpago, la de Jesús, la Constancia, la de San Juan Nepomuceno, Del Refugio, Del Siglo xx, De la Purísima, Del Carro, y otras bautizadas con el apellido del propietario: la de Baker, la de Carreón, la de los Calzadas, la de don Juan Díaz, etcétera. Andando el tiempo, por toda la ciudad había más de 200 concentradas en el norponiente (donde se contaban más de 100), evidenciando el lugar de habitación de muchos obreros que llegaron a trabajar a la Fundición Central Mexicana y en el oriente y suroriente donde se contaba casi otro centenar de vecindades alre-

PLANO 1
UBICACIÓN DE LAS PRINCIPALES CALLES HABITADAS POR LAS FAMILIAS DE LA ÉLITE, HACIA 1910

Fuente: Elaboración propia sobre el *Plano de la ciudad de Aguascalientes* de Tomás Medina Ugarte, 1900.

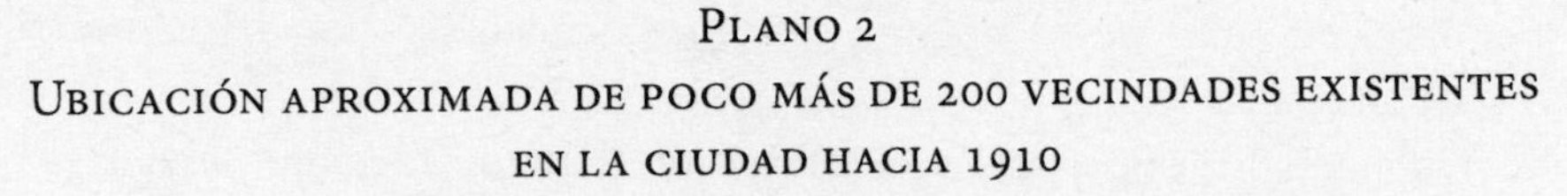

Plano 2
Ubicación aproximada de poco más de 200 vecindades existentes en la ciudad hacia 1910

Nota: La ausencia de estas viviendas en el centro de la urbe y su abundante presencia por los rumbos suroriente y norponiente.

Fuente: Elaboración propia sobre el *Plano de la ciudad de Aguascalientes* de Tomás Medina Ugarte, 1900, con información sistematizada de: AMA, FH, 443.39.

dedor del punto de mayor movimiento de la ciudad: la estación del ferrocarril y sus talleres.[9]

Un análisis más particular muestra que, como se adelantó, salvo tres o cuatro casos no había ninguna vecindad en el perímetro que había ocupado y seguía habitando la élite, en las manzanas circundantes de la Plaza Principal. Sobre esta traza sólo había una en la calle de Hospitalidad y dos en la 1ª de San Juan de Dios (Primo Verdad). Por el sur, el rumbo que en realidad no tenía casas importantes más allá del cuadro de la plaza, detrás de los palacios de los poderes estatal y municipal, es posible identificar una zona bien definida de cuartos en las calles aledañas al arroyo de los Adoberos, que cruzaba la ciudad: de uno de sus lados, por la calle de San Juan Nepomuceno (hoy Hornedo), y del otro, por la de Washington (Jesús Díaz de León), La Estrella (16 de septiembre), la de El Olivo y por la calle de Los Pericos (5 de febrero). Hacia el otro costado, también por el sur, se encontraba otro conjunto de casas de vecindad: por las calles Del Circo (Insurgentes), Del Castillo (Ignacio Rayón) —una notoria zona de prostitución— y otras, más al sur, alrededor del Hospital Hidalgo, el rastro y las calles cercanas al arroyo del Cedazo.

El grupo más definido y numeroso era sin duda el del noroeste: en la calle de F. Díaz había al menos siete; 12 en la de Guadalupe, 13 en la de Las Ánimas, 18 entre la 2ª y la 5ª cuadra de Larreategui, siete en La Mora, cinco en Terán, nueve en la de la Igualdad, nueve en Libertad, 13 en Tacuba y varias más que definían desde entonces lo que aún a mediados del siglo xx era el sitio de vecindades en la ciudad.

Señaladas sobre el plano las vecindades dan forma a un cinturón que rodea al centro, una periferia que dibuja un modelo de urbanización sólo aparentemente sencillo, pues detrás de él había muchos elementos (huertas, establos, industrias) y diferencias (al sur, de hecho, la zona quizá con carencias más marcadas ni siquiera aparecen vecindades), incluso existía un "suburbio" para residencias vacacionales de la élite (alrededor del jardín de San Marcos).

[9] Se formó una relación inicial con base en las referencias aisladas encontradas en diversos expedientes de la serie Judicial Penal, resguardados en la Casa de la Cultura Jurídica de Aguascalientes (ccj), correspondientes a los años 1874-1914, y en diversas notas periodísticas de la época, de la que resultó una muestra preliminar de 40 vecindades. La fuente principal, no obstante, son las listas elaboradas por los cuatro inspectores de las demarcaciones de la ciudad en 1917 donde se anotaron 237 vecindades, de las cuales alrededor de 25 se habrían formado después de 1910: ama, fh, c. 443, exp. 39, s.n.f.

Petra Mendoza vivía en la vecindad de Francisco Baker, situada en la 2ª calle de San Juan Nepomuceno número 10. Era de Guadalajara, pero llevaba mucho tiempo en Aguascalientes. Estaba casada con Francisco Martínez García, de 29 años, dos menos que ella.[10] El estrecho cuarto que ocupaban debió cumplir con las características del promedio de los de su tipo. Dormían en él seis personas: la pareja, Eusebio, Rosenda, Leonor (sus tres hijos) y Manuel Ayala, un sobrino de Petra que había quedado huérfano. En 1905, año en que la Mendoza se vio involucrada en un acto de circulación y fabricación de moneda falsa, el ingeniero de ciudad hizo una inspección por la llamada "vecindad de Baker" que lo dejó boquiabierto (imagen 2).

Según su reporte, encontró que "la mayoría de las piezas están inhabitables: muy reducidas, los techos sumamente bajos, poca ventilación, mucha humedad y ninguna comodidad". Revisó el excusado y se topó con uno "lleno por completo", del cual salían "las materias fecales a la pieza contigua", por lo que "los numerosos inquilinos usan como excusado un pequeño hoyo que se hizo en uno de los cuartos, sin banco ni tablas". Concluyó tajante que "la distribución y aspecto general de la casa no podrían ser peores, y es inexcusable la existencia de un edificio semejante en una población como ésta", elevando a la Jefatura Política su concepto para que la vecindad se clausurara mientras se ponía "habitable".[11]

Imagen 2. Petra Mendoza vivía en la vecindad de Baker. Fuente: ccj, jp, 1905, exp. 53, s/n/f.

Muchos intelectuales de la época que querían entender las causas de la criminalidad, encontraron en esas pocilgas buena parte de las explicaciones a sus preguntas. Rayando en una fascinación morbosa por la intimidad, se introdujeron en los cuartos y describieron espacios e individuos que les repugnaban: se cubrían de andrajos, siempre andaban sucios, usaban un "lenguaje tabernario", lucían decrépitos, eran amigos de las riñas, habían "perdido el pudor de la mane-

[10] ccj, jp, 1905, exp. 53, s.n.f.
[11] ama, fh, c. 310, exp. 8, s.n.f.

ra más absoluta", y era de su seno de donde "se reclutan los rateros y son encubridores oficiosos de crímenes muy importantes. Insensibles al sufrimiento moral, el físico los lastima poco..." (Buffington, 2001: 93).

Las vecindades y los barrios de los arrabales, con su pobreza, insalubridad y hacinamiento eran el caldo de cultivo de los vicios que más preocupaban a la élite: la ebriedad, el juego, la vagancia, la mendicidad y la excitación de las pasiones. Es verdad que no se puede generalizar el perfil de estos miles de habitantes: acostumbrados a una vida en la que la división entre lo público y lo privado era más laxa que la que se imponía en las familias acomodadas, los pobres estaban y están expuestos al señalamiento y a la crítica.

Lo cierto es que la familia de Petra Mendoza vivía en condiciones deplorables y que en su seno habían tomado asiento varios de esos vicios censurados por la élite. En un mismo cuarto habitaban la pareja, los hijos de ambos, uno que él había tenido con otra mujer y el sobrino de ella. Él había estado alguna vez en la cárcel y ella lo estuvo en dos ocasiones consecutivas; como castigo en la segunda ocasión recibió la pena de prisión durante cinco años y seis meses.

Parece que en la familia había dificultades y disfunciones frecuentes. Cuatro días después de que Petra salió de la cárcel, tras su primera visita, discutió con su marido y se fue a vivir a otra vecindad porque, según dijo, "temía que éste le pegara un golpe". Los niños quedaron desprotegidos; unos días estuvieron con Francisco, pero seguramente éste no quería atenderlos, pues —según declaró— los llevó "a la casa de un conocido cuyo nombre ignora", y enseguida estuvieron "en diferentes partes, hasta que fueron a dar con Petra Mendoza según supo después, sin que el declarante sepa cómo vivirían o en lo que se ocuparía ésta...".[12]

La vecindad, como el barrio, estaba fuertemente anclada a sus moradores; en ella se pasaban muchas horas del día, se tejían amistades, relaciones sentimentales, chismes, solidaridades o enfrentamientos. Como los cuartos eran incómodos y poco higiénicos, la vida de la vecindad se desarrollaba en las puertas, en los pasillos, en los patios y en los lavaderos (imagen 3).

Las escenas de bailes y riñas que involucraban a toda la vecindad son bien frecuentes en la prensa. Había jolgorios, por ejemplo, en el patio de la vecindad de doña Casimira Silva, en la 1ª calle del Castillo (Rayón).[13] El comisario se encontró un día con un gran escándalo en la vecindad de Jesús,

[12] CCJ, JP, 1905, exp. 53, s.n.f.

[13] *La Voz de Aguascalientes*, núm. 123, 13 de noviembre de 1908.

Imagen 3. Una cantina en una zona popular. Fuente: Archivo José de Jesús Martínez Galindo.

en el cual llevaba protagonismo María Guadalupe "mujer conocida por la cubana".[14] En otro patio de vecindad, éste en la calle de Larreategui, "hubo una riña, casi un tumulto, por el número de rijosos, hombres y mujeres".[15]

Julia Torres y Marta Plascencia, dos mujeres que vivían en una vecindad, eran inseparables "porque se conocían de mucho tiempo atrás y se dedicaban a un mismo trabajo para ganarse la vida: hacían tortillas". Un día, como de costumbre, llegaron a su domicilio al filo de las 10 de la noche, cansadas del ajetreo de toda la jornada en el Mercado Calera, donde vendían su mercancía. Apenas acabaron de cenar recordaron que habían dejado la puerta abierta, encendieron una vela y salieron juntas para cerrarla, sólo que en el zaguán se toparon con una sorpresa que ese día habría de teñir de sangre la vecindad: Eulogio Chaires, un viejo amor de Marta, con quien había procreado una hija.[16]

[14] *La Voz de Aguascalientes*, núm. 130, 1 de enero de 1909.
[15] *El Observador*, año II, núm. 105, 21 de marzo de 1903.
[16] *La Voz de Aguascalientes*, núm. 108, 31 de julio de 1908.

La vida en el barrio y los lugares básicos: la plaza y el mercado

Una ciudad que crece, que se vuelve cada día más compleja y en la que se van haciendo más notorias las diferencias y las divisiones, requiere estrategias para enfrentarla y habitarla. La élite desarrolló un proyecto urbano a varios niveles, por ejemplo: *1)* afinó las divisiones administrativas para controlar a la población, *2)* impuso nomenclaturas a las calles y levantó monumentos conmemorativos de héroes y acontecimientos clave para legitimar a la nación y a su gobierno, *3)* construyó casas y colonias a la altura de sus ambiciones y anhelos, *4)* impulsó el combate a la insalubridad y edificó a las afueras de la urbe sitios que por su naturaleza les eran incómodos pero necesarios: un hospital, un rastro, los cementerios; *5)* inició la instalación de servicios públicos modernos que cubrían viejas necesidades con nuevas herramientas: abasto de agua por tubería de fierro, iluminación pública y privada por electricidad, drenaje, pavimentación, etcétera; *6)* vislumbró la expansión de la ciudad con trazos reticulares que seguían diseños modernos, *7)* mejoró la imagen y funcionalidad del centro como el lugar de convivencia y comercio burgués, *8)* fomentó la incorporación de grandes fábricas, y *9)* en general, se esforzó en establecer los sitios de su circulación, apartándose cada vez más de las zonas de habitación y movimiento de las clases populares (Martínez, 2009b.)

Frente a esta posición los miles de habitantes de las zonas circundantes al centro, los que vivían en los sitios, casas y vecindades que se han ido explorando, construían en la cotidianidad sus propias estrategias para habitar la ciudad. Entre sus espacios íntimos y conocidos, su cuarto de vecindad o su casa, entre ellos mismos y el mundo físico y social establecían medios para relacionarse, para asistir a su trabajo, para proveerse de alimentos y vestido; para pasearse, para buscar el sustento, para divertirse y para toda una serie de actividades que debían desarrollar en la ciudad.

El espacio donde inicia el contacto con la ciudad es el barrio. Ahí se establecen relaciones entre vecinos, compañeros de oficio o trabajo y entre compradores y vendedores. Pierre Mayol definió con inmejorables palabras el significado del barrio y la forma en que el placer o la necesidad inducen a cada habitante a conocerlo y a saberlo recorrer:

> Frente al conjunto de la ciudad, atiborrada de códigos que el usuario no domina pero que debe asimilar para poder vivir en ella, frente a una configuración de lugares impuestos por el urbanismo, frente a las desnivelaciones intrínsecas al espacio urbano, el usuario consigue siempre crearse lugares de repliegue, itinerarios para su uso o su placer que son las marcas que ha sabido, por sí mismo, imponer al espacio urbano. El barrio es una noción dinámica, que necesita un aprendizaje progresivo que se incrementa con la repetición del compromiso del cuerpo del usuario en el espacio público hasta ejercer su apropiación de tal espacio (Mayol, 1999: 9-10).

Al tiempo que uno conoce el barrio, el barrio y sus habitantes lo conocen a uno, por eso los extraños causan siempre suspicacia. Ahí, dentro del barrio, las tiendas eran el primer punto de acercamiento, el centro al que todos acudían, donde se establecía un contacto al menos visual. Julia Martínez compraba carne "los más días" en el despacho de la señora Evarista, en el Mercado Calera; no sabía su apellido, pero la tenía bien ubicada. Para doña Evarista, por su parte, Julia le era "desconocida de nombre y no de vista porque se ha fijado en que es su marchante".[17] Cuatro centavos de carne, cuatro onzas de manteca, huevos, un poco de azúcar, carbón y otras muchas pequeñas cosas se compraban en tiendas inmediatas al domicilio. María López, que vivía en la calle de la Mora, hizo temprano su mandado en el Mercado Terán y a medio día mandó a su hija por un poco de manteca "al tendajón de don Jacinto", el que su esposo identificaba sólo como "una tienda cuyo nombre ignora pero que está situada en la misma calle de su vecindad".[18]

Algunos tenderos eran bastante observadores y dominaban la escena barrial. Pablo González, por ejemplo, era de Encarnación de Díaz, Jalisco, tenía 50 años y hacía seis que había establecido una tienda en la 2ª calle de Hebe (Manuel M. Ponce), cerca del Jardín de San Marcos. Le gustaba platicar con sus clientes y su buen trato hacía hablar a muchos: de su vida, de la de otros, de lo que sabían o habían visto, y de lo que les habían contado, por lo que se jactaba de conocer "perfectamente bien a todas las personas del barrio".[19] Prácticamente le tenía un expediente abierto a cada uno de los vecinos.

[17] CCJ, JP, 1907, exp. 27, s.n.f.
[18] CCJ, JP, 1908, exp. 103, s.n.f.
[19] CCJ, JP, 1910, exp. 38, s.n.f.

A José Macías y María Guadalupe Romero los conocía desde dos años atrás, cuando la pareja se estableció en la 7ª calle de Nieto y empezaron a "comprarle algunas cosas de abarrotes". Con el tiempo cambiaron hasta tres veces de casa, de las que don Pablo conocía bien su dirección, y José no dejaba de ir a platicar con él, aunque "nunca le quiso decir al declarante cuál era su giro o modo de vivir". Como el comerciante se encargaba de armar rompecabezas de la vida de todos, lo que no le platicaban lo intuía o lo averiguaba. Participó como empadronador, teniendo acceso a todas las personas y habitaciones del barrio. En la 5ª de Hebe, donde vivían Macías y su esposa, se encontró con una mujer que le generó sospechas por su negativa a proporcionarle los datos personales que exigía el formato del padrón. Lo que más le llamaba la atención era que los personajes en cuestión "vistieran con elegancia" y gastaran dinero "sin tener un modo conocido de vivir" (imagen 4).

En una ciudad mediana como Aguascalientes siempre quedaban posibilidades —y además necesidad— de conocer y de apropiarse de un espacio mayor al barrio. En el proceso de crecimiento, de recepción de flujos migratorios y de cambios en los ritmos y formas de vida, la urbe permitía y exigía a la vez la extensión del espacio de movilidad de las personas. Para algunos el campo de posibilidades era tan amplio como la ciudad misma, incluso como la región y una amplia área que podía llegar hasta las costas del país o los territorios de Estados Unidos, por donde se movían con soltura.

Imagen 4. José Macías vivía en la 7ª calle de Nieto, vestía "con elegancia" y gastaba dinero "sin tener un modo conocido de vivir". Fuente: CCJ, JP, 1910, exp. 38, s.n.f.

Los aguadores, por ejemplo, iban de sus domicilios a las

fuentes públicas o a los manantiales a surtir sus cántaros y de ahí a las casas de pobres y ricos por todos los rumbos. El común de las personas, sin embargo, construía sus itinerarios a partir de referencias básicas: su lugar de trabajo, el punto donde se abastecían, el sitio donde vendían o empeñaban sus modestas pertenencias o el fruto de su oficio, el templo, la cantina y la estación del ferrocarril.

Aunque la ciudad de los márgenes resultaba poco o nada conocida para quienes habitaban las calles céntricas, en sentido contrario era diferente: sus moradores circulaban y daban sentido a la ciudad como un todo integrado.

La Plaza Principal, el Parián, el Mercado Terán y otros puntos céntricos de comercio destacan siempre en los itinerarios de la gente que habitaba los barrios que circundaban la ciudad. El Mercado Terán (imagen 5) era quizá el sitio de convivencia por excelencia: a él llegaban los vendedores establecidos, los foráneos que iban en busca de comprador para sus cuartillas de maíz o sus nopales, quienes frecuentaban una cantina del rumbo, los que llegaban de un pueblo o acababan de bajar del ferrocarril en busca de una fonda, los que improvisaban un puesto de herramientas o de ropa usada, y las amas de casa y vecinos de habitaciones inmediatas como las de las calles de la Mora o Larreategui, hasta los de sitios apartados como la calle de San Juan Nepomuceno (Hornedo).

Otros sitios de gran afluencia eran las casas de empeño, a donde la gente de todos los vientos de la ciudad llevaba sus objetos personales, a cambio de unas monedas que servían para el jarro de pulque, para la leche de los niños o para la comida del día. En los almacenes de estos establecimientos se apilaban enaguas, chaquetas, pantalones, rebozos, sombreros, jorongos, zapatos, frazadas, camisas, calzones, botines, casimires, bufandas y artículos del hogar: sillas, sábanas y cobertores, cazos y una multitud de objetos.[20]

A Nabor Sánchez lo sorprendieron entregando monedas falsas con las que pretendía desempeñar unas prendas del Montepío "El Banco".[21] Matilde Rico y Emeterio Méndez se vieron involucrados en un escándalo cuando en la puerta del Monte de Piedad, situado en uno de los portales del Parián, una mujer se abalanzó sobre la Rico reclamando que le había robado "un portamonedas con tres pesos y una boleta de empeño".[22] (imágenes 5, 6 y 7).

[20] Apoyado en: AMA, FH, c.103, exp. 25, s/n/f.
[21] CCJ, JP, 1909, exp. 35, s.n.f.
[22] CCJ, JP, 1898, exp. 1, s.n.f.

A diferencia del Mercado Terán, ubicado en el trayecto hacia la salida a Zacatecas, rodeado de comercios y habitaciones de clase pobre, muy cerca de ahí, pero envuelto en otro tipo de entorno urbano, estaba El Parián, el edificio que en estricto sentido debe considerarse como el primer punto construido formalmente para el intercambio de productos en la ciudad, en 1828. Además de ser un sitio intermedio entre la Plaza Principal (imagen 6) y el Mercado Terán, el Parián era por sí solo un centro de atracción para las clases media y baja que acudían a los negocios de comerciantes y productores medianos y grandes.

El Parián (imágenes 7 y 8) captaba siempre la atención de los fotógrafos, sobre todo de los extranjeros (Martínez, 2007: 145-181). Entre un abigarrado conjunto de elementos, en sus placas aparecen con recurrencia los burros cargados de leña, los arrieros, los sirvientes con la canasta para el mandado, multitudes de hombres y mujeres —con sombrero y jorongo los primeros, y ellas con rebozo y enaguas—, otros individuos cuya vestimenta los delata como miembros de la clase media o alta, y varios comerciantes ofreciendo sombreros, blusas, loza, servilletas deshiladas, ropa e infinidad de chácharas, apostados en el suelo del patio interior del edificio, parados junto a los roperos de las columnas exteriores, o sentados en su puesto informal junto a

Imagen 5. Puestos callejeros a las afueras del Mercado Terán, centro de reunión. Fotografía, ca. 1906. Fuente: Tarjeta postal perteneciente al Fondo Pictográfico de Colecciones Especiales de la Universidad Autónoma de Ciudad Juárez.

Imagen 6. Vista idealizada de la Plaza Principal de Aguascalientes, ca. 1906. Fuente: Tarjeta postal perteneciente al Fondo Pictográfico de Colecciones Especiales de la Universidad Autónoma de Ciudad Juárez.

Imagen 7. El trayecto que separaba al Parían (abajo, derecha) y al Mercado Terán. Fuente: agm.

las puertas de los locales establecidos: "El Diamante", "El Buen Gusto" o "La Torre Eiffel", entre los de mejor reputación.

Pablo Castañeda, un jornalero que se había tenido que ocupar como sirviente en una casa de la ciudad, identificaba bien "una tienda situada en el lado poniente del Parián, donde venden jorongos".[23] María Guadalupe García y su amante Luis Delgado fueron aprehendidos por un gendarme cuando paseaban en compañía de Agustín Hernández por el mismo Parián "al frente de las Fábricas de Francia".[24] Francisca Aguilar, que ejercía el oficio de la gamucería, acudía con frecuencia al local de Santiago Ruiz de Chávez, a ofrecerle calzoneras y chaquetas de cuero.[25] En el Portal Morelos, como se conocía la acera oriente del edificio, ocupaban dos locales la talabartería y

Imagen 8. Vista del portal sur del Parián, CA. 1899. Al fondo aparecen circulando dos carros del tranvía de mulas por la calle Allende para doblar hacia la plaza principal, por la calle del Reloj [andador Juárez]. Alrededor del Parián, personas de todas las clases, tomando el sol, platicando, trabajando, haciendo el mandado. Fuente: AHEA, Fototeca, Fondo Aguascalientes, núm. 124.

[23] CCJ, JP, 1899, exp. 40, s.n.f.
[24] CCJ, JP, 1908, exp. 23, s.n.f.
[25] CCJ, JP, 1872, exp. 29, s.n.f.

expendio de calzado "El Diamante", propiedad de un hermano de Santiago, Felipe Ruiz de Chávez, uno de los hombres más destacados de la política y los negocios del Aguascalientes porfiriano.

Para ir de el Parián a la Plaza Principal —otro de los puntos clave en los itinerarios de toda clase de gente— la ruta más corta era seguir el andador Juárez, una calle comercial que adquirió aspecto burgués en los últimos años del Porfiriato, y a la que Eduardo J. Correa se refirió como "el Plateros de Termápolis, donde estaban los comercios y las casas elegantes [...]" (Correa, 1945: 32-45). Aunque muchos sirvientes, vendedores, cargadores, paseantes y personas de las clases populares circulaban por este corredor, compartiendo espacios con la élite, seguramente muchos otros preferían la ruta que, saliendo de la plaza, les marcaba la calle de Tacuba (imagen 8).

Precisamente la Plaza Principal conservaba, en la época que se trata, su carácter de punto de relación; de centro en el que convergían todos los itinerarios. María Guadalupe Romero, que acababa de arribar a la ciudad por la estación del ferrocarril, proveniente de Irapuato, se fue a sentar a la Plaza Principal mientras su esposo buscaba alojamiento.[26] Darío Aguirre, labrador de Santa María de los Lagos que pasó por la ciudad a vender unos botes de manteca, llegó buscando un corredor (intermediario) a la plaza; horas más tarde, cuando había realizado la transacción se encaminó de nuevo a ella para tomar un tranvía eléctrico que lo condujera a la estación.[27] Tal como lo muestra una fotografía, la plaza hervía en movimiento: ahí tenían su punto de partida y llegada las corridas del tranvía que llevaban obreros a la Fundición Central —en el norponiente—, a la estación —en el oriente—, al barrio del Encino —en el sur— y al jardín de San Marcos por el poniente (imagen 9). Quienes salían de misa caminaban por ahí y quizá se iban a sentar un rato. Algunas personas humildes tenían que seguir acercándose a ella a tomar el agua para sus casas, ya no de las fuentes, pero sí de algunos hidrantes[28] dispuestos en algunas de sus esquinas.[29] Finalmente, políticos, comerciantes y empresarios realizaban alrededor de la plaza sus diligencias cotidianas.

[26] CCJ, JP, 1910, exp. 38, s.n.f.

[27] CCJ, JP, 1907, exp. 88, s.n.f.

[28] Los hidrantes no eran sino llaves de agua que se colocaron en algunos puntos de la ciudad, especialmente en las esquinas, para dotar del líquido a las familias que no tenían acceso al abasto particular mediante tuberías.

[29] Como una mujer que "todo el día hecha viajes del hidrante de la Plaza de la Constitución a dicha casa sita en la 1ª del Circo [...]". *El Clarín*, año 1, núm. 45, 5 de junio de 1909.

FORMAS DE MOVIMIENTO. EL TRANVÍA

La instalación de líneas de tranvías por varias de las calles de la ciudad contribuyó a la formación de nuevos itinerarios y apoyó a la gente de los barrios y las zonas, antes dispersas, en su labor de conocimiento y apropiación del espacio.

En 1883 comenzó a funcionar una primera ruta de interés puramente lúdico que hacía el recorrido entre la Plaza Principal y los baños de Los Arquitos, añadiéndose un año después un tramo de rieles que llegaban hasta la estación del ferrocarril. Dos décadas después, la ciudad había consolidado una extensa red de tranvías de más de 18 kilómetros, que fue siguiendo la aparición de industrias y áreas de concentración de obreros e individuos de clases bajas en general (plano 3, pág. siguiente). Al eje principal Nieto-Ojocaliente (poniente-oriente) se sumaron, en 1897, el que llevaba personal a la fundición por el norponiente; en 1903, un circuito que de norte a sur comunicaba el barrio del Encino con el de Zaragoza, hasta la 7ª de Tacuba; y en 1904, año en que se electrificaron algunos tramos, se

Imagen 9. Entre la iglesia catedral y la plaza-parque quedó libre un amplio espacio que conservó la función de la plaza como centro nervioso de la ciudad, punto de llegada y salida de los tranvías, centro de reunión, paso obligado de todos los itinerarios. Fuente: AMA, fototeca, sin clasificación.

inauguró una nueva ruta que transportaba gente de la estación a la plaza, bordeando la fábrica y colonias promovidas en venta por el dueño de la compañía de tranvías, Juan Douglas (Martínez, 2009b : 255-272).

Durante la inauguración de la línea a la fundición, en mayo de 1897, José Herrán alabó, con sobrada ironía involuntaria, el "inmenso beneficio a la sociedad" que generaba la compañía, pues evitaba "a los obreros de la Fundición Central la fatiga de andar diariamente algunos kilómetros, y ese trabajo inútil de los músculos redundará en beneficio de su salud, de su trabajo útil y de su bienestar" (Herrán, 1897). Por supuesto, el desgaste físico que implicaba caminar algunos kilómetros no tenía comparación con las extenuantes jornadas que cumplían los obreros al interior de la Fundición.

Plano 3

Rutas de tranvías que hacia 1910 circulaban por la ciudad.

Nota: Los circuitos generaban movilidad principalmente hacia los grandes sitios de trabajo industrial. Fuente: Elaboración propia sobre el *Plano de la ciudad de Aguascalientes* de Tomás Medina Ugarte, 1900.

Lo que interesa subrayar es el impacto que el tranvía generó en las formas de vida, en los itinerarios de la gente y en la integración de la otrora ciudad relativamente aislada y fragmentada. Un habitante de la calle de la Mora, por ejemplo, que tenía un itinerario ceñido a unas pocas cuadras alrededor de su casa, podía estar ahora en la estación del ferrocarril en pocos minutos, y de ahí trasladarse a los manantiales de Ojocaliente, siguiendo por toda la calzada Arellano. Quienes vivían por el rumbo del jardín de Zaragoza podían igualmente llegar a San Marcos y de ahí al río o al Panteón de la Cruz, en el poniente y el norponiente, respectivamente. Otro tanto podían hacer los vecinos del barrio de Triana para llegar a su trabajo en la Fundición Central, siguiendo el trayecto de varios kilómetros que tal vez en algún momento tuvieron que hacer a pie.

Para Jesús Díaz, el joven bañista que atendía a los usuarios en las albercas del Ojocaliente,[30] muchas cosas cambiaron desde que tuvo la posibilidad de tomar un tranvía que lo recogía en la puerta de su domicilio —la vecindad de La Purísima, en la 7ª calle de Nieto— y lo dejaba en la puerta de su trabajo, puntos separados por cuatro o cinco kilómetros (plano 3).

LOS LÍMITES DIFUSOS DE LA CIUDAD, UNA CONCLUSIÓN

Conviviendo con el tranvía como nueva herramienta de transporte y aproximación a la ciudad, la gente mantenía sus formas de apropiación del espacio, sus rutas y sus marcas para recorrerlo.

Ocultos muchas veces ante los ojos de la gente que gozaba de buena posición social, los hombres y mujeres de menores posibilidades estaban ahí, en las vecindades, en las casas de arrabal, cerca de los arroyos, por todos los rumbos que abrazaban las elegantes viviendas céntricas. Conocían bien su barrio y se movían por la ciudad en busca del trabajo, el abasto y la diversión. El gobierno había mandado trazar un plano para tener una imagen de la ciudad, mejorar su administración y mantener el orden y el control de la población. Mandó que todas las casas tuvieran un número de identificación y bautizó progresivamente las calles con nombres y referencias de héroes, batallas, episodios y símbolos nacionales. No obstante, la gente se empeñaba en conocer, conducirse y apropiarse de los espacios mediante referencias visuales que daban sentido a su mundo. Conocían bien a las personas y los

[30] CCJ, JP, 1907, exp. 62, s.n.f.

lugares, tenían referencias precisas de ellas, pero pocas veces se tomaban la molestia de grabarse un nombre o un número.

Epitacio Rodríguez narró un momento en el que estaba parado "en la esquina de la tienda de don Jesús Estrada, situada en la plaza de las tunas, y desde allí vio frente a la barbería de don Agustín y hacia donde se ponen los expendedores del tabaco", a una mujer "cuyo nombre ignora, pero sí la conoce como hija de doña Zula, que vive en los cuartos de don José Morán, en el callejón del burro".[31]

Para Leandro Herrera, un joven de 29 años que se dedicaba a hacer adobes en la colonia del Carmen, la "relación entre sí mismo y el mundo físico y social" estaba dada por sus recorridos diarios. Cuando se le preguntaba su domicilio sólo sabía que estaba "en una de las calles del Olivo (Zaragoza) sin recordar el número de ésta ni el de la casa".[32] No sabía ni le importaba ni necesitaba saberlo.

La identificación de los lugares y la exploración de sus formas de vida, a través de un aprovechamiento de datos y testimonios menudos (hallados destacada pero no exclusivamente en declaraciones judiciales que requieren un método de lectura cuidadoso), contribuyen a correr la cortina de las zonas marginales y con ello a explicar, por ejemplo, los modelos de distribución espacial, los esquemas de organización de zonas o las actividades en los espacios urbanos. Detrás de la ciudad "invisible" aparecen siempre indicios y puntos de contacto que enlazan y permiten profundizar en la comprensión de la complejidad urbana.

Siglas

UAA Universidad Autónoma de Aguascalientes

Fuentes consultadas

Archivos

AHEA Archivo Histórico del Estado de Aguascalientes
Fototeca
Fondo Aguascalientes

[31] CCJ, JP, 1874, exp. 30, s.n.f.
[32] CCJ, JP, 1907, exp. 87, s.n.f.

AMA Archivo Municipal de Aguascalientes
FH Fondo Histórico
AGM Archivo Gerardo Martínez
AJJMG Archivo José de Jesús Martínez Galindo
CCJ Casa de la Cultura Jurídica
JP Judicial Penal
Fondo Pictográfico de Colecciones Especiales de la Universidad Autónoma de Ciudad Juárez

Bibliografía

Bettin, Gianfranco (1982), *Los sociólogos de la ciudad*, Barcelona, Gustavo Gilli.

Buffington, Robert M. (2001), *Criminales y ciudadanos en el México moderno*, México, Siglo XXI Editores.

Correa, Eduardo J. (1945), *Viñetas de Termápolis*, México, edición del autor.

Duhau, Emilio (1994), "Urbanización popular u orden urbano", en Daniel Hiernaux y Tomas Francois (comps.), *Cambios económicos y periferia de las grandes ciudades. El caso de la Ciudad de México*, México, IFAL-UAM Xochimilco.

Farge, Arlette (1994), *La vida frágil. Violencia, poderes y solidaridades en el París del siglo XVIII*, México, Instituto Mora.

Fernández, Martha (2005), "De puertas adentro: la casa habitación", en Antonio Rubial García (coord.), *Historia de la vida cotidiana en México*, t. 2: *La ciudad barroca*, México, El Colegio de México/Fondo de Cultura Económica.

Herrán, José (1897), "Alocución", *El Instructor*, mayo.

Hiernaux, Daniel y François Tomas (coords.) (1994), *Cambios económicos y la periferia de las grandes ciudades. El caso de la ciudad de México*, México, Instituto Francés de América Latina-UAM/Xochimilco.

Martínez Delgado, Gerardo (2007), "Élite, proyecto urbano y fotografía. Un acercamiento a la ciudad de Aguascalientes a través de imágenes, 1880-1914", *Secuencia. Revista de historia y ciencias sociales*, Instituto Mora, núm. 67, enero-abril, pp. 145-181.

_____ (2009a), *Cambio y proyecto urbano. Aguascalientes 1880-1914*, Fomento Cultural Banamex/Municipio de Aguascalientes/Pontificia Universidad Javeriana/UAA, México.

_____ (2009b), "Pasado y presente de la identidad aguascalentense. Una revisión y una mínima propuesta", *Identidad aguascalentense: pasado y presente*, México, Instituto Municipal Aguascalentense para la Cultura.

Mayol, Pierre (1999), "Habitar", en Michel De Certeau, *et al.*, *La invención de lo cotidiano*, t. 2: *Habitar, cocinar*, México, Universidad Iberoamericana/Instituto Tecnológico y de Estudios Superiores de Occidente.

Medina Ugarte, Tomás (1900), *Plano de la Ciudad de Aguascalientes*, México, Archivo Histórico del Estado de Aguascalientes.

Mejía Pavony, Germán (2000), *Los años del cambio. Historia urbana de Bogotá, 1820-1910*, 2ª edición, Bogotá, Centro Editorial Javeriano.

Rodríguez Barrón, Daniel y Concha Cue (2006), "El conmovedor y contrastante mundo de las vecindades", *Centro. Guía para caminantes*, año IV, núm. 32, agosto, pp. 36-63.

Romero, José Luis (1999), *Latinoamérica: las ciudades y las ideas*, Medellín, Colombia, Universidad de Antioquia (Colección Clásicos del Pensamiento Hispanoamericano).

Hemerografía

La Voz de Aguascalientes

El Instructor

El Observador

El Clarín

Recursos electrónicos

Capel, Horacio (2012), "Innovaciones sociales, diagnósticos científicos y construcción de la ciudad", *Biblio 3W. Revista bibliográfica de Geografía y Ciencias Sociales*, Universidad de Barcelona, vol. xvii, núm. 1004, 15 de diciembre de 2012. Disponible en http://www.ub.edu/geocrit/bw-idg.htm [actualización: 15 de diciembre de 2012 (consultada el 8 de febrero de 2013)].

Barrios y periferia: espacios socioculturales, siglos XVI-XXI, se terminó de imprimir en el mes de agosto de 2015 en los talleres de Jiménez Servicios Editoriales/Hugo Jiménez Peñaloza, Cooperativa de Producción, núm. 9-A, Col. México Nuevo, Atizapán de Zaragoza 52966, México, con teléfono (55) 41 67 96 20; E-mail: <jimenezservedit@gmail.com>.

La presente edición, sobre papel cultural de 90 g para los interiores y cartulina sulfatada de 12 pts. para el forro, constó de 500 ejemplares más sobrantes para reposición.